D0048257

PREMIER BILAN
APRÈS L'APOCALYPSE

DU MÊME AUTEUR

MÉMOIRES D'UN JEUNE HOMME DÉRANGÉ, *roman*, La Table Ronde, 1990.

VACANCES DANS LE COMA, *roman*, Grasset, 1994.

L'AMOUR DURE TROIS ANS, *roman*, Grasset, 1997.

NOUVELLES SOUS ECSTASY, L'Infini / Gallimard, 1999.

99 FRANCS, *roman*, Grasset, 2000.

DERNIER INVENTAIRE AVANT LIQUIDATION, *essai*, Grasset, 2001.

WINDOWS ON THE WORLD, *roman*, Grasset, Prix Interallié, 2003.

JE CROIS, MOI NON PLUS *(dialogue avec Jean-Michel di Falco)*, Calmann-Lévy, 2004.

L'ÉGOÏSTE ROMANTIQUE, *roman*, Grasset, 2005.

AU SECOURS PARDON, *roman*, Grasset, 2007.

UN ROMAN FRANÇAIS, Grasset, Prix Renaudot, 2009.

FRÉDÉRIC BEIGBEDER

PREMIER BILAN APRÈS L'APOCALYPSE

essai

BERNARD GRASSET
PARIS

ISBN 978-2-246-77711-3

« Mon Dieu ! mon Dieu ! qu'il existe donc peu de livres qu'on puisse relire, soupira des Esseintes, regardant le domestique qui descendait de l'escabelle où il était juché et s'effaçait pour lui permettre d'embrasser d'un coup d'œil tous les rayons. »

J.K. Huysmans, *A rebours*, 1884.

à Chloë, qui lit plus vite que moi.

MAKING OF

Les livres sont des tigres de papier, aux dents de carton, des fauves fatigués, sur le point de se laisser dévorer. Pourquoi s'obstiner à lire sur un objet pareil ? Des feuilles fragiles, inflammables, reliées, imprimées, sans batterie électrique ? Tu es obsolète, ô vieux livre bientôt jauni, nid à poussière, cauchemar de déménageur, ralentisseur de temps, usine à silence. Tu as perdu la guerre du goût[1]. Les lecteurs de livres en papier sont de vieux maniaques, chaque jour plus vieux, chaque soir plus maniaques. Ils préfèrent caresser un ouvrage qu'ils peuvent respirer, plier, annoter, poser et reprendre, n'importe où, n'importe quand, sans avoir à le brancher sur le secteur. Tragédie de la sénilité. Le fait même de lire un texte sur papier fait de nous des débris, comme Montag dans *Fahrenheit 451* de Ray Bradbury, roman de science-fiction qui anticipa en 1953 le

1. L'expression est de Philippe Sollers, qui écrivit en 1994 : « J'emploie le mot *guerre* parce que c'est la guerre, et que ne pas le reconnaître relève, au mieux, de la niaiserie ; au pire, du cynisme manipulateur. » (*Note de l'auteur.*)

monde dans lequel nous vivons aujourd'hui. Un monde où les livres de papier étaient interdits et où des pompiers pyromanes étaient payés pour les brûler. Le seul point sur lequel Bradbury, aveuglé par les autodafés des nazis, s'est trompé, c'est le feu : les industriels se sont aperçus que le pilon est nettement plus discret que la cheminée. Le reste de sa prédiction est en passe de se réaliser : d'ici à quelques années, les tigres de papier vont être remplacés par des écrans plats appartenant à trois compagnies américaines (Apple, Google et Amazon), une japonaise (Sony) et une française (Fnac).

Vous tenez entre les mains un tigre de papier qui n'est pas « dématérialisé » et qui prétend même mordre encore un peu. Il veut défendre ses congénères, parents et bienfaiteurs : d'autres vieux fauves menacés d'extinction, aussi impressionnants qu'un tas de peluches abandonnées dans un grenier. Le livre de papier, souviens-toi, fut inventé par un Allemand nommé Johannes Gutenberg il y a environ six siècles. Le roman moderne est apparu peu après, grâce à Rabelais, puis Cervantès. On peut donc déduire de l'extinction du livre de papier que le roman va également disparaître : les deux étaient liés. Lire un roman demandait du temps, un fauteuil et un codex (objet livre relié, dont on tourne les pages) : essayez de lire *A l'ombre des jeunes filles en fleurs* en cliquant sur un iPad et l'on en reparle. Les concepteurs du livre électronique croient si peu au roman que le texte de Proust disponible en ligne est truffé de coquilles, fautes de frappe, erreurs de ponctuation : il n'a visiblement pas été relu par ceux qui prétendent étendre son rayonnement par sa numérisation. Le remplacement du livre en papier par la lecture sur écran va donner naissance à d'autres formes de récits. Ils seront peut-être intéressants (interactivité, hypertexte, habillages sonores ou musicaux, illustrations en 3D, relais vidéo...) mais ce ne sera plus du roman au sens où nous l'entendions, nous, lecteurs cacochymes, obsédés obsolètes, bibliophiles ringards.

J'avoue être sidéré par l'indifférence globale dans laquelle cette apocalypse a lieu. Comme disait Michaux à propos de l'homme : le roman sur papier, c'était tout de même quelqu'un. Les premiers romans feuilletés dans mon adolescence me permettaient d'échapper à ma famille, au monde extérieur, et peut-être, sans le savoir, à l'absence de signification de l'univers entier. Sartre dit dans *Les Mots* que « l'appétit d'écrire englobe un refus de vivre ». Je crois qu'on peut dire la même chose de la lecture sur papier : la concentration me permettait de fuir la réalité, ou plutôt elle comblait un vide inexprimable... l'absence de Dieu ? le départ de mon père ? ma timidité avec les filles ? Lire des romans durant des heures me semblait la liberté suprême. Une façon de me projeter dans une autre existence que la mienne, plus belle et plus captivante. Un monde parallèle, haut en couleur. Une réalité moins désorganisée, une grille de lecture pour décoder l'existence. Une utopie encore plus merveilleuse que la masturbation.

Certes, tout le monde raconte des histoires partout : la télévision regorge de feuilletons, le cinéma américain domine la terre, le jeu vidéo nous offre même la possibilité de devenir un héros franchissant d'un coup de joystick les mêmes épreuves qu'Ulysse. Quelle est la place du roman en papier dans cette époque qui croule sous le « storytelling » ? Les théoriciens du Nouveau Roman n'avaient pas complètement tort de s'interroger sur l'obsolescence des personnages et l'impasse de la narration classique. Dès 1936, Scott Fitzgerald déprimait déjà, dans *La Fêlure*, lorsqu'il s'est aperçu que la bataille de l'écrit était perdue contre l'écrasante domination de l'image : « Je compris que le roman, qui à l'époque de ma maturité constituait le support le plus solide et le plus souple pour transmettre émotions et pensées d'un être humain à l'autre, était en train de se subordonner à un art mécanique et communautaire incapable, que ce soit aux mains des marchands de Hollywood ou des idéalistes russes, de refléter autre chose que la pensée la plus banale, que l'émotion la plus évidente. » Ce qui n'est pas très aimable pour le septième art. Posons la question autrement : comment le roman de papier peut-il rivaliser avec l'audiovisuel dans un monde où l'homme occidental passe trois heures par jour en moyenne devant son téléviseur ? Par moments, j'ai l'impression que le premier grand roman de l'Histoire (*Don Quichotte*) décrit très précisément le combat engagé par quelques irréductibles pour la défense de la littérature à l'aube du troisième millénaire. Sachez que j'écris cette préface armé d'une lance et coiffé d'un heaume.

Pietro Citati et George Steiner disent que le roman est mort ou du moins qu'il est très fatigué.

Qu'on en a fait le tour. Il est vrai qu'à force d'inventer des personnages qui n'existent pas on encombre une planète déjà surpeuplée. Cette opinion est à la mode : le pessimisme est l'esthétique du moment ; peut-être que j'y succombe moi aussi car je suis un garçon influençable. Ce qui est bizarre, c'est que ces mêmes exégètes érudits affirment qu'on publie trop de romans. D'un côté le roman se meurt, de l'autre il est trop vivant ? Il y a là un paradoxe. Ou bien le roman sera-t-il noyé sous la masse ? J'aime mieux l'espoir offert par Mario Vargas Llosa dans son discours de réception du Nobel 2010, dont le lyrisme ne me semble nullement ridicule en ces temps où l'on poignarde Gutenberg dans le dos : « Nous devons continuer à rêver, à lire et à écrire, car c'est la façon la plus efficace que nous ayons trouvée de soulager notre condition périssable, de triompher de l'usure du temps et de rendre possible l'impossible. » Certes il ne défend pas les tigres de papier mais si je l'embrigade avec moi (Mario, je veux bien être votre Sancho Pança), c'est que le papier me paraît moins « périssable » que l'e-book-à-écran-tactile-basse-tension-en-rétroluminosité-digitale, démodé deux jours après sa sortie de l'usine.

Le livre imprimé sur papier était, rappelle Umberto Eco, l'invention parfaite. Simple, économique, transportable, maniable et durable. Pourquoi vouloir se débarrasser d'un objet aussi abouti ? J'ai commis huit romans de papier parce que j'ai tout de même la foi. Je suis persuadé que le roman m'a sauvé, en donnant une illusion de sens au chaos qui m'entoure. Le romancier est un ermite qui se crée une société, mais c'est surtout quelqu'un qui essaie de justifier son existence : déformant sa vie pour en imaginer d'autres, le roman lui donne soudain une utilité, une présence, un semblant d'organisation. Il invente une vie dont il sort vainqueur, où il se sent plus à domicile. Même quand ils n'étaient pas complètement autobiographiques, mes romans m'ont obligé à savoir qui j'étais vraiment. Ce fut comme une psychanalyse, en moins cher et plus ridicule : sans guérison. Le roman sert à aggraver son cas. Le roman est toujours une correction d'épreuves. Le roman m'a donné une excuse pour ne pas devenir un crétin satisfait. Est-ce toujours vrai du roman numérique ? Pensez-vous honnêtement que vous écoutez la musique avec la même attention depuis que le MP3 a remplacé le disque ? L'accessibilité, l'immédiateté, l'universalité, la gratuité ne réduisent-elles pas notre appétit ? Il faut se souvenir de l'acte admirable qui consistait à fureter dans les librairies, à flâner devant les vitrines, à désirer un livre sans l'obtenir tout de suite. Un roman se méritait : tant qu'il n'était pas disponible en ligne, il exigeait de nous des efforts physiques. Il fallait sortir de chez soi pour aller le choisir dans un lieu rempli de rêveurs esseulés, puis faire la queue pour l'acheter, se forcer à sourire à des inconnus atteints de la même maladie, avant de le transporter dans ses mains ou sa poche jusqu'à son domicile, en métro ou sur la plage. Le roman de papier était ce tour de magie capable de changer un asocial en mondain, puis à nouveau en anachorète, en le contraignant à rester un instant – oh ! pas très longtemps, mais un peu tout de même – coincé face à lui-même. Un roman de papier ne s'écrivait pas comme un script sur Word. On ne lisait pas sur papier comme on zappe sur un écran. On n'écrivait pas au stylo comme on tape sur un clavier. L'écriture et la lecture sur papier avaient une lenteur qui leur conférait une noblesse : en aplanissant toutes les formes d'écriture, l'écran les rend interchangeables. Le génie est ravalé au rang d'un simple blogueur. Léon Tolstoï ou Katherine Pancol sont identiques, inclus dans le même objet. L'écran est... communiste ! Tout le monde y est logé à la même enseigne, lisible dans la même police : la prose de Cervantès est ravalée au même rang que Wikipédia. Toutes les révolutions ont pour but de détruire les aristocraties.

Prenons un exemple concret : lire en avion. Quand nous tournions les pages de romans en papier, nous pouvions apercevoir, durant le voyage, le titre du livre que parcourait notre jolie voisine. Maintenant qu'elle lit sur une tablette informatique, on ne voit qu'un logo en forme de pomme grignotée. Je préférais quand elle laissait trainer négligemment la couverture blanche d'*Amants, heureux amants* sur son accoudoir... Ce qui était beau dans le livre de papier, c'était sa condition d'objet unique, avec une couverture et une tranche différentes de toutes les autres couvertures et tranches. Chaque roman était un objet rare : écrire c'était fabriquer cet objet, le polir, l'imaginer, le rêver, comme un sculpteur. Je n'ai jamais écrit qu'en fantasmant sur l'objet final, sa taille, sa forme, son odeur. J'ai toujours eu besoin de visualiser la couverture, le titre, avec bien sûr mon nom en haut de l'affiche, en caractères gras.

Lire (ou écrire) sur une tablette électronique c'est tenir entre ses mains un port de passage, une gare miniature où circulent les œuvres transitoires et interchangeables. Chaque livre en papier était différent ; la liseuse est indifférente, elle ne change pas de forme à chaque roman. Quel que soit le texte que vous lisez (ou écrivez), elle restera identique : entre vos mains, *Les Fleurs du mal* pèseront le même poids que *Belle du seigneur.*

Autre apocalypse : la fin d'un beau geste. Pensez-vous franchement que l'acte de lire un livre en papier est le même que celui de cliquer sur un écran tactile ? Lire un objet unique en tournant des pages réelles, c'est-à-dire en avançant dans l'intrigue PHYSIQUEMENT, n'a absolument rien de commun avec le geste de glisser son index sur une surface froide, même si Apple a eu la délicate attention de prévoir un bruitage de papier à chaque fois que le lecteur électronique change de page (détail qui, au passage, trahit le complexe d'infériorité des partisans du numérique). Si l'on se souvient que Julien Sorel prend la main de Madame de Rênal au premier tiers du *Rouge et le Noir*, c'est parce que l'objet de papier permettait de PROGRESSER vers cette apothéose. On l'avait presque VISUALISÉE en tournant chaque page du roman, pendant que Julien élaborait sa stratégie de séduction. Chaque roman de papier que j'ai lu reste gravé dans ma mémoire rétinienne. De même que son odeur ! On respirait l'odeur du papier, avec réminiscences de bibliothèques municipales parfumées au linoléum, souvenirs olfactifs de la cire du parquet de la villa

Navarre à Pau ; l'odeur du papier faisait voyager dans l'espace-temps, vers le fauteuil branlant de grand-père où l'on s'engourdissait en rêvant. Les fibres végétales composant la texture du papier, l'encre à peine sèche dégageait des effluves raffinés... Quelle odeur a le livre électronique ? Celle du métal.

Les pages lues sur papier étaient une conquête, lire c'était déchiffrer un univers, comme un explorateur ou un alpiniste du cerveau humain. La lecture sur papier était davantage qu'une distraction, c'était une victoire ; je me souviens de ma fierté en refermant *Splendeurs et misères des courtisanes* ou *Crime et châtiment* : ça y était, j'avais fini, je savais tout de Rastignac ou Raskolnikov, et je refermais leurs vies fictives sur mes genoux avec la satisfaction du devoir accompli. La liseuse électronique ne fait pas de nous des lecteurs qui avancent dans une œuvre, s'enfoncent dans un monde étranger pour s'évader du nôtre, mais des consommateurs blasés, automates dispersés, zappeurs impatients, cliqueurs distraits. Le risque d'A.D.D. (Attention Deficit Disorder), c'est-à-dire ce syndrome de déconcentration qui touche de plus en plus de victimes des ordinateurs, est démultiplié lorsqu'on lit sur une tablette qui reçoit des e-mails, des vidéos, des chansons, des chats, des posts, alertes, skype, tweets, et des beeps et des blurps, sans compter les virus et pannes qui vous interrompent en plein monologue intérieur de Molly Bloom. Nous ne pourrons bientôt plus visiter le cerveau des génies, puisque le nôtre sera débordé, passif, voire buggé. Paul Morand s'inquiétait déjà dans son *Journal inutile* (bien avant l'invention de l'iPad) :

« La concentration : il faudrait l'enseigner aux enfants, avoir des classes de concentration ; et de mémoire (les jésuites, seuls, l'ont compris). On ne réussit qu'en pensant à une seule chose, que ce soit à un personnage de roman, ou à une fortune à faire. »

Il y a dix ans, en 2001, c'est-à-dire bien avant la fin du monde littéraire, je me suis mis en tête de commenter les 50 livres du siècle choisis par les Français (un sondage *Le Monde* et Fnac) :

1) *L'étranger* d'Albert Camus (1942)
2) *A la recherche du temps perdu* de Marcel Proust (1913-1927)
3) *Le procès* de Franz Kafka (1925)
4) *Le petit prince* d'Antoine de Saint-Exupéry (1943)
5) *La condition humaine* d'André Malraux (1933)
6) *Voyage au bout de la nuit* de Louis-Ferdinand Céline (1932)
7) *Les raisins de la colère* de John Steinbeck (1939)
8) *Pour qui sonne le glas* d'Ernest Hemingway (1940)
9) *Le grand Meaulnes* d'Alain-Fournier (1913)
10) *L'écume des jours* de Boris Vian (1947)
11) *Le deuxième sexe* de Simone de Beauvoir (1949)
12) *En attendant Godot* de Samuel Beckett (1953)
13) *L'être et le néant* de Jean-Paul Sartre (1943)
14) *Le nom de la rose* d'Umberto Eco (1981)
15) *L'archipel du goulag* d'Alexandre Soljenitsyne (1973)
16) *Paroles* de Jacques Prévert (1946)
17) *Alcools* de Guillaume Apollinaire (1913)
18) *Le lotus bleu* d'Hergé (1936)
19) *Journal* d'Anne Frank (1947)
20) *Tristes tropiques* de Claude Lévi-Strauss (1955)
21) *Le meilleur des mondes* d'Aldous Huxley (1932)
22) *1984* de George Orwell (1948)
23) *Astérix le gaulois* de Goscinny et Uderzo (1959)
24) *La cantatrice chauve* d'Eugène Ionesco (1950)
25) *Trois essais sur la théorie sexuelle* de Sigmund Freud (1905)
26) *L'œuvre au noir* de Marguerite Yourcenar (1968)

27) *Lolita* de Vladimir Nabokov (1955)
28) *Ulysse* de James Joyce (1922)
29) *Le désert des tartares* de Dino Buzzati (1940)
30) *Les faux-monnayeurs* d'André Gide (1925)
31) *Le hussard sur le toit* de Jean Giono (1951)
32) *Belle du seigneur* d'Albert Cohen (1968)
33) *Cent ans de solitude* de Gabriel García Márquez (1967)
34) *Le bruit et la fureur* de William Faulkner (1929)
35) *Thérèse Desqueyroux* de François Mauriac (1927)
36) *Zazie dans le métro* de Raymond Queneau (1959)
37) *La confusion des sentiments* de Stefan Zweig (1926)
38) *Autant en emporte le vent* de Margaret Mitchell (1936)
39) *L'amant de Lady Chatterley* de D.H. Lawrence (1928)
40) *La montagne magique* de Thomas Mann (1924)
41) *Bonjour tristesse* de Françoise Sagan (1954)
42) *Le silence de la mer* de Vercors (1942)
43) *La vie mode d'emploi* de Georges Perec (1978)
44) *Le chien des Baskerville* d'Arthur Conan Doyle (1902)
45) *Sous le soleil de Satan* de Georges Bernanos (1926)
46) *Gatsby le magnifique* de Francis Scott Fitzgerald (1925)
47) *La plaisanterie* de Milan Kundera (1967)
48) *Le mépris* d'Alberto Moravia (1954)
49) *Le meurtre de Roger Ackroyd* d'Agatha Christie (1926)
50) *Nadja* d'André Breton (1928)

Voyant la dématérialisation approcher dans l'indifférence (ou la complicité) générale, j'ai décidé d'établir une nouvelle liste du XXe siècle, celle de MES 100 LIVRES PRÉFÉRÉS À LIRE SUR PAPIER AVANT QU'IL NE SOIT TROP TARD. Le top 50 des Français de 2000 ne me déplaisait pas ; leur liste était éclectique, consensuelle, équilibrée, mais elle possédait un grave défaut : ce n'était pas la mienne, c'était la vôtre ! J'avais envie de dresser un autre « hit-parade du dernier siècle » plus subjectif, injuste, bancal, intime. Plus récent aussi car je considère comme criminel de ne défendre que les morts, c'est-à-dire ceux qui ont le moins besoin de notre aide. Je dois beaucoup à mes contemporains : je ne vois pas pourquoi la plupart des historiens de la littérature punissent certains auteurs d'être toujours en vie. Comme le notait Valery Larbaud dans *Fermina Márquez*, en 1911 : « MM. Les surveillants généraux, qui se montent des bibliothèques avec les romans confisqués aux élèves, vous donneront à entendre que, pour commencer à avoir du talent, un auteur doit être mort depuis soixante-quinze ans. » Je n'ai pas la patience d'attendre le verdict de la postérité. L'avantage des auteurs vivants, c'est qu'on peut les croiser, devenir leur copain ou leur ennemi, leur poser des questions sur leur méthode de travail et (éventuellement) écouter leurs réponses, s'influencer, se comparer, s'estimer, se disputer, se réconcilier, coucher avec, vomir dessus. Une bonne partie des auteurs cités dans mon hit-parade n'ont jamais été mentionnés dans aucun essai littéraire. Plutôt que de proposer une hiérarchie alternative (tous les classements artistiques sont faux par définition, car l'art n'est pas une course de chevaux), le but de ce livre est de rétablir une justice : pendant que la littérature française s'endormait sur ses lauriers depuis la mort de Proust, Céline, Sartre et Camus, un certain nombre d'auteurs étrangers l'ont réveillée, et une bande d'écrivains français est née de ce bazar planétaire nommé mondialisation. Cette génération – Besson, Carrère, Despentes, Houellebecq, Jauffret, Moix, Nothomb, Pille, etc. – est en train de s'imposer petit à petit, à l'usure, un peu partout dans le monde : raison pour laquelle les prix Goncourt et Renaudot 2010 étaient plus émouvants que d'habitude. Pour la première fois, les voici tous (français et étrangers) inventoriés par un petit confrère qui a contribué, quelquefois, par son agitation désordonnée, à en révéler certains.

Choisir cent livres qu'on aime, c'est se définir : ma nouvelle liste en dit long sur mon analphabétisme. On dira que c'est le panthéon bancal d'un critique improvisé, mais cette bibliothèque de papier mâché trahit surtout une vie de lecteur autodidacte et dispersé. Bien sûr, dans la liste du *Dernier inventaire avant liquidation* paru en 2002 figuraient beaucoup d'auteurs que je vénère (Apollinaire, Nabokov...) et certains que j'ai rencontrés (Sagan, Kundera). Pour éviter de me répéter comme un vieux gâteux, je les ai exclus de ce nouveau club des 100. Sauf Gide et Sagan, Perec et Vian, Hemingway et Fitzgerald, puisqu'il faut toujours des exceptions pour confirmer une règle, et que rien n'est plus délectable que de désobéir aux lois que l'on vient bêtement de promulguer, surtout quand on a la chance, pour la première fois, de pouvoir balancer les noms de toute sa bande. Oui, tout est de leur faute, ce sont eux les responsables, les complices de mes méfaits, j'y reviendrai en conclusion.

Permettez-moi de préciser que le choix de mon top 100 ne doit rien au caprice. J'ai procédé scientifiquement. Pour décider du classement ultime de ma bibliothèque de papier, j'ai donné des notes de 1 à 10 à des centaines d'ouvrages, publiés entre 1895 et 2010, avant de les empiler dans ma maison basque en fonction de la moyenne obtenue. L'algorithme qui m'a permis de pondérer les résultats est si complexe qu'il snobe celui qui permit à Mark Zuckerberg de fonder Facebook le 4 février 2004. En tant que savant transparent, je n'hésite pas à vous dévoiler ma méthode de travail. Mes dix critères officiels de sélection étaient les suivants.

MES 10 CRITÈRES POUR AIMER UN LIVRE.

1- TRONCHE DE L'AUTEUR (ATTITUDE OU MANIÈRE DE S'HABILLER)
2- DRÔLERIE (UN POINT PAR ÉCLAT DE RIRE)
3- VIE PRIVÉE DE L'AUTEUR (PAR EXEMPLE, UN BON POINT S'IL S'EST SUICIDÉ JEUNE)
4- ÉMOTION (UN POINT PAR LARME VERSÉE)
5- CHARME, GRÂCE, MYSTÈRE (QUAND TU TE DIS « OH LA LA COMME C'EST BEAU » SANS ÊTRE CAPABLE D'EXPLIQUER POURQUOI)
6- PRÉSENCE D'APHORISMES QUI TUENT, DE PARAGRAPHES QUE J'AI EU ENVIE DE NOTER, VOIRE DE RETENIR PAR CŒUR (UN POINT PAR CITATION PRODUISANT UN EFFET SUR LES FEMMES)
7- CONCISION (UN POINT SUPPLÉMENTAIRE SI LE LIVRE FAIT MOINS DE 150 PAGES)
8- SNOBISME, ARROGANCE (UN BON POINT SI L'AUTEUR EST UN MYTHE OBSCUR, DEUX S'IL PARLE DE GENS QUE JE NE CONNAIS PAS, TROIS SI L'ACTION SE DÉROULE DANS DES LIEUX OÙ IL EST IMPOSSIBLE D'ENTRER)
9- MÉCHANCETÉ, AGACEMENT, COLÈRE, ÉRUPTIONS CUTANÉES (UN POINT SI J'AI RESSENTI

L'ENVIE DE JETER LE BOUQUIN PAR LA FENÊTRE)
10- ÉROTISME, SENSUALITÉ DE LA PROSE (UN POINT EN CAS D'ÉRECTION, DEUX EN CAS D'ORGASME SANS LES MAINS).

J'espère bien que ces nouveaux critères révolutionneront l'enseignement littéraire dans les collèges et les lycées. Après des mois de tergiversations, de corrections et de retournements de veste durant lesquels mon éditeur a perdu ses derniers cheveux, je voudrais rassurer tous les écrivains vivants qui ne figurent pas dans cette liste : si ce *Bilan* touche d'autres vieux papivores, Manuel le chauve réclamera un tome deux, et en cas de talent, vous y figurerez automatiquement – en l'absence de talent, cela ne me dérange pas d'être brouillé avec vous. Je précise aussi que les auteurs salariés chez Grasset ont été exclus d'emblée (Bernard, Charles, Jean-Paul, désolé, la déontologie est une sale pute). Et voici donc mes cent livres de chevet du siècle dernier, un inventaire aussi dingue que les Cent Jours et deux fois plus privé que les « 200 familles ».

Ô lecteur vintage, ô bouquiniste de papier, ô survivant des greniers perdus, ô courageux toxicomane accro à la drogue la plus menacée du monde, ô valeureux protecteur de grimoires humides, ô merveilleux autiste littéraire, ô toi qui sauves l'intelligence de l'oubli, ne guéris jamais, et continues de chérir ces tigres de papier friable pendant qu'il en est encore temps. Certains de ces titres sont d'ores et déjà introuvables dans les librairies ; d'autres sont sur le point de disparaître ; et dans quelques années, ce seront les librairies qui auront disparu, avec tous les Montag d'aujourd'hui. Dépêchons-nous de collectionner ces vestiges en cachette. Sauvons les « happy few » qui peuvent encore l'être. Ralentissons le progrès de la bêtise, s'il vous plaît. Encore un instant, Monsieur le bourreau numérique. Laissez-moi finir cette page, s'il vous plaît, lire un dernier chapitre, comme un condamné à mort fumant sa dernière cigarette – comme un Japonais attendant calmement le tsunami dans sa maison de papier. L'indifférence des endormis ne signifie pas que ce qui arrive n'est pas grave. Nous entrons mollement dans une apocalypse d'amnésie et de vulgarité. Si j'écris, c'est grâce à ces morceaux de papyrus où se cachait toujours une âme sœur. C'est la faute à Jay et Bret, la faute à Blondin, la faute à Toulet, la faute à Dustan… C'est de toute manière envers ces cent objets précieux que l'on devra ressentir, selon ce que l'on pense de ma microscopique pierre à l'édifice, gratitude ou rancœur.

F.B.

Ultime précision : *Premier bilan après l'apocalypse* n'est téléchargeable sur aucun site internet. Toute version disponible autrement que sur papier est donc une version fausse ou piratée. Si je vous surprends à lire ceci sur un écran, c'est ma main dans la gueule. Compris ?!

Numéro 100 : « Fin de party » de Christian Kracht (2001)

L'année 1979 fut étrange : celle du second choc pétrolier. C'est l'année où la fête s'arrêta pour le shah d'Iran, mais aussi pour beaucoup d'Occidentaux. Si un roman allemand s'intitulait *1979*, eh bien en France, on le traduirait par *Fin de party*. Giscard n'en avait plus que pour deux ans à être président. Les mots « crise économique » entraient dans le vocabulaire courant. Le roman de l'écrivain « pop » allemand Christian Kracht s'arrête sur cette année-charnière, parce que c'est l'année de la perte de l'innocence et de la fin de l'utopie consumériste. Les Stooges et Serge Gainsbourg ont célébré l'année 1969 ; *1979* est le titre d'une chanson des Smashing Pumpkins qui dit « We don't even care as restless as we are / We feel the pull in the land of a thousand guilts », et c'est assez joli même si je ne vois pas trop ce qu'ils ont voulu dire par là.

En 1979, le World Trade Center fêtait ses six ans. Dans *Fin de party*, deux odieux globe-glandeurs, touristes arrogants et cyniques, se retrouvent à Téhéran en pleine révolution islamique. Ils crèchent dans un hôtel borgne. Christopher est malade mais porte des Berluti pour traverser la ville à la recherche d'une soirée décadente où il pourra boire du cognac arménien et fumer du shabu-shabu. Son pote est décorateur d'appartements et porte des sandales. « Porter des sandales, dear, revient à donner une gifle à la bourgeoisie. – Pouffiasse, dit-il. » Et puis tout bascule, l'ambiance rappelle les films déliquescents de Visconti : une dictature en remplace une autre.

Nos deux héros sont homosexuels mais pas musulmans. Ils se rendent compte qu'ils viennent d'embarquer à bord du *Titanic*. Tout s'écroule autour d'eux, mais aussi en eux. On a rarement lu un roman aussi risqué : traiter de la montée de l'islamisme sur un ton aussi badin et puant, il fallait oser. Mais ce n'est pas le pire : quelques chapitres plus loin, notre personnage veut se sauver au Tibet, et se fait capturer par les autorités chinoises. Il finit son voyage au laogaï, le goulag chinois, pour suivre un régime amincissant très efficace. Version trash de *La Plage* d'Alex Garland, *Fin de party* est un conte amoral, une odyssée rocambolesque et snob, l'aventure picaresque d'un don Quichotte pourri gâté, d'un exdominant chez les ex-dominés.

C'est un livre rare, captivant et absurde, qui s'interroge sur nos deux nouveaux ennemis : l'intégrisme musulman et l'impérialisme chinois. Il mérite d'être centième dans un classement des 100 meilleurs livres du XXe siècle puisqu'il en annonce la fin. Les histoires de routards « jet-set » passent très loin audessus du goût démagogique actuel. Kracht décrit un rêve cauchemardesque qui ressemble au monde réel, une planète sans vainqueurs, une époque où il n'y a que des perdants superbes avec tout de même des principes : « Je n'ai jamais mangé de chair humaine. »

Christian Kracht, une vie

Christian Kracht est né en Suisse alémanique en 1966. Il a grandi aux Etats-Unis, au Canada et dans le sud de la France. Il a longtemps vécu à Bangkok : il n'est pas exclu qu'il soit aussi malsain que ses personnages. Il a tout juste 29 ans quand son premier livre, *Faserland*, rencontre un immense succès en Allemagne lors de sa publication en 1995. Kracht est alors catalogué « Popliteratur » (la littérature pop) avec Florian Illies (l'auteur de *Generation Golf*, non traduit en France) et Benjamin von Stuckrad-Barre (auteur de nombreux livres non traduits en France). Je les ai tous rencontrés lors d'une mémorable tournée de lectures de *99 francs* en Allemagne en 2001. Pourquoi la France s'intéresse-t-elle si peu au « brat pack » boche ? Christian Kracht est également l'auteur de *Tristesse royale* (1999) et de *Je serai alors au soleil et à l'ombre* (Jacqueline Chambon, 2010). *1979* (*Fin de party*) est sorti chez Denoël en 2003. Pour une fois qu'on peut citer un auteur contemporain de langue allemande qui ne soit pas aussi vieux que Günter Grass, ni aussi cafardeux que Peter Handke, ni aussi populaire que Patrick Süskind, pas question de s'en priver.

Numéro 99 : « Un jeune homme chic » d'Alain Pacadis (1978)

J'en veux beaucoup à Laurent Chollet d'avoir réédité le *Jeune homme chic* chez Denoël en 2002. Jusqu'à cette date, je pouvais me vanter d'être l'un des rares bourgeois du 6e arrondissement à posséder le livre culte du plus grand punk-critic de l'univers. Je pouvais épater mes amis en laissant traîner négligemment chez moi la célèbre couverture orange, où l'auteur aux cheveux gras porte des Ray-Ban de travers, sur un smoking avec œillet d'un côté et épingle à nourrice de l'autre. Un livre ne devient culte que pour des raisons étrangères au texte : il faut un tirage confidentiel, un auteur méconnu (si possible décédé), un éditeur introuvable et un sujet élitiste. L'unique livre d'Alain Pacadis réunit à la perfection tous ces critères. Ce recueil de fragments décadents du chroniqueur mondain de *Libération* n'a connu qu'un petit succès d'estime à sa publication, en 1978, malgré une prestation mémorable de son auteur défoncé à « Apostrophes ». Pacadis, fêtard homosexuel drogué et alcoolique, est mort étranglé par son petit ami quelques années après la sortie du livre. Le Sagittaire, prestigieuse maison reprise par une bande de révoltés littéraires des seventies (Raphaël Sorin et Gérard Guégan), a fermé ses portes l'année suivante. Quant au sujet de *Un jeune homme chic*, on ne peut trouver plus dandy : ce carnet de route d'un noctambule destroy retrace les concerts punk de 1977, les fêtes Kenzo et Paco Rabanne, et rapporte les propos d'Iggy Pop et de Debbie Harry entre deux « name-droppings » new-yorkais d'Andy Warhol. Pacadis y mitonne une écriture paresseuse et agaçante, faite de collages superficiels et d'élégance camée : « Désormais nous allons pouvoir montrer au monde nos faces blafardes et nos cœurs couleur de ténèbres car OUR TIME IS UP. » Souvent imité par ses amis (Thierry Ardisson, Bayon, Patrick Eudeline), voire plagié par des arrivistes jaloux (Eric Dahan, Olivier Zahm et moi), le *Jeune homme chic* demeure un modèle inégalé de débauche nihiliste et vomitive, le bréviaire de tout nightclubber blasé. Il fut toutefois encadré de deux autres textes : *Rose poussière* de Schuhl, paru six ans plus tôt, et *Novö Vision* d'Yves Adrien, postérieur de deux ans. En digne disciple de William Burroughs et Hunter S. Thompson, Pacadis pensait consigner une « histoire du punk vue de l'intérieur » ; il ne savait pas qu'un jour on verrait surtout dans son texte le lumineux symbole d'une époque engloutie.

Personne ne comprend rien à la nuit. Les gens qui vont au bureau tous les jours, qui ont le courage (ou l'obligation) de se lever tôt, ne peuvent pas comprendre ceux qui ne dorment jamais, ne foutent rien de la journée parce qu'ils se réveillent à 18 h 30 puant la clope, l'alcool et la désolation, et passent la soirée à se détruire pour fuir leur solitude. Mais Alain Pacadis ne parlait pas seulement de la nuit : il imposait de la poésie dans la presse.

C'est à cela que servent les chroniqueurs mondains ! On pense qu'ils font des listes de stars, des commentaires décalés de photos, des digressions vaines sur des bandes de snobinards avinés, alors qu'ils cherchent autre chose : décrire l'angoisse de l'élite, le fonctionnement de la nouvelle aristocratie, faire squatter du luxe frivole dans le journal, avec le style comme passager clandestin. Proust, Fitzgerald, Sagan, Agathe Godard et Bertrand de Saint Vincent : même combat ! Notre temps peut être condensé en une soirée faussement futile. Ce que faisait Pacadis, à sa manière punk défoncée, c'était tout simplement du roman, c'est-à-dire une forme de reportage qui crée son propre mystère. Ses lunettes noires lui permettaient d'y voir plus clair : « Paupières d'argent et teint de lune se promènent avec l'amour et la mort » (11 juin 1975). « La réalité n'existe pas, derrière une façade, une apparence, il n'y a que du vide, je n'existe pas… pas plus que vous qui me lisez » (juin 1979).

Désormais, pour frimer devant les jeunes crétins qui n'ont pas connu Paca l'hirsute, peut-être suffira-t-il que je leur raconte cette anecdote : un soir de 1985, j'ai trouvé Alain Pacadis adossé aux colonnes de la cité Bergère, en larmes. Il pleurait tout seul car il venait de se voir refuser l'entrée du Palace. Son perfecto couvert de badges fluo puait le vomi. Il avait probablement déjà chié dans son froc. Il reniflait avec son gros pif plein de morve un caillou de speed ramassé par terre. Lui qui aujourd'hui incarne ce que François Buot (dans un essai consacré en grande partie à lui) baptisa *L'Esprit des seventies*, s'était fait jeter comme un clodo par le service d'ordre du Palace. Fabrice Emaer était mort, des jeunes gens pas chic avaient récupéré l'endroit, et Paca n'était plus le bienvenu. Edenté, il titubait devant l'entrée, réclamant des verres gratuits alors qu'il risquait à tout moment de sombrer dans le coma. Je n'étais à l'époque pas assez connu pour le faire pénétrer dans cette discothèque dont il incarne aujourd'hui la splendeur. Tu parles ! Splendeur, mon cul !, eût dit la Zazie de Queneau. C'est à coups de pompes qu'on virait la loque humaine ! Il y a une telle distorsion entre les légendes et la réalité. Scott Fitzgerald à la fin de sa vie : les jeunes le croyaient mort. Kerouac, Blondin, Bukowski, Thompson : parodies d'eux-mêmes. La meilleure chose à faire avec ces génies cabossés, c'est de les lire. Parce que les côtoyer n'était pas un cadeau. Ils se laissaient écraser par leur personnage, se croyaient sans cesse obligés de parader pour rester à la hauteur de la légende. Leur existence devenait un fardeau ; c'est tout de même con d'être assassiné par un masque. Je me suis contenté de raccompagner Alain Pacadis en taxi. Il s'est endormi en bavant contre la vitre. J'ai dû ouvrir la fenêtre pour pouvoir respirer tellement il puait la crasse. Arrivé en bas de chez lui, il se réveilla très dignement, et se tint droit en descendant de la voiture, avec cette raideur à la Von Stroheim qui trahit les grands alcooliques ou les vrais désespérés. Dans ce livre, il écrit : « Le jour se lève : ça me donne envie de mourir. » Quelques semaines après, le plancher était débarrassé.

Alain Pacadis, une vie

Né en 1949 à Paris et mort trente-sept ans après dans la même ville, Alain Pacadis incarne la punkitude littéraire par ses frasques, sa silhouette avachie, ses lunettes noires posées sur son gros pif, mais surtout par une liberté d'écriture rarement atteinte dans la presse quotidienne (la chronique « White flash » dans *Libération* à partir de novembre 1975, ensuite intitulée « Nightclubbing »). Tous les chroniqueurs qui se mettent en scène dans leurs articles ont une dette envers ce mélomane trash et érudit capable de citer Baudelaire et les Stooges dans la même phrase, qui était aussi un remarquable intervieweur, à la fois connivent et insolent, dans *Façade* ou *Palace magazine*. Aujourd'hui nous connaissons la source de son angoisse existentielle : le suicide de sa mère en 1970 le fit basculer dans la drogue dure et le dandysme mondain. Homosexuel et amateur d'héroïne, il serait sans doute mort du sida si sa compagne, un transsexuel, ne l'avait pas étranglé à sa demande. Vivre vite est malheureusement incompatible avec mourir vieux.

Numéros 98 : « Un monde de cristal » et « Homo Zapiens » de Viktor Pelevine (1999 et 2001)

L'heure est grave : les Russes souffrent de notre ostracisme, et encore, on aurait très bien pu se passer du préfixe « ost ». Oui, avouons-le, nous prenons les Russkofs pour de gros débiles pleins de vodka, portant chapka et putes sur la tête, dansant le kazatchok dans des villas tropéziennes et fondant en larmes en comptant les milliards perdus depuis le dernier krach boursier. Les ex-Soviétiques nous font sourire : on les imagine tout juste bons à nous vendre du caviar ou du pétrole de contrebande ou à croquer du verre pilé en se faisant passer pour des princes déchus. On oublie qu'ils ont inventé le roman moderne : il se pourrait bien que leurs écrivains vivants aient quelques histoires à raconter sur leur nouvel empire capitaliste. Viktor Pelevine arrive juste à temps pour démentir ces préjugés qui n'insultent que nous-mêmes. Ce romancier hystérique est la preuve que l'art n'a pas de frontières : prenez le désarroi occidental, multipliez-le par la tragédie du stalinisme et l'avènement du matérialisme, et vous risquez de démoder Boulgakov.

Un monde de cristal rassemble six nouvelles publiées en 1996 à Moscou : elles ont pour point commun une écriture hallucinée, l'irruption de l'irrationnel dans le réel, le goût du bordel complet, la danse avec des fantômes. Deux soldats drogués et paranoïaques croisent Lénine à Petrograd en pleine révolution de 1917 ; une magicienne folle organise des mariages avec des soldats morts ; deux prostituées moscovites découvrent qu'elles sont d'anciens cadres du parti...

Le problème à résoudre pour les romanciers russes d'aujourd'hui est le suivant : comment raconter des histoires à des gens qui en ont marre qu'on leur raconte des histoires ? Quand on a vécu la chute du tsar, puis celle du communisme, puis l'explosion de Tchernobyl et de l'oligarchie, on n'a plus confiance en rien. Aucun peuple n'a été déçu aussi souvent en un seul siècle. En Russie, la réalité est aussi fluctuante qu'un rêve.

Alors qu'écrire pour ces gens-là ? Viktor Pelevine a trouvé la solution : décrire un monde où tout s'équivaut. Ce que Camus appelait « l'absurde », il suffit de le nommer « chaos ». Pelevine pond une littérature onirique et transsexuelle, où les contrôles d'identité sont permanents, entrelardés de délires mêlant *Matrix* et Tolstoï. Ses personnages passent leur temps à contrôler leurs papiers d'identité comme pour se rassurer sur leur propre existence.

L'Occident imagine que les Russes sont en retard sur lui alors qu'ils sont en avance. Ils n'ont pas cru au communisme mais ils ne croient pas au capitalisme non plus ! Nous supposons les Russes émerveillés par nos vitrines, alors qu'ils n'en sont que dégoûtés. Nous avons tort de les mépriser : c'est nous qui sommes naïfs. Quelqu'un comme Viktor Pelevine a beaucoup à nous apprendre, parce qu'il est encore plus blasé que nous. Il est revenu de tous les espoirs que nous n'avons pas encore osé formuler.

De lui j'aime aussi *Generation P.*, roman laidement traduit ici *Homo Zapiens*, pour désamorcer une attaque frontale contre la marque Pepsi : Pelevine estime que les Russes « préfèrent Pepsi de la même façon que leurs parents soutenaient Brejnev ». D'où un avertissement amusant de l'auteur au début du livre : « Toutes les pensées qui peuvent passer par la tête du lecteur de ce livre sont soumises au copyright. Méditer sur elles est interdit sans une licence appropriée. »

L'odyssée de son concepteur publicitaire, Babylen Tatarski, montre comment un empire totalitaire (l'URSS) fut remplacé par une autre dictature, plus souriante mais tout aussi implacable : « La conspiration contre la Russie existe bel et bien, le problème est que toute la population adulte du pays y participe. » Que faire quand l'oppression est molle, sympathique et omniprésente ? Que répondre aux ex-Soviétiques qui défendent aujourd'hui des thèses qui les auraient conduits au goulag hier ? « Il se demandait toujours si cela avait réellement été une bonne affaire d'échanger l'empire du mal contre une vilaine république bananière qui importait ses bananes de Finlande. » Pelevine écrit une satire cynique du cynisme international. Il a du mérite : ce faisant, il supprime un des principaux arguments des zélateurs du libéralisme. Les intellectuels du marché affirment souvent, en effet, que ceux qui se plaignent de notre système sont des enfants gâtés, et que l'on n'a qu'à demander aux habitants des anciens pays communistes s'ils ne sont pas heureux dans le monde libéral. Le Russe Pelevine leur répond : désolé, même les ex-utopistes ne se sentent pas tellement mieux qu'avant. Il y a autant de corruption, de pourriture, de magouilles, de tristesse, de jalousie, de frustration sous Poutine que sous Brejnev. Simplement, en l'absence d'idéal, on doit remplacer le mot « nomenklatura » par le mot « mafia ». Cela ne change pas grand-chose : les pauvres continuent de crever de faim, les lois d'être bafouées, la vie ne cesse d'être inutile et injuste, et tout le monde picole pour oublier. « C'est la question éternelle de Dostoïevski : suis-je une créature tremblante ou ai-je un droit moral ? » Notre monde capitaliste y répond aujourd'hui : nous sommes des créatures tremblantes avec un crédit à rembourser. Combien de temps tiendra-t-il ainsi ?

Viktor Pelevine, une vie

L'inculture et un impardonnable manque de curiosité me conduisent à affirmer que Viktor Pelevine est le plus grand romancier russe vivant. Il faut dire que Soljenitsyne vient de mourir et que je ne connais pas tellement les autres, à part Sergueï Minaev, dont *Doukhless* (« L'homme sans substance ») n'est toujours pas traduit en France. Résultat : Pelevine sort vainqueur d'une absence de combat. Né en 1962 à Moscou, cet ingénieur anticonformiste est déjà l'auteur d'une œuvre conséquente (traduite en français aux éditions du Seuil) : *La Vie des insectes* (1995), *La Mitrailleuse d'argile* (1997), *Un monde de cristal* (1999), *Homo Zapiens* (2001). Il a obtenu le prix Richard-Schönfeld et le prix Osterfestspiele Salzburg, ce qui nous fait deux belles jambes car ce sont des distinctions moins faciles à prononcer que « Goncourt » ou « Renaudot ». Son vrai titre de gloire ? Page 205 d'*Homo Zapiens*, Viktor Pelevine est l'auteur d'une magnifique signature (fictive) pour Gucci for men : « Sois européen. Sens bon. »

Numéro 97 : « Lignes » de Ryû Murakami (1998)

Mon Dieu, que t'ont fait les Japonais, Ryû Murakami, pour que tu haïsses tant ton pays ? As-tu toi aussi, comme les héros d'un de tes livres, été abandonné dans une consigne automatique ? As-tu grandi dans les bas-fonds que tes personnages arpentent sans relâche ? As-tu lu *Tokyo, c'est fini* de Régis Arnaud ? As-tu couché avec toutes les putes de Shinjuku et Shibuya ? Comment es-tu devenu Ryû Murakami, l'incarnation de la décadence du Japon ? *Lignes* a pourtant été écrit treize ans avant le tremblement de terre et tsunami du 11 mars 2011.

Ce roman nous offre, je crois, un début de réponse. Tu écris parce que tu as froid. *Lignes* est un roman étrangement glacé, un remake Findus de *La Ronde* de Schnitzler, où une vingtaine d'êtres perdus dans la mégapole s'entrecroisent sans parvenir à s'entraider. En guise de voix au chapitre, chacun de tes personnages aura son nom en tête du sien (de chapitre) : Mukai, le photographe loser qui fréquente les « soap lands » et les « fashion health » (bordels en langage brancho-japonais) ; Junko, la call-girl soumise qui déteste parler avec ses clients ; Yukari, une collègue de Junko, qui rêverait d'être une dominatrice mais ne tombe que sur des sadiques ; Takayama, son prochain client, qui lui téléphone en caressant son revolver, avant de lui fracasser le crâne... Tous ces gens se rencontrent la nuit, grâce aux réseaux du sexe, se déshabillent et se ligotent avant de se quitter à tout jamais.

Les *Lignes* du titre pourraient aussi bien être celles du téléphone que de la coke, d'internet que des trains de banlieue, ou bien les cordes à nœuds du « bondage ». Nous sommes dans une version sado-maso de l'« ultramoderne solitude » chère à Alain Souchon. Le SM, c'est comme l'amour : on s'attache et puis on se détache.

Ryû Murakami est le Régis Jauffret nippon : même désespoir sec, même indifférence clinique, même cruauté distanciée, mêmes séries de scènes calmement angoissantes entraînant chez le lecteur une irrépressible envie de tout faire péter (qu'il ne peut satisfaire car il préfère tourner les pages du bouquin pour savoir comment il finit). Comme Régis Jauffret est lui-même le Kafka marseillais, par transitivité, Murakami est donc le Kafka de Tokyo. Le plus saisissant chez Murakami c'est que tous ses romans décrivent le contraire de *La Métamorphose* : des insectes qui se transforment en êtres humains. Il met sous nos yeux ce que nous aimerions mieux éviter de voir : la société tout entière copie la bourgeoisie américaine (manière tordue de remercier les Etats-Unis pour Hiroshima et Nagasaki ?), plus rien n'a de valeur que les Benz et les Rolex, le bonheur nouveau se nomme prostitution. Mais quand le plaisir est la seule échelle, on en veut toujours plus, n'est-ce pas ? On finit par désirer davantage de violence. Il y a un moment où seul le sang qui gicle nous rappelle à notre humanité. Conclusion : celui qui a le mieux compris l'avenir du monde s'appelle le marquis de Sade.

Ryû Murakami, une vie

Murakami Ryû se prononce comme Alain Riou mais ne s'épèle pas pareil. En outre il ne faut pas le confondre avec l'autre Murakami : Haruki, grand auteur nobélisable mais moins cybertrash, qui a trois ans de plus que lui. Né en 1952, Ryû est célèbre au Japon depuis son premier roman, paru en 1976 : *Bleu presque transparent*, qui contait la vie dissolue d'une bande d'adolescents camés, obsédés de sexe et de violence, et obtint le prix Akutagawa (le Goncourt local), avant de se vendre à un million d'exemplaires. Paru en 1998, *Lignes* ressemble fort à un retour aux sources : rien n'a changé sauf que les ados sont devenus adultes. Personnellement, j'ai découvert Ryû Murakami avec *Les Bébés de la consigne automatique* (1980) et *Miso Soup* (1997), deux extraordinaires descentes aux enfers dans la nuit tokyoïte, et son long-métrage *Tokyo Décadence* (1992), car cet écrivain détraqué est aussi un cinéaste malsain. Que de qualités chez un seul homme !

Numéro 96 : « Pourquoi les poètes inconnus restent inconnus » de Richard Brautigan (posthume, 1999)

Ce n'est pas tous les jours qu'on dégote un trésor pareil. Caché dans la vieille malle d'une dame âgée nommée Edna Webster, un gros paquet d'inédits de Richard Brautigan attendait dans l'Oregon depuis 1955 d'être retrouvé en 1992, puis traduit en 2003. Des textes éparpillés, des poèmes de jeunesse, des comparaisons cocasses, et la naissance d'une plume : « Imaginez que mon esprit soit un taxi et que soudain ("Bon Dieu, qu'est-ce qui se passe ?") vous vous retrouvez à l'intérieur. »

A 21 ans, Brautigan confia un manuscrit à la mère de son premier flirt. Il lui affirma alors : « Quand je serai riche et célèbre, ce sera ta sécurité sociale. » C'était rigoureusement exact. Était-il prétentieux parce qu'il était jeune ? Non, il était prétentieux parce qu'il était écrivain. Tout écrivain sans prétention est un hypocrite ou un imposteur. Car écrire est l'activité la plus pédante qui soit. Rien de plus agaçant que cette tendance des auteurs actuels à baisser les yeux à la télé quand ils se font copieusement insulter par des critiques improvisés. Dans « Des livres et moi », Morgan Sportès avait trouvé la parade : le bras d'honneur !

Autre remarque notable : quand il était jeune, Brautigan était déjà Brautigan. En fait, Brautigan n'a jamais rien fait d'autre qu'écrire du Brautigan. Cela est la preuve définitive qu'il était un grand écrivain : il était incapable d'écrire autrement que comme lui-même, avec sa naïveté comique. Comme Fitzgerald ou Blondin, on a envie de lui taper dans le dos à chaque page comme si l'on trinquait. Salinger disait qu'un bon livre vous donne envie d'écrire une lettre à son auteur : avec Brautigan, on désire plutôt lever son verre (ou son joint). Dommage qu'il se soit suicidé il y a vingt-six ans, rendant ce vœu moins facile à exaucer.

Tout dans cet assemblage d'inédits n'est pas du meilleur tonneau : « L'argent est une triste merde » n'est certes pas le vers du siècle. Mais tout y est drôle et intense, sauvé par des questions du genre : « Ce poème est-il aussi beau que deux billets de cinq dollars frottés l'un contre l'autre ? » ou « Est-ce que les filles doivent vraiment aller aux toilettes ? ».

Le livre est bilingue, ce qui permet de vérifier que la poésie est fidèlement traduite. Cela permet aussi de s'apercevoir que les Américains sont parfois gentils. Par exemple, c'est parce qu'ils sont gentils qu'ils préfèrent le Bien au Mal. C'est donc parce qu'ils sont gentils qu'ils deviennent parfois méchants. Brautigan était un jeune prétentieux capable d'écrire de jolies gentillesses : « Je prendrai ta main, qui me rappelle un chat que j'ai bien connu, et nous irons marcher. » On sent que le futur hippie aime la douceur de cette main, qu'il a envie de la caresser, mais aussi qu'il a peut-être peur de ses griffes, qu'elle pourrait le blesser, ou disparaître, et qu'alors il regretterait ses ronronnements. Tout cela évoqué en quelques mots tout simples : « je prendrai ta main, qui me rappelle un chat que j'ai bien connu ». On a envie de connaître ce félin, presque autant que la muse qui a inspiré pareille métaphore au moustachu planant.

Richard Brautigan, une vie

« Si nous n'avons pas besoin de tels écrivains, alors de quoi avons-nous besoin ? » (Philippe Djian.) Richard Brautigan est né en 1935 à Tacoma, dans l'Etat de Washington, et a mis fin à ses jours en octobre 1984 à Bolinas, en Californie. Surnommé « The Last of the Beats », ce hippie moustachu qui traînait à San Francisco est devenu riche et célèbre grâce à *La Pêche à la truite en Amérique* (1967), vendu à plus de trois millions d'exemplaires. Ecrivain de la contre-culture des seventies, il a vu, lentement mais sûrement, la gloire s'éloigner de lui. Il a commencé à s'endetter, acheté un ranch dans le Montana, bu de plus en plus. Il est parti au Japon mais a commis l'erreur de revenir. Ses livres marchaient de moins en moins alors qu'ils étaient de mieux en mieux : *Il pleut en amour* (1976) et *Journal japonais* (1978) sont supérieurs en densité à *La Vengeance de la pelouse* (1971), mais j'aime aussi la loufoquerie de *Tokyo-Montana Express* (1980) ou les surréalistes *Mémoires sauvés du vent* (1982) disponibles en poche, chez 10/18.

Numéro 95 : « Clémence Picot »
de Régis Jauffret (1999)

Vers la fin du XXe siècle, on publiait deux sortes de romans : soit l'histoire d'une femme de 30 ans qui cherchait un mec, soit celle d'un homme détraqué qui tuait des gens. La grande idée de Régis Jauffret consista à fournir les deux d'un coup. Comme un shampooing 2 en 1, *Clémence Picot* raconte l'histoire d'une femme de 30 ans qui n'a pas de mec et qui, en même temps, devient une détraquée qui tue des gens. Clémence Picot vit seule, boulevard Saint-Michel, toute la journée, et travaille comme infirmière de nuit dans un hôpital. Ses parents sont morts dans un accident d'avion. Elle veut un enfant, mais comme elle est toujours vierge à 30 ans, elle préfère tuer celui de sa voisine, qui est pourtant sa seule amie. Ce qui participe d'une certaine logique même s'il ne s'agit pas d'un acte foncièrement amical.

Grâce au talent froid de Régis Jauffret, cette existence sinistre parvient à donner un livre palpitant. C'est *Misery* réécrit par Emmanuel Bove, ou une version féminisée du boucher de *Seul contre tous*, le radical film de Gaspar Noé. Au bout de quelques années de solitude totale, Clémence Picot s'ennuie tellement qu'elle en devient folle. Vraiment très folle : à côté, Christine Angot est une femme équilibrée. Ce qui pourrait être un luxe (dans notre époque individualiste, vivre seul n'est-il pas le sommet de la liberté ?) s'avère pour elle un calvaire permanent. On ne sait pas à quoi ressemble Clémence Picot. Elle est pire que moche : transparente. Ses parents l'ont traumatisée ; elle est d'une timidité maladive ; alors elle torture un chien et un oncle, alternativement.

Nous vivons dans un monde étrange : la plupart d'entre nous mangent à leur faim, notre pays traverse une de ses plus longues périodes de paix, et pourtant tout le monde se plaint. Eternels insatisfaits, nous en demandons toujours plus. Nous ignorons ce que nous cherchons : notre vie est une quête sans Graal. Que se passe-t-il quand la vie ne nous octroie pas le bonheur parfait pour lequel la société nous a programmés ? Peut-on survivre si on est privé de ce modèle que l'écrivain Guillaume Dustan nomme « hétéro-fasciste » : un homme couche avec une femme, l'épouse, vit avec elle, lui fait de beaux enfants souriants ? Est-il supportable de ne pas ressembler à une publicité pour la CNP ? Selon Régis Jauffret, nous vivons dans un monde étrange qui fabrique des meurtriers.

Clémence Picot est un livre claustrophobe, angoissant, pathétique et injuste, pénible et grisâtre, qui procure un plaisir hypnotique. On le lit en se demandant pourquoi on le lit. Est-ce par voyeurisme ? Masochisme ? Ou pitié ? Nous habitons la tête de cette dingo qui parle toute seule, pleure tout le temps, ne fait plus aucun effort, se nourrit n'importe comment, ne se regarde jamais dans la glace, aime voir les autres souffrir. On admire le travail d'écrivain (Jauffret a mis douze ans à achever ce texte) ; un style clinique (normal, pour parler d'une infirmière) ; une écriture factuelle, « béhavioriste », sans romantisme, qui parvient à atteindre une pureté monstrueuse : « Paris contenait une infinité d'humains qui ne me connaissaient pas. J'avais été mise au monde par des gens qui n'existaient plus. »

Régis Jauffret, une vie

Il faut faire gaffe aux métiers que l'on choisit. A force de travailler pour un magazine de faits divers, Régis Jauffret est devenu fou, effrayé par tous ces meurtres, ces viols, ces destins horribles et banals. L'atrocité quotidienne a donc fini par pénétrer ses livres. Né en 1955 à Marseille, Jauffret fut révélé en 1998 par une *Histoire d'amour* qui était en réalité un viol à répétition, puis il narra en 1999 la vie de *Clémence Picot* qui tuait ses voisins en série, et enfin en 2000 furent publiés *Fragments de la vie des gens* et *Autobiographie*, des tranches de non-vie broyées par l'indifférence. En 2001, *Promenade* s'inscrivant dans le droit-fil de cette trajectoire d'une rare cohérence, tout comme son chef-d'œuvre *Microfictions* en 2007, qui mériterait aussi de figurer dans ce classement (mais il faut bien laisser un peu de place aux autres et Jauffret y trône déjà deux fois !).

Numéro 94 : « La Lune en plein jour » de Hanif Kureishi (1999)

Pour clarifier les choses, on pourrait dire que Hanif Kureishi est un Salman Rushdie lisible. Mais ce serait vraiment simplificateur (les rapprocher est quasiment raciste) puisqu'ils sont très différents – l'un étant né à Londres d'un père pakistanais, l'autre né à Bombay de parents indiens. Ce qu'écrit Kureishi n'a pas grand-chose à voir avec la prose foisonnante et mythologique de l'homme à la fatwa. En fait, Kureishi est à Rushdie ce que Sophocle est à Homère. Il se spécialise dans l'intimité depuis son roman ainsi titré (*Intimité*, 1998). Il a cessé de lier son art au sort des déracinés, pour se soucier surtout de la douleur de l'homme moderne, séparé de son ex et de ses mômes, ou prisonnier du couple, célibataire attardé, mari trompé. En cela, il s'approcherait plutôt d'une manière de nouveau Carver, en particulier dans ce second recueil de nouvelles dont le titre original, *Midnight all day*, a été curieusement traduit par Jean Rosenthal *La Lune en plein jour*, alors qu'il signifie « minuit toute la journée ». Un jour où les douze coups de minuit sonnent en permanence à nos oreilles me paraît une métaphore beaucoup plus préoccupante qu'une lune qui brille avant la tombée de la nuit – événement météorologique fréquent en été et nullement inquiétant (bien qu'agréable à l'œil).

Il est symptomatique que l'œuvre de Kureishi s'oriente désormais vers l'analyse fine et comique de cette contradiction : ce quinquagénaire élégant est constamment tiraillé entre le cynisme et la fleur bleue, entre la lâcheté et la chevalerie, entre Don Juan et Roméo, comme il le fut auparavant entre l'Angleterre et le Pakistan. Et cela fait du bien de lire les œuvres d'un enfant d'immigrés qui a exactement les mêmes problèmes que n'importe quel crétin occidental.

C'est ce côté Antoine Doinel qui plaît tant aux cinéastes français chez Kureishi (Michel Blanc et Patrice Chéreau l'ont adapté). Les hommes chez Kureishi sont des individualistes qui veulent être maqués, mais finissent seuls, ou l'inverse. Ce sont des baiseurs vieillissants, des futurs papas terrorisés par la paternité, des maris frustrés qui rêvent de liberté, des hédonistes coupables. Ils veulent toujours la femme d'un autre, désirent le désir, et fuient le bonheur avant qu'il ne se sauve. Ils ont des idées de gauche, mais des appartements de droite. Il y en a même un qui trouve un pénis dans la poche de sa veste !

Les femmes ne sont pas mieux loties : quand elles sont jeunes elles se tapent des vieux, quand elles sont mariées elles emmènent un jeune en vacances. Telle est la morale de ces nouvelles drôles et désenchantées : « On est toujours infaillible dans le choix de ses amants, surtout quand on cherche la personne qui ne nous convient pas. » Pessimiste constat qui rappelle les aphorismes d'Oscar Wilde (autre immigré londonien). L'amour reste le meilleur sujet de littérature, peut-être même le seul. Bientôt écrire ne servira plus qu'à cela : donner aux hommes et aux femmes une dernière chance de se parler. Peut-être que l'apocalypse annoncée dans le titre de ce bilan (la disparition du livre de papier) sera concomitante de la mort définitive de l'amour humain sur terre. Sans amour, pas de romans. Quand nous ne serons plus des êtres capables de sentiments, il n'y aura plus rien à raconter, et personne ne le regrettera. C'est à ce moment précis qu'il ne cessera plus d'être minuit.

Hanif Kureishi, une vie

Né en 1954, Hanif Kureishi est devenu, en trois étapes, l'un des meilleurs écrivains anglais. Première étape : il se lance dans le cinéma, comme scénariste des premiers films de Stephen Frears (*My beautiful laundrette*, *Sammy et Rosie s'envoient en l'air*). Seconde étape : il publie deux romans post-coloniaux, révoltés et politiques, sur la difficile intégration des Britanniques d'origine pakistanaise, tiraillés entre la religion musulmane et le sexe londonien (*Le Bouddha de banlieue* en 1991 et *Black Album* en 1996). Troisième étape : il fait scandale en passant à l'autobiographie humoristique et angoissée d'un quadragénaire divorcé avec enfants et maîtresses (un roman : *Intimité* en 1998, et trois recueils de nouvelles : *Des bleus à l'amour*, *La Lune en plein jour* et *Le Déclin de l'Occident*). Et voilà comment on devient le Philip Roth anglais.

Numéro 93 : « Le Loup des steppes » de Hermann Hesse (1927)

Publié en 1927, *Le Loup des steppes* est incontestablement un tournant dans la littérature du XXe siècle. Si vous n'avez jamais lu ce chef-d'œuvre, vous avez de la chance, comme un gastronome qui n'aurait jamais goûté aux truffes du Périgord. Quand on me demande de citer mes livres « fétiches », j'évoque plutôt ceux qui ont changé ma vie, et non ceux qui ont influencé mes propres livres – je réagis comme lecteur et non comme romancier. Peu de livres nous transforment, nous donnent le courage de modifier notre vie. *Le Loup des steppes* fait partie de ceux-là. Je l'ai découvert à 15 ans, grâce aux baba-cools de mon lycée qui lisaient également les auteurs de la beat generation, Kerouac, Burroughs, Ginsberg, en écoutant Magma et Tangerine Dream. Hermann Hesse avait alors une image de routard qui avait fait le voyage des Indes et avait publié des romans initiatiques comme *Siddhartha*.

Le Loup des steppes est le roman de l'entre-deux-guerres. Il met en scène Harry Haller, un quinquagénaire qui loue une mansarde sous les toits, dans une petite ville allemande ; on se rend compte qu'il veut se suicider. Il prend des bains chauds, lit Novalis et Dostoïevski, regarde les nuages, boit et fume beaucoup. Pour condenser, nous dirons que le gars est au bout du rouleau. Il est surtout tiraillé entre les deux personnalités qui coexistent en lui : le loup, sauvage, qui aspire au retour à la nature, et l'élan vers la culture, la spiritualité et la civilisation (c'est un grand admirateur de Mozart, Goethe et Beethoven). Ce loser solitaire, neurasthénique et foncièrement pessimiste, vivant comme un « loup des steppes », est sauvé de la tentation d'en finir par une prostituée, Hermine. Il (ré)apprend à vivre grâce à elle comme Nizon dans *L'Année de l'amour*. Quand je pense qu'il y a des gens qui sont contre la prostitution, alors que tous les jours les putes sauvent des milliers de vies humaines !

Avec poésie et force, Hesse prône l'individu contre la masse, la nature contre la civilisation, la victoire de la sensualité contre la vanité, une révolte existentialiste qui demeure d'une brûlante urgence : « Si notre temps, avec son atmosphère de mensonge, de cupidité, de fanatisme et de barbarie ne m'a pas tué... »

J'ai lu ce roman plus de cinquante ans après sa publication et pourtant, je me souviens m'être totalement identifié au personnage. Sa situation de déraciné et de rebelle était extrêmement séduisante, romantique (impression d'ailleurs renforcée par l'écriture lyrique qui court tout au long du livre). Il se dégageait du texte un sentiment puissant de liberté qui avait dû aussi séduire tous les routards et hippies des années 60... On avait envie en le lisant de tout foutre en l'air. Pour quelqu'un qui habitait Paris 6e, c'était réellement salutaire : je voulais partir sur les traces du personnage, mener une vie aventureuse et sortir me perdre dans la nuit, errer… *Le Loup des steppes* a eu pour moi, à cette époque, la même importance que *Tropique du Cancer*, de Henry Miller. Vous en connaissez beaucoup, des prix Nobel de littérature qui ont donné leur nom à des groupes de rock (Steppenwolf, celui qui chantait « Born to be wiiiild ») ?

La notion de liberté sonne faux pour ma génération : on nous parle beaucoup de liberté, mais j'ai le sentiment profond que nous ne sommes pas libres du tout. Néanmoins, Hesse m'a incité à toujours essayer de conquérir « ma » liberté, à tout faire pour éviter le destin tout tracé que mon milieu social me réservait. Harry Haller, le personnage du roman, reste d'ailleurs à la périphérie de la bourgeoisie dont il est issu, et en rejette les manières, les valeurs : je l'associe au héros d'un roman que ma mère adorait (*Pan*, de Knut Hamsun), vivant isolé dans une cabane au milieu de la forêt. Alter ego misanthrope et suicidaire de l'auteur, Harry Haller, à travers sa perception décalée et absurde de l'existence, de la société, est un personnage très moderne ; il annonce Bardamu, Meursault, Roquentin, mais peut-être aussi, par sa vision de la sexualité et son pessimisme foncier, les personnages d'auteurs américains comme Bukowski – à l'instar de Chinaski, l'alter ego de Bukowski, Haller cherche sa place et professe une certaine forme de stoïcisme. (Notons au passage que Charles Bukowski est d'origine allemande comme Hesse.)

Il faut parler aussi de la structure du roman qui est très audacieuse. Le livre est agencé comme une succession de poupées russes : d'abord la préface de « l'éditeur », témoin de l'histoire, ensuite les « carnets » de Harry Haller à l'intérieur desquels figure un autre livre, un mystérieux *Traité sur le loup des steppes*... J'avoue moins apprécier la deuxième partie du livre et ses délires quasi psychédéliques, annonciateurs des 70's : Harry dialogue avec Goethe (dont il critique la « fausseté » de l'œuvre), Mozart, etc. Ça devient un peu trop magique pour mon bon sens béarnais.

Le Loup des steppes a été interdit par le régime nazi, ce qui est assez troublant, car, à sa manière, Harry pressent qu'une nouvelle catastrophe est sur le point de se produire. A de multiples reprises, l'auteur revient sur le fait que son personnage est « pris entre deux époques ». Il est facile aujourd'hui de donner à ce roman une interprétation politique – comme on l'a souvent fait pour les œuvres de Kafka, où l'on voyait une dénonciation du stalinisme futur. Hesse y évoque expressément l'agitation nationaliste qui devient « de plus en plus agressive » ; il parle « des milliers et des milliers d'hommes [qui] préparent avec zèle la prochaine guerre ». L'ami chez lequel il va dîner « trouve les juifs et les communistes haïssables » et « ne se rend pas compte qu'autour de lui la prochaine guerre se prépare ». Cet aspect prophétique est assez troublant. Pour autant, et c'est ce qui fait de ce roman un grand et beau texte, à aucun moment l'auteur ne fait montre de manichéisme, de certitudes... Harry Haller est-il le premier bobo ? Un Bartleby germanique ? Un poète stoïcien ? Un agoraphobe exalté ? Non, *Le Loup des steppes* est le dernier représentant d'une espèce disparue en 1942 : l'honnête homme.

Hermann Hesse, une vie

« L'œuvre entière de Hesse est un effort poétique d'émancipation en vue d'échapper au factice et de réassumer l'authenticité compromise » (André Gide). A celui de Gide, je préfère le compliment de Thomas Mann le 3 janvier 1928 : « *Le Loup des steppes* m'a réappris à lire. » C'est plus direct. Hermann Hesse est né à Calw (Wurtemberg) le 2 juillet 1877 et mort en Suisse le 9 août 1962. Durée de vie : 85 ans. Achetez des produits allemands, c'est du solide ! Il est devenu célèbre à 27 ans, grâce à un roman d'éducation écrit à Bâle : *Peter Camenzind* (1904). Puis il s'est installé dans une ferme proche du lac de Constance, s'est marié et emmerdé, a foutu le camp aux Indes comme un vieux baba, quitté sa femme après la Première Boucherie mondiale, et pondu *Siddhartha*, puis *Le Loup des steppes* en 1927, enfin *Narcisse et Goldmund*, avant de recevoir le prix Nobel de littérature en 1946, ce qui était un sacré exploit pour quelqu'un de la même nationalité qu'Adolf Hitler. Hermann Hesse fut le Paulo Coelho de l'entre-deux-guerres : il écrivait des contes new age alors que le new age n'avait pas encore été inventé. C'est donc lui qui l'a inventé !

Numéro 92 : « Hell » de Lolita Pille (2002)

Hell de Lolita Pille s'intitulait *Confessions d'une pétasse* quand j'ai reçu ce manuscrit rue Gît-le-Cœur, par la poste, un matin de 2002. D'habitude, je ne lis pas les manuscrits : soit c'est bien et je sombre dans une dépression jalouse, soit c'est nul et je n'ose pas le dire à l'auteur. Et puis, pour quoi faire ? A l'époque je n'étais pas éditeur (aujourd'hui je ne le suis plus) et, en tant que critique, je n'ai déjà pas le temps de lire tous les livres publiés. Les manuscrits me parviennent généralement accompagnés d'une lettre dans laquelle le génie maudit dit le plus grand bien de moi ; malheureusement, le reste de son courrier est moins intéressant : lamentations de vieilles peaux larguées par leurs trois maris ; plagiats des derniers best-sellers de la liste de *L'Express* ; fantasmes sexuels de profs de lycée... Je n'envie pas les directeurs littéraires. Laclavetine a bien décrit leur métier harassant dans un roman intitulé *Première Ligne*.

Pourtant le texte de Lolita Pille m'a happé, il n'y a pas d'autre mot. Elle avait un ton cinglant, une méchanceté sautillante, une façon merveilleusement insolente de décrire la jeunesse dorée de l'Ouest parisien. Elle me rappela de mauvais souvenirs : gueules de bois à répétition, sexe sans lendemain, virées de sales gosses arrogants, maintenant j'assume ce passé. La vérité, c'est que je n'ai pas pu lâcher son manuscrit avant de l'avoir terminé, et pourtant Dieu sait si j'avais autre chose à foutre que de lire une arriviste inconnue. En outre l'auteur, âgé de 17 ans, ne fournissait pas sa photographie avec le texte, ce qui était vraiment la preuve d'un manque de savoir-vivre. Le lendemain matin, je téléphonais à mon éditeur pour lui recommander cette petite peste. *Hell* est donc un peu de ma faute…

Je sais que je ne devrais pas écrire sur un bouquin que j'ai pistonné auprès de Grasset : ce n'est pas très éthique, mais après tout je n'ai jamais touché un rond dessus, alors pourquoi ne pas vanter ces qualités qui m'ont tant enthousiasmé il y a une décennie ? La jeune littérature néglige souvent le camp des vainqueurs, la nullité des élites, la détresse de l'aristocratie : depuis Hugo, il faut écrire sur les misérables pour être un romancier sérieux. *Hell* raconte cet enfer qui fait rêver les idiotes. « Si les riches ne sont pas heureux, c'est que le bonheur n'existe pas. » Telle est la phrase clé de cette sotie impertinente et frivole, que je traduirais dans mon langage fruste : quand on est une fille à papa sans papa, on n'a pas le droit d'être désespérée, juste le droit d'être ridicule. C'est pourquoi il faut, de temps en temps, plaindre les riches, même si c'est dégoûtant. Cela fait mentir la société capitaliste : il n'est pas vain de rappeler que l'argent fait le malheur de tous, y compris de ceux qui en ont trop.

Lolita Pille piaffait d'impatience devant le panthéon des têtes à claques bourgeoises : Fitzgerald, Sagan, Ellis… Elle ne les avait pas lus quand elle a eu l'idée de son roman sur l'avortement d'une amoureuse trop gâtée, entourée d'écervelés et de radasses, qui se salit pour se sentir exister, ou atteindre la profondeur introuvable aux Planches (rue du Colisée). Elle voulait juste comprendre pourquoi elle sacrifiait tout à la nuit, pourquoi elle trouvait débiles tous ses copains, pourquoi elle se sentait mal, et conne, et seule, et enceinte d'un connard drogué. Elle a choisi d'en rire pour énerver tout le monde. Elle a de la chance : pour rendre supportable une histoire aussi puante, il fallait beaucoup de talent. Est-ce cela que certains dénomment « l'énergie du désespoir » ? Je crois que *Hell* est exactement le contraire : une parabole sur la perte de confiance en soi, sur une génération détruite par l'ironie.

Lolita Pille, une vie

Lolita Pille est née le 27 août 1982 à Sèvres (92). Elle est passée à « Tout le monde en parle » le 11 mai 2002. Entre les deux, pas grand-chose à raconter : pour tout savoir sur *Hell*, achetez *Elle*. Lolita Pille (c'est son vrai nom) grandit à Boulogne-Billancourt. Effectue sa scolarité au lycée La Fontaine (Paris 16e). Elève très bien notée, jusqu'à l'âge de 14 ans. C'est l'âge où elle découvre les boîtes de nuit, donc redouble sa seconde. Après un bac littéraire, elle s'inscrit en droit à la fac d'Assas, mais ne tient que deux semaines. Préfère aller au bar du Plaza, puis au Cabaret, puis au Queen, puis au Kit Kat à 8 heures du matin, avec la gueule de travers, les yeux écarquillés et la bave aux lèvres. Depuis le succès de *Hell* en 2002, elle a publié *Bubble Gum* (2004, une satire de la télé-réalité) et *Crépuscule Ville* (2008, un roman de science-fiction cyberpunk qui a beaucoup plu à Jean-Jacques Schuhl). Harcelée par le Trésor public comme Sagan, elle vit aujourd'hui recluse chez ses parents, ne sort plus, ne boit plus, ne se drogue plus, ne me voit plus. J'espère seulement qu'elle écrit toujours.

Numéro 91 : « Nouvelles complètes » d'Ernest Hemingway (1923-1960)

Je lis Hemingway à La Closerie des lilas. Ce faisant, je suis pire qu'un touriste : un pléonasme. Mais il fallait bien que quelqu'un vienne ici lui souhaiter son anniversaire. Ernest Hemingway, pilier des bars de Montparnasse, est né le 21 juillet 1899. 120 ans plus tard, IL FAUT LIRE SES NOUVELLES COMPLÈTES. J'ai préféré l'écrire en majuscules pour que le message passe bien. Et maintenant, laissons Dorothy Parker expliquer pourquoi : « Le style d'Ernest Hemingway, cette prose mise à nu jusqu'à sa jeune et solide ossature, est beaucoup plus efficace, beaucoup plus émouvante dans la nouvelle que dans le roman » (*The New Yorker*, 1927).

Croquis, tranches de vie, saynètes, appelez-les comme vous voudrez, les nouvelles de Hemingway paraissent anodines à première vue. Et puis vous les refermez et soudain elles vous accompagnent. Vous avez le cafard comme cette fille dont le mari réclame l'avortement (*Collines comme des éléphants blancs*, 1927, traduite par Philippe Sollers). Vous avez peur de ces malfrats qui pourchassent un Suédois (*Les Tueurs*, 1926). Vous revoyez ce beau boxeur se faire défigurer, ou cette Indienne accoucher par césarienne sans anesthésie (*Le Courant*, 1921, et *Le Village indien*, 1925). Sobre, concise, factuelle et sans adjectifs, l'écriture de Hemingway va droit vers son but : la chute. J'ai eu la prétention de hasarder un jour une définition de la nouvelle comme « l'art d'amener la dernière phrase ». Dans cet exercice, Hemingway est le maître absolu. Exemples de ses chutes splendides : « La pluie peut rendre n'importe quel endroit étrange, même des endroits où vous avez vécu » (*Le Garçon*, 1927). Ecoutez comme ça tombe bien : « Au matin, le vent soufflait fort et les vagues déferlaient de très haut sur la plage, et il resta longtemps éveillé avant de se rappeler qu'il avait le cœur brisé » (*Dix Indiens*, 1927). Connaissez-vous beaucoup d'auteurs qui écrivaient ainsi en 1927 ? Dans ses nouvelles, Hemingway fait du Fitzgerald : cela pourrait être sorti hier matin ! C'est que, depuis 1927, environ douze mille écrivains ont copié ce style objectif et elliptique (Raymond Carver en tête – donc Jay McInerney et Bret Easton Ellis aussi). C'est la faute à Hemingway s'il existe aujourd'hui pas mal de livres moins chiants qu'au siècle précédent.

On ne le remerciera jamais assez d'avoir remplacé les descriptions interminables par des dialogues vivants. Dans *Sur l'écriture* (1924), Nick Adams, héros fétiche de Hemingway, explique : « (Il) avait envie d'écrire comme Cézanne peignait. » Parties de pêche, combats de boxe, corridas, exécutions politiques, ruptures amoureuses : ce sont des pommes ! La vraie beauté n'est pas dans la pomme toute simple mais dans la méthode du peintre. C'est-à-dire que Cézanne tournait autour de sa pomme au lieu de croquer dedans. Ce n'est pas Nick qui doit être triste, c'est nous. Compris ? J'ai mis du temps à piger ça, alors essayez au moins de suivre un peu. Hemingway avait aussi mis au point une « théorie de l'iceberg » : les faits flottent sur l'eau, la structure doit être invisible (« seul un huitième d'un iceberg dépasse de la mer »). Le lecteur comprend tout ce qui n'est pas écrit sur la page. En ne développant pas d'explication sur cet iceberg, je suis en train d'appliquer à la lettre sa théorie, OK ? Ernest a peut-être moins de charme que Fitzgerald et moins d'humour que Dorothy Parker (ses faux amis qui le trouvaient trop sérieux) ; il roule des mécaniques, se prend pour Indiana Jones, nous agace avec ses safaris frimeurs et ses mojitos de macho barbu. Mais, comme tous les génies, il a inventé sa propre langue, et il se trouve que c'est devenu la nôtre.

Ernest Hemingway, une vie

Ernest Miller Hemingway est né à Oak Park (Illinois) le 21 juillet 1899. Il est mort d'un coup de fusil dans la tronche le 2 juillet 1961. Entre les deux, il a été blessé par un obus en Italie (1918), a baisé à Paris dans les années 20 (comme tout le monde), a fait la guerre d'Espagne puis libéré l'hôtel Ritz à Paris avec Salinger en 1944, s'est installé à Key West (Floride), La Havane (Cuba), Ketchum (Idaho), a failli mourir dans un accident d'avion en Afrique, a écrit, entre autres : *Le soleil se lève aussi*, *L'Adieu aux armes*, *Mort dans l'après-midi*, *Pour qui sonne le glas*, *Le Vieil Homme et la Mer*, *Paris est une fête*, reçu le prix Nobel en 1954, s'est marié quatre fois et suicidé une fois. Et en plus, quelque chose doit lui faire plaisir, à lui qui aimait tant les armes à feu : son arrière-petite-fille Dree est une véritable bombe atomique.

Numéro 90 : « Petites Nuits » d'André Blanchard (2004)

De Jules Renard il a retenu que « l'art c'est rêver une heure et écrire cinq minutes » : ce n'est pas parce qu'on est concis qu'on doit être creux. L'art est une question de densité. Blanchard se méfie de tout : les livres à 10 francs, la charité, lui-même, la Très Grande Bibliothèque, Christian Bobin, la télévision. C'est pourquoi Renaud Matignon l'aimait tant, qui le salua comme « un écrivain qui serait né posthume », pratiquant « un jansénisme du stylo ».

Après *Entre chien et loup* (carnets 1987), *De littérature et d'eau fraîche* (carnets 1988-1989), *Messe basse* (carnets 1990-1992), et *Impasse de la Défense* (carnets 1993-1995), j'ai choisi *Petites Nuits* (carnets 2002). Une cuvée libre et fraîche, malgré l'angoisse envahissante, les rages de dents, la demi-surdité, la mort de Calaferte, les problèmes de fric, le complexe d'infériorité, ou de supériorité (c'est la même chose) d'un auteur salué par la critique et ignoré par le public (c'est pourtant mieux que le contraire). A 51 ans, Blanchard plaisante moins qu'autrefois. Qu'est-ce que ce sera quand il en aura le double ! S'il écrit déjà : « Vient un âge où, devant le miroir, nous devinons nos rides prochaines, et le possible vieillard que nous ferons. La mort a enfin un visage, le nôtre », qu'écrira-t-il quand il atteindra l'âge où est mort son maître Julien Green (97 ans) ? Comme toutes les bonnes plumes, Blanchard ne s'est pas fait tout seul : quand il passe en revue ses lectures, c'est avec la gourmande subjectivité du Rinaldi qui l'a découvert, dès qu'il s'attelle aux grandes questions, il cisèle des maximes nihilistes à la Cioran (« Le bonheur ? Un mot malheureux ») ; et certains confrères appartiennent à sa famille sans le savoir : Jean-Claude Pirotte, Alain Chany ou Roland Jaccard, par exemple.

Page 133, André Blanchard nous livre son secret : « Etre écrivain, c'est croire que tout peut finir en mots, et le doit, sinon ce serait invivable. » Un styliste n'a rien à raconter d'autre que son style. Son sacerdoce consiste à tordre les lieux communs, à changer les mots pour franchir les mêmes étapes que ses prédécesseurs. Le journal intime de Blanchard fait évidemment penser à ceux de Jules Renard et Paul Léautaud : pourquoi certains journaux sont-ils tellement mieux troussés que ce qu'on lit dans les journaux ? Parce que Blanchard est inactuel et se nourrit de lectures, de paysages et de souvenirs. Il raconte comment il a perdu son emploi et son éditeur, et ses vertiges, ses tremblements, et une franche maigreur (58 kilos pour 1,80 m). Il parvient à être un écrivain pauvre, maudit et provincial sans devenir bigot comme Bobin, fade comme Delerm ou prétentieux comme Michon. Il prouve que l'on peut être diariste sans être nombriliste. Confronté à l'insuccès, au dégoût de vivre, aux fins de mois difficiles et à un deuil félin (un chat de 23 ans qui aura tout de même enterré Mitterrand, Duras et Lady Di), Blanchard n'en perd pas sa capacité d'émerveillement. Ni fielleux, ni bilieux, il joue jusqu'au bout du rouleau la partition du désespoir gai, du nihilisme fugueur. Il est rare qu'on sente autant, en pleine lecture, la chance qu'on a d'être un lecteur. Le stylo d'André Blanchard est une baguette magique qui réveille les critiques blasés : tiens ? Il existe encore des livres comme ça ? Une mélancolie aussi élégante ? Une liberté aussi nonchalante ?

Réac sans être grincheux, ce misanthrope observe paisiblement la fin d'un monde, la disparition d'un savoir-vivre français qui était surtout un vouloir-vivre. Il en profite pour moissonner les phrases, narrer l'histoire d'un lent crépuscule, celui d'un Art qui disparaît. « J'en étais donc là, cahin-caha, de mon aventure ici-bas tandis qu'en cette fin 2000 le siècle achevait la sienne en un triple zéro qui, mon Dieu, n'était pas volé. » « C'est l'heure indécise de la nuit, quand en son numéro romantique la lune fatigue. Bientôt les étoiles retourneront à leur anonymat, d'où l'obscurité les a tirées. » « Cette mort qui serait parfaite si elle ne contrariait une habitude. » « Toute fidélité à soi-même part d'un refus. »

Je vais vous dire les choses carrément : j'ai honte de faire partie d'un milieu littéraire qui ignore aussi superbement ce prosateur exceptionnel. Lui-même se qualifie d'« écrivain sous le manteau » (comme Vialatte se disait « notoirement méconnu »). Diantre, qu'est-il arrivé à ce pays pour qu'un auteur de cette importance soit aussi fauché, seul et abandonné ? Tous les jours, il devrait y avoir une procession devant la maison de Blanchard (impasse de la Défense à Vesoul), une cérémonie durant laquelle tous les critiques littéraires s'agenouilleraient pour baiser les pieds de ce maître, en implorant son pardon. La littérature n'est pas un hobby désuet, car elle donne du sens à une vie qui n'en a pas.

André Blanchard, une vie

Ex-pion, ex-employé d'une galerie d'art, André Blanchard se définit lui-même comme « l'écrivain le moins lu de France ». En 2002, il avait 51 ans : un rapide calcul mental nous induit donc à penser qu'il doit avoir 60 ans en 2011. Il postule au titre de Flaubert de Vesoul (Haute-Saône) alors qu'il est plutôt un Henri-Frédéric Amiel franc-comtois. Ermite revenu de tout sans y être vraiment parti, André Blanchard tient depuis 1987 un remarquable journal littéraire qui fut d'abord publié par Le Dilettante (*Entre chien et loup*, 1989), puis par les courageuses éditions Erti (*De littérature et d'eau fraîche*, 1992 ; *Messe basse*, 1995 ; *Impasse de la Défense*, 1998 ; *Petits Nuits*, 2004) avant de revenir au Dilettante (*Contrebande*, 2007 et *Autres directions*, 2011). Courageuses éditions, disons-nous, car ces malheureux carnets qui regorgent de bonheurs d'expression ne se vendent pas des masses. André Blanchard n'en conçoit aucune aigreur alors qu'il a tout de même une héritière (Pauline) et un nouveau chat (Nougat) à nourrir. Participez au Blancharthon : achetez *Petites Nuits* afin d'aider son auteur à vivre le jour. Au passage, son livre vous y aidera aussi.

Numéro 89 : « Rapport sur moi » de Grégoire Bouillier (2002)

Ce qui rend la vie si ennuyeuse, c'est qu'elle se déroule dans l'ordre chronologique. Le passé est avant le présent qui précède le futur. 1980 ne sera jamais postérieur à 1999. Le matin a lieu avant le soir. Notre vie souffre de cette continuité. C'est ce qui rend si pénibles les récits, mémoires, confessions et autres déballages autobiographiques : ils sont souvent classés dans le même ordre que la vie. Grégoire Bouillier a trouvé un truc simple pour sortir de la banalité : déranger ses souvenirs. Il choisit de les piocher comme des photographies retrouvées dans une boîte à chaussures.

Dedans, il trouve de tout : une mère hystérique qui menace de se jeter par la fenêtre, un père qui n'était peut-être pas le vrai, un frère mort, une absence d'odorat, des fiancées folles, des partouzes incestueuses. Cette construction faussement dispersée rappelle *Mon grand-père* de Valérie Mréjen (peut-être à cause de l'éditeur, de la typo, de la distance triste, des drames familiaux). Elle séduit par ses constants coq-à-l'âne, ses décalages blasés, ses incongruités attachantes. Ce *Rapport sur moi* aurait une mauvaise note à Sciences-Po : son plan n'est pas assez orthodoxe. C'est comme si Grégoire Bouillier se regardait dans une boule à facettes de discothèque : son reflet est morcelé, éparpillé en mille miroirs miniatures, mais il suffit d'y envoyer un coup de laser et toute la piste est éblouie. Le laser, c'est son écriture ; on sent que Bouillier aime les mots. Il les savoure, les tord, les ausculte. Parfois il en fait trop, prenant certains calembours débiles pour de l'aphorisme lacanien : à quarante ans, on est en quarantaine, « Tu me plais... De quelle plaie parlez-vous ? », etc. Mais il sait les manier pour dompter sa douleur. Il a pigé que le but de la littérature n'est pas de gratter nos plaies mais de les muer en style.

De toute façon, qu'on ne s'y trompe pas : *Rapport sur moi* ne parle pas de Grégoire Bouillier. *Rapport sur moi* est un livre sur toi. On stigmatise beaucoup l'autofiction parce qu'on ne comprend pas que les écrivains qui racontent leur vie nous parlent surtout de nous-mêmes. Il y a longtemps, Blaise Pascal a déclaré : « Le moi est haïssable » et l'opinion nationale en souffre encore ; deux siècles plus tard, Victor Hugo lui a pourtant claqué le beignet en lançant : « Insensé qui crois que je ne suis pas toi » ; il a fallu attendre encore une centaine d'années pour que Louis Aragon mette tout le monde d'accord en posant la grande question : « Quel est celui qu'on prend pour moi ? » Ecrire une autofiction, c'est chercher à savoir qui se cache derrière le nom imprimé en couverture du livre.

Dans cette aventure littéraire très française, Grégoire Bouillier débarque avec sa montagne de modestie (c'est une sorte de « Diet Nabe ») pour continuer le combat. Son rapport nous fait voir du pays, traverser des femmes troublantes, flirter avec la mort des autres. Mais heureusement pour lui, il ne répond pas à la question d'Aragon. Car, si l'on sait y répondre, c'est qu'on n'est pas écrivain.

Grégoire Bouillier, une vie

Grégoire Bouillier est un mec de gauche qui écrit comme un mec de droite. Sur le rabat de couverture, il affirme avoir 40 ans. Or, dans son texte, il écrit qu'il est né le 22 juin 1960, ce qui devait mathématiquement lui faire 42 ans l'année de publication de *Rapport sur moi*. Cela confirme ce que je pensais : la coquetterie est le principal obstacle à la vérité autobiographique. Grégoire Bouillier fait partie des trop nombreux auteurs de premiers romans noyés dans la masse de septembre 2002 (663 romans, et moi, et moi, et moi ?). Il a survécu au flot grâce à une presse unanime et au prix de Flore : rarement a-t-on vu première œuvre autant acclamée. Auparavant, on avait pu croiser sa signature dans des revues mal famées : *L'Infini*, la *NRV*... Grégoire Bouillier a passé son enfance dans le quartier des Champs-Elysées. Après *Rapport sur moi*, il a publié deux autres livres chez Allia : *L'Invité mystère* (mettant en scène notamment Sophie Calle) en 2004 et *Cap Canaveral* en 2008. Surveillez-le de près : il aura le prix Goncourt en 2016.

Numéro 88 : « L'Adversaire » d'Emmanuel Carrère (2000)

C'est un beau roman, c'est une horrible histoire. *L'Adversaire* va vous traumatiser et, paradoxalement, vous redonner confiance. Malheureusement, tous les livres n'ont pas cet effet, loin de là. En l'an 1000, il y eut le *Roman de Renart* ; l'an 2000 a donc eu le Roman de Romand. Carrère s'est lancé, après Stendhal (*Le Rouge et le Noir*), Gustave Flaubert (*Madame Bovary*) et Truman Capote (*De sang-froid*), dans un exercice périlleux : raconter un fait divers. Il s'agit de transformer la réalité en roman ou plutôt de constater qu'il n'y a pas meilleure fiction qu'une histoire vraie. Il a donc suivi l'affaire Jean-Claude Romand, assisté au procès, rencontré ce faux médecin qui a liquidé sa famille (sa femme, Florence ; son fils, Antoine ; sa fille, Caroline ; ainsi que ses parents) le jour où celle-ci s'est aperçue qu'il lui mentait depuis dix-sept ans. Carrère semble tour à tour écœuré, fasciné et révulsé, comme le héros de *La Classe de neige* (son précédent roman) ou de *Un roman russe* (son roman suivant). Devant l'horreur humaine, on en revient toujours à la même interrogation (la même que Littell dans *Les Bien-*

veillantes, six ans plus tard) : « Qu'est-ce qui nous sépare d'un monstre ? Sommes-nous tous des Jean-Claude Romand en puissance ? Pourquoi lui et pas moi ? » Mais ce ne sont pas les seules questions posées par ce récit magistral, implacable comme l'engrenage d'une montre suisse. *L'Adversaire* (autre nom du diable), c'est aussi le mensonge. Nous sommes tous des imposteurs : nous nous faisons passer pour quelqu'un d'autre. Nous nous maquillons, nous travestissons, nous embellissons en permanence. La vie en société ne serait pas possible sans un minimum de mythomanie. On ne dit pas à sa femme qu'on se tape sa meilleure amie ; on ne répète pas à ses amis les saloperies qu'on raconte dans leur dos ; on ne dit pas à ses parents qu'on se drogue ; on ne prévient personne quand on va se caresser la nuit en regardant des vidéos de jeunes lesbiennes épilées sur Youngporn.com (quoi ? vous ne faites pas la même chose ?!). Le mensonge est un kit de survie en milieu humanoïde. Surtout quand on est écrivain. Chez l'écrivain, comme chez le comédien, le mensonge est une seconde nature, une partie du métier. Les écrivains sont tous des menteurs qui ne tuent personne quand ils sont découverts : au contraire, on les récompense.

La grande force du livre tient dans cette capacité à zapper entre le réel (un mythomane trucide sa famille), la fiction (un malade se prend pour un médecin), l'autobiographie (un écrivain père de famille se sent en plein *Shining*) et le roman (comment raconter la vérité d'un mensonge ? Comment écrire la biographie d'un fantôme ?). Carrère se sort de ce casse-tête pirandellien avec un brio qui rend son livre ébouriffant, haletant, passionnant de bout en bout, et redonne du souffle au genre romanesque. La récente affaire Dupont de Ligonnès a malheureusement redonné de l'actualité à *L'Adversaire*.

Emmanuel Carrère, une vie

Dieu merci, Emmanuel Carrère est un Jean-Claude Romand light. Il a le même âge que Jean-Claude Romand, à trois ans près (Romand est né en 54, Carrère en 57). Il est marié et père de deux enfants, comme Romand. Mais il ne les a pas assassinés. Pourtant il leur ment depuis de longues années : son vrai nom est Carrère d'Encausse mais il a enlevé « d'Encausse » pour faire croire à sa famille qu'il était apparenté au producteur de Sheila alors qu'il est fils d'académicienne perpétuelle. Cette fois, le biographe de Philip K. Dick (l'auteur d'*Ubik*) s'est mis dans la peau, non pas de John Malkovich (la place était déjà prise), mais de *L'Adversaire*. Auparavant, il s'était fait remarquer notamment avec *La Moustache* (1986) et *La Classe de neige* (prix Fémina 1995). Par la suite il a rencontré un public de plus en plus large et fidèle avec *Un roman russe* (2007) et *D'autres vies que la mienne* (2009) qui commence au Sri-Lanka pendant le tsunami de 2004. Il a réalisé trois films, dont le splendide *Retour à Kotelnitch* en 2003, où une fois encore, un vrai meurtre envahit son travail. Cet homme attire les catastrophes. Une fois, j'ai pris l'avion avec Emmanuel Carrère : j'étais sûr qu'on allait s'écraser. On l'a échappé belle : ce jour-là, il n'avait pas envie d'écrire !

Numéro 87 : « Le Secret de Joe Gould » de Joseph Mitchell (1965)

Qui est Joe Gould ? C'est tout le sujet du phénoménal livre de Joseph Mitchell, un journaliste du *New Yorker* qui a enquêté deux fois sur cet énergumène : une fois de son vivant, en 1942, puis une autre fois après sa mort, vingt ans après (comme dirait Alexandre Dumas) en 1964. Il y a des gens comme ça, sur cette planète, qui nous intriguent tellement qu'on y repense toute notre vie. Un jour, Joseph Mitchell a voulu savoir ce que cachait Joe Gould, poète vagabond, clodo barbu, ivre et loufoque, qui errait dans les rues de Greenwich Village dans les années 30-40. Pourquoi ce diplômé de Harvard avait-il choisi de dormir sur les bancs des stations de métro ? Comment peut-on être américain sans avoir envie de posséder quoi que ce soit ? Quel était donc ce mystérieux manuscrit jamais publié : *Une histoire orale de notre temps*, censé être douze fois plus long que la Bible ? Un écrivain pouvait-il mourir en 1957 sans que personne ne lise son « livre le plus long de l'histoire du monde » ?

Joe Gould fut une exception à la règle de la société dite « civilisée » : il refusa de vivre comme on le lui imposait. Dix ans avant la beat generation, il existait déjà aux Etats-Unis un clochard céleste qui déclamait des vers, mangeait de l'alcool et buvait du ketchup.

Le reportage de Joseph Mitchell est passionnant à plus d'un titre. Au fil d'une enquête désopilante, Mitchell en vient à se remettre en question : Joe Gould se mue petit à petit en statue du Commandeur. Car ce qu'il découvre l'hallucine : l'œuvre de cet artiste est dans sa tête et non sur le papier.

Joe Gould préférait parler aux mouettes qu'aux humains, et il n'en restera rien sauf si lui, Joseph Mitchell, écrit ce livre. Mitchell s'autoproclame responsable de la postérité de Gould. Il fera de ce mythomane un mythe, de cet auteur un personnage : le dernier symbole de l'homme libre, le Diogène des bars new-yorkais, « le Samuel Pepys de Bowery » (nous dirions plutôt un mélange d'Albert Cossery, Mouna Aguigui, Alain Weill et Jean-Marc Restoux, le clochard qui tient toujours les murs de la librairie La Hune). Mais, ce faisant, il lui désobéit, comme Max Brod lorsqu'il refusa de détruire les romans de son ami Kafka. Le vrai honneur d'un écrivain serait-il de ne rien écrire ? Vouloir laisser une trace est d'une prétention insupportable. Mais vouloir laisser la trace de quelqu'un d'autre ? Tout cela est bien compliqué ; heureusement que ce livre est plus limpide que moi.

Après avoir raconté cette histoire, Joseph Mitchell n'a plus rien publié jusqu'à sa mort. Comme Jerome David Salinger ou Arthur Rimbaud. Cette décision paraît absurde mais la condition humaine ne l'est-elle pas aussi ? Rien ne sert à rien ; seules les mouettes ont tout compris (c'est pourquoi elles rient tout le temps) ; c'est un message métaphysique que Joe Gould nous envoie là.

Joseph Mitchell, une vie

Rien ne destinait, au départ, Joseph Mitchell à devenir le mémorialiste de Joe Gould. Né en 1908 en Caroline du Nord, Mitchell débarque à Manhattan dans les années 30, et aurait très bien pu parader à l'Algonquin avec Scott Fitzgerald et Dorothy Parker. Au lieu de quoi il se spécialisa dans les portraits de déglingués, mendiants, ratés et losers en tous genres. Reporter au prestigieux *New Yorker* pendant trente ans, il est mort en 1996. Son livre culte, *Le Secret de Joe Gould*, a été porté à l'écran par Stanley Tucci, avec Ian Holm et Susan Sarandon dans les rôles principaux. Ce n'était pas terrible, et je n'ai toujours pas compris si Joe Gould a vraiment existé ou si tout ceci n'est qu'un vaste canular à côté duquel Emile Ajar est un être fiable.

Numéro 86 : « Disgrâce » de J.M. Coetzee (1999)

Avec Coetzee, les jurés suédois ont couronné en 2003 un écrivain accessible, ambitieux sans être opaque, littéraire sans être pontifiant. Le meilleur moyen de découvrir l'œuvre de ce Sud-Africain à la barbichette donquichottesque est de lire son chef-d'œuvre : *Disgrâce*, paru en 1999. C'est un roman court (250 pages), qui s'avale en deux heures et raconte l'histoire d'un prof qui se tape une pute tous les jeudis. « Il lui écarte bras et jambes, lui embrasse les seins ; ils font l'amour. » Avouez qu'il n'est pas fréquent qu'un Nobel écrive aussi lisiblement. « Son existence se résumait à rechercher fébrilement les occasions de coucheries. Il eut des aventures avec des femmes de collègues ; il levait des touristes dans les bars sur le front de mer ou au Club Italia ; il couchait avec des putains. » *Disgrâce* commence comme du Houellebecq ! Très vite le roman bifurque vers David Lodge : le prof sera accusé de harcèlement sexuel par une de ses étudiantes (pas la pute, une autre). Il devra s'exiler à la campagne chez sa fille lesbienne et connaîtra alors une autre forme de disgrâce, celle d'être blanc dans un pays de Noirs : Roth ou Kundera ne sont plus très loin (le livre aurait très bien pu s'intituler *La Tache* ou *L'Ignorance*). Décerner le Nobel à Coetzee était-il indirectement une façon de le décerner aussi à Roth et Kundera tout en continuant de les snober ? Le Suédois est fourbe.

Ce qui frappe à la lecture de *Disgrâce* est son laconisme. Il se passe tant de choses en si peu de mots. Coetzee scrute les micro-événements ridicules qui montrent la vieillesse et la solitude du héros. On a l'impression, en épluchant Coetzee, que tous les autres écrivains meublent. C'est comme si ce prof de littérature avait décidé un jour de ne plus jamais écrire un mot inutile. Exemple : « Il se plaît dans le calme qui règne dans la salle de lecture en fin d'après-midi, il aime rentrer chez lui à pied ensuite : l'air vif, l'humidité, le bitume qui luit. » Qu'ajouter de plus ? On y est. Ce « bitume qui luit » contient toutes les fins de journées pluvieuses du monde.

L'autre truc qui a dû plaire aux Nobel, c'est son raffinement « bobo » : ses personnages écoutent des sonates de Scarlatti, citent des poésies de Wordsworth, s'envoient des œillets roses... Bref, on n'est pas chez les ploucs. Quand le prof drague son élève, il est carrément ÉNORME :

« Passe la nuit avec moi.

— Pourquoi ?

— Parce que la beauté d'une femme ne lui appartient pas en propre. Cela fait partie de ce qu'elle apporte au monde, comme un don. Elle a le devoir de la partager. »

Quel génial baratin de vieux libidineux ! On dirait Sydney Pollack dans un film de Woody Allen.

Lire Coetzee confère l'illusion d'appartenir à une caste, celle des intellos qui fuient le politiquement correct. Un grand romancier, c'est quelqu'un qui vous fournit des méthodes de drague qui fonctionnent. Celle-ci a été testée par nos soins sur un panel représentatif de la population des étudiantes d'Europe occidentale : efficace à 76 %. Puisque je vous dis que ceci est un livre scientifique.

J. M. Coetzee, une vie

John Maxwell Coetzee est le deuxième Nobel de littérature sud-africain après Nadine Gordimer en 1991. Né en 1940 près du Cap, il y a longtemps enseigné la littérature. Son premier succès mondial arrive en 1980 avec *En attendant les barbares*. Puis il obtient deux fois le Booker Prize : en 1983 avec *Michael K, sa vie, son temps* et en 1999 avec *Disgrâce*. Coetzee est le Romain Gary anglo-saxon ! Il a eu deux fois le Goncourt anglais, sauf qu'il n'a pas eu besoin de prendre un pseudonyme pour ça. Récemment, il s'est tourné vers l'autobiographie : *Scènes de la vie d'un jeune garçon* (1999) et *Vers l'âge d'homme* (2003) reviennent sur sa jeunesse avec mélancolie et délicatesse. Mais *Disgrâce* reste son point d'orgue, son point culminant, son point final, et d'ailleurs il est disponible en Points Seuil.

Numéro 85 : « Tout est illuminé » de Jonathan Safran Foer (2002)

En Amérique, les premiers romans ont une tout autre dimension qu'en France : là-bas, pour trouver un éditeur, un jeune écrivain doit vraiment remuer ciel et terre, imaginer un monde nouveau, révolutionner la narration, bâtir une langue originale, engager un agent... Il ne faut pas s'étonner si, de temps en temps, nous parvient d'outre-Atlantique un grand roman écrit par un inconnu, un artefact ovniesque, fiévreux et truculent, une vie entière transcrite sur le papier. Aux Etats-Unis, les mômes de vingt balais écrivent comme chez nous les sexagénaires. Plus haut dans ce classement, j'évoque le phénomène *Une œuvre déchirante d'un génie renversant*, la bouleversante et désopilante épopée de Dave Eggers, orphelin affublé d'un petit frère encombrant. J'ai aussi admiré *La Maison des feuilles* de Mark Danielewski (né en 1966) : entreprise tout aussi libre et allumée, dans un autre genre (le fantastique en abyme). Et je suis fan de l'insensé premier roman d'un jeune barge nommé Jonathan Safran Foer : *Tout est illuminé.*

La saga commence par le monologue d'un jeune Ukrainien qui parle très mal l'anglais nommé

Alexandre Perchov. Aussi demeuré que dans un roman de Faulkner, mais aussi comique que chez John Kennedy Toole. Alex prend sans cesse un mot pour un autre et reste persuadé que le soixante-neuf a été inventé en 1969 : « Qu'est-ce que les gens faisaient avant 1969 ? Seulement des pipes et de la mastication de mottes mais jamais en chœur. » Accompagné de son chien Sammy Davis Jr., Alexandre sert d'interprète à Jonathan Safran Foer, l'auteur, venu en Ukraine à la recherche d'une femme prénommée Augustine qui a sauvé la vie de son grand-père (son village natal, Trachimbrod, ayant été détruit par les nazis en 1941). Les chapitres vont et viennent : retours en arrière, plongeons dans le présent, style épique et potache. La forme n'est plus le fond qui remonte à la surface : la forme est cachée au fond du fond. C'est en racontant cette histoire picaresque mégalo-minuscule que Jonathan Safran Foer « cherche sa voix ». Et la trouve : parfois indigeste, mais toujours créatrice et bizarroïde. Certes, il a du mal à se détacher de certaines influences : récapituler l'histoire d'un petit village fait penser à *Cent ans de solitude.* Pourtant on se lasse moins qu'en lisant l'ouvrage de Gabriel García Márquez. D'habitude je décroche très vite quand un roman est par trop absurde ; ici, la curiosité était la plus forte ; j'étais toujours tenté de lire la suite, même quand elle nageait dans le surréalisme le plus total. Parce que, derrière, la folie ILLUMINAIT l'Histoire, l'Emotion, la Vérité. Parce que cet effronté anonyme était en train de fabriquer de ses petites mains frêles un torrent baroque et bouffon à la Bellow ou Singer, ni plus ni moins.

Jonathan Safran Foer, une vie

Né en 1977 à Washington DC, Jonathan Safran Foer a suivi des études de lettres à Princeton et publié des textes dans *The Paris Review* et le *New Yorker*. Son premier roman a fait l'objet d'un « buzz » extraordinaire : avant même sa publication, *Everything is illuminated* fut mis aux enchères par un célèbre agent littéraire. L'éditeur Houghton Mifflin le décrocha contre une avance de 350 000 dollars. Connaissez-vous beaucoup d'auteurs n'ayant rien publié qui voient les maisons d'édition se battre pour lui offrir un contrat pareil ? Dès sa sortie, *Everything is illuminated* fut salué à la une de la *New York Times Book Review* : « Ce roman à l'imagination débridée est une vraie merveille. Il forcera votre admiration. Et il vous brisera le cœur », déclara Joyce Carol Oates. Et Pietro Citati de s'enthousiasmer dans *La Repubblica* : « Parfois il suffit d'un seul livre pour effacer nos doutes sur la littérature d'aujourd'hui. » N'en jetez plus ! C'est too much ! Ce jeune homme fut le grand gagnant de la Star Ac littéraire. Est-ce le succès précoce ? Ses deux livres suivants étaient moins amusants…

Numéro 84 : « Une fille pour l'été » de Roland Jaccard (2000)

Les supporters du PSG scandent parfois un slogan quelque peu macho : « Une femme pour la nuit, PSG pour la vie ! » Roland Jaccard, lui, voit à plus long terme : il s'accorde *Une fille pour l'été.* Ce n'est pas très gentil car une fille peut parfois durer plus d'une saison ; parfois même trois ans. Mais Jaccard n'est pas un optimiste. C'est un cynique désabusé, un dandy nihiliste, un Casanova suicidaire, un pessimiste morbide qui n'aime que les jeunes filles japonaises et les écrivains austro-hongrois. Roland Jaccard a tout compris aux femmes : pour coucher avec elles, il leur explique que la vie ne sert à rien, que tout est horrible, que ce sera fini avant d'avoir commencé, et que « chaque nouvelle conquête annonce une nouvelle défaite ». Ce discours leur plaît parce qu'il arrive toujours un moment dans leur vie où les femmes en ont marre des menteurs.

Une fille pour l'été raconte un voyage à Tokyo en compagnie de Shade, une étudiante aux Beaux-Arts, timide donc sexy. Elle l'appelle « le vieux monstre », et il est vrai que Roland Jaccard ressemble de plus en plus à un mélange de Gabriel Matzneff et Humbert Humbert, surtout quand il écrit : « J'étais arrivé à un âge où toutes les femmes que je désirais auraient pu être ma fille. » Dans d'autres textes de ce recueil, il fait songer aussi au personnage interprété par Fabrice Luchini dans *La Discrète* – un Valmont d'opérette pris à son propre piège. Comment font les grands play-boys pour ne jamais tomber amoureux ? Leur sécheresse m'a toujours épaté. Le flirt estival reste un jeu dangereux, et les nunuches sont aussi vulnérables que les blasés.

Une fille pour l'été doit se lire en bord de mer, en suçant un bâtonnet de Chupa-Chups ou une fraise Tagada, avec en fond sonore *Jusqu'à demain peut-être*, la plus belle chanson de Michel Fugain, dont le premier couplet dit ceci : « Je ne sais pas encore / Le temps qu'il durera / Cet amour que nous vivons là / Jusqu'à demain peut-être / Ou bien jusqu'à la mort. » Ce livre est une véritable pilule d'ecstasy littéraire : il se gobe rapidement, provoque le sourire, puis le rire, puis les larmes, sans parler d'autres effets secondaires (sentiment lancinant de la vanité de toute chose, certitude de l'inutilité de l'univers, à-quoibonisme aigu). Roland Jaccard est sado-maso avec lui-même, sous le regard blasé de créatures de rêve en tee-shirt rose et minijupe en jean. Ce spécialiste du malheur sait exactement comment être heureux, mais ne s'en vante pas. Dans un autre de ses livres (*Le Rire du diable*, 1994), ne disait-il pas : « Le bonheur, nous finissons toujours par l'éprouver, mais sous la forme qui nous plaît le moins » ?

Roland Jaccard, une vie

Le scoop, c'est que Roland Jaccard est toujours en vie : en effet, son fonds de commerce a toujours été l'apologie du suicide et de l'euthanasie. Mais (comme Cioran) il n'a jamais mis sa menace à exécution et c'est heureux : cela nous permet de nous régaler de ses aphorismes tristes, de ses journaux intimes où l'autodénigrement compense l'exhibitionnisme, de sa philosophie aussi noire que son humour (*La Tentation nihiliste*, 1989 ; *Flirt en hiver*, 1991 ; *Journal d'un homme perdu*, 1995). Parallèlement à sa production personnelle, Roland Jaccard, né à Lausanne en 1941, a écrit dans *Le Monde* pendant trente-deux ans (1969-2001) et dirige une collection intitulée Perspectives critiques aux Presses universitaires de France. Imaginez la force de caractère qu'il a fallu à cet homme-là pour persister, malgré d'aussi hautes fonctions, à se considérer comme « un vieux con pontifiant et un hypocondriaque insupportable ».

Numéro 83 : « La Ferme africaine » de Karen Blixen (1937)

« I had a farm in Africa. » La plupart des gens croient que cette phrase est de Meryl Streep. Grâce à une nouvelle traduction publiée chez Gallimard, on sait que la phrase exacte est « J'ai possédé une ferme en Afrique, au pied du Ngong », qu'elle vient du danois (et non de l'anglais) et que son auteur est Karen Blixen. Jusqu'alors, on lisait une traduction d'une traduction anglo-saxonne tronquée... Ou alors on entendait la voix off d'un film hollywoodien avec Robert Redford sorti en 1986 (oscar du meilleur film cette année-là).

Ce fut une expérience très étrange de lire ce récit en Russie. Mon voyage fut démultiplié : ici, au Grand Hôtel de l'Europe, dans ma chambre avec vue sur la perspective Nevski, je suis un Français qui visite en Russie l'Afrique d'une Danoise. La véritable mondialisation, c'est la littérature.

Je crois qu'on peut dire que *La Ferme africaine* est environ cent milliards de fois plus esthétique que « La Ferme Célébrités ». Par exemple, personne sur TF1 ne s'est jamais écrié : « Quand le souffle passait en sifflant au-dessus de ma tête, c'était le vent dans les grands arbres de la forêt, et non la pluie. Quand il rasait le sol, c'était le vent dans les buissons et les hautes herbes, mais ce n'était pas la pluie. Quand il bruissait et chuintait à hauteur d'homme, c'était le vent dans les champs de maïs… » Vous aurez beau regarder votre poste débile pendant des siècles et des siècles, si jamais le ciel se couvre, jamais vous n'entendrez un candidat de télé-réalité s'écrier : « Mais lorsque la terre répondait à l'unisson d'un rugissement profond, luxuriant et croissant, lorsque le monde entier chantait autour de moi dans toutes les directions, au-dessus et au-dessous de moi, alors c'était bien la pluie. C'était comme de retrouver la mer après en avoir été longtemps privé, comme l'étreinte d'un amant. »

La vie est mal fichue. Ce serait joli si la télé parlait comme Karen Blixen. Une langue aiguë et fluide, une poésie tendre et amère, avec de brusques montées de lyrisme suivies d'accès de fureur froide. Scandinave, quoi !

Il y a beaucoup de points communs entre les romanciers nordiques. La nature est très présente (chez Blixen autant que chez Hamsun) : c'est une littérature à forte teneur en oxygène. Et le désespoir est permanent, même s'il est parfois teinté d'humour comme chez Paasilinna. Dans ces contrées les hivers sont longs et les sapins innombrables. La mélancolie fait partie du paysage, comme les forêts. Ce qui fait l'incroyable puissance de *La Ferme africaine*, c'est de mêler la méticulosité danoise et la sensualité africaine. Entre 1914 et 1931, une femme dirige une plantation de café. Son mari l'ennuie avec ses incartades. Elle tombe folle amoureuse d'un autre homme qui meurt dans un accident d'avion. Elle rentre chez elle et écrit un livre.

Si vous connaissez une plus belle histoire, tapez 1.

Karen Blixen, une vie

Plus connue sous le pseudonyme d'Isak Dinesen, Karen von Blixen-Finecke est née et morte à Rungstedlund (1885-1962). Comme ce village danois (et le domaine familial) portent un nom difficile à prononcer, elle décide d'épouser le frère jumeau de son premier amour et de monter une plantation de café en Afrique orientale anglaise. *La Ferme africaine* (1937) est un récit autobiographique qui raconte cet échec tant professionnel que sentimental : tout ce que lui a rapporté son séjour en Afrique, c'est un deuil inconsolable, la ruine financière et la syphilis transmise par les tromperies de son mari. La seule chose à faire, devant un tel désastre, c'est d'écrire un chef-d'œuvre. A noter que Karen Blixen est aussi l'auteur de nombreux contes fantastiques ainsi que d'une célèbre nouvelle, *Le Festin de Babette*, où Stéphane Audran a trouvé un de ses plus beaux rôles au cinéma (en cuisinière française qui dépense tout son argent, gagné à la loterie, afin de préparer un dîner somptueux).

Numéro 82 : « L'Ombre blanche » de Saneh Sangsuk (1986)

Traumatisé et enthousiaste, ivre de mots, je voudrais écrire comme le livre dont je parle, roman dément délirant disjoncté d'un auteur inconnu en France qu'il faut absolument découvrir car il écrit comme ça sans trop faire gaffe à la ponctuation accumulant les mots pour vous emporter dans son tourbillon.

Ce serait un choc absolu, la rencontre d'une langue brute avec une culture littéraire riche et forte et ouverte et d'aujourd'hui, mêlant le rock et le cinéma, Gustave Flaubert, Deep Purple et Arturo Toscanini. Ce serait l'histoire d'un poète dépressif insomniaque au visage balafré et aux cheveux longs qui voudrait mourir dans une maison en ruines du nord de Bangkok. Ce serait son long monologue intérieur, joycien sans être chiant, une déclaration d'amour et de haine aux femmes qu'il a aimées, un « chant funèbre », une mélopée sexuelle, un requiem à la Malcolm Lowry, où le volcan serait remplacé par un village infesté de serpents et d'araignées et de geckos – petits reptiles gluants qui se nourrissent d'insectes et font très peur avec leurs yeux globuleux. Ce seraient quatorze lettres sans réponses adressées aux amoureuses suicidées de cet obsédé « expert ès vagins tous calibres » pour leur dire : « Je t'aime. Bienvenue à mes funérailles. »

Ce serait la preuve que les prostituées thaïlandaises ne sont pas réservées aux touristes étrangers mais qu'elles sont aussi consommées par des indigènes. Ce serait un feu d'artifice stylistique débordant de lyrisme tout en restant savamment contrôlé : « Cette voix est frêle rauque lancinante » ; « Je savais que si je couchais avec elle je serais triste égaré anxieux honteux. » Ce seraient des suites d'adjectifs (comme chez Sollers) non pas par refus de choisir mais par souci de précision car dans la vie on mérite toujours plusieurs épithètes à la fois : par exemple moi je suis critique littéraire mondain romancier audiovisuel narcissique naïf cynique innocent amoureux solitaire triste riche mégalo gentil méchant et encore ce n'est qu'un bref aperçu je change tout le temps comme tout le monde.

Ce seraient des passages du « je » au « tu » comme chez Gao Xingjian (en plus bandant). Ce serait un roman touffu et dense que l'on lirait pourtant aisément sans se prendre la tête, qui laisserait l'impression étrange d'avoir fumé une herbe forte, de s'être drogué de mots.

Ce serait une œuvre qui donnerait le vertige par sa beauté hypnotique tout en regorgeant de phrases qu'on aurait envie de noter : « Plus elles sont belles plus elles sont secrètes » ; « L'amour ne rend pas seulement aveugle : il couvre le visage de boutons » ; « Chaque fois que je suis très heureux j'ai envie de me suicider » ; « Le rêve des Américains c'est de contrôler le monde entier par télécommande »... jusqu'à la dernière, la chute culminante de ce grand texte qui veut toucher le fond pour retrouver la forme : « Que périssent les femmes bien, et que tous les hommes de mauvaise volonté s'unissent ! »

Saneh Sangsuk, une vie

Saneh Sangsuk est né en 1957 près de Bangkok. Diplômé en langue et littérature anglaises, il n'a publié en France qu'*Une histoire vieille comme la pluie* et que *L'Ombre blanche*, sous-titré *Portrait de l'artiste en jeune vaurien* en hommage à James Joyce (l'auteur de *Portrait of the artist as a young man*). Ce monologue halluciné est censé être le second tome d'une trilogie mais le problème c'est qu'on ignore si les deux autres tomes existent ! Récemment, les éditions du Seuil ont toutefois traduit un conte aussi bref et métaphorique que le roman était foisonnant et naturaliste, mais *Venin*, qui raconte la lutte d'un enfant aux prises avec un serpent mortel, n'est même pas sorti en Thaïlande : Sangsuk serait-il le Weerasethakul de la littérature ? Il n'existe que peu de photos de Sangsuk (dont une où il ressemble au Che !). Cet écrivain reclus, fou, morbide et incroyablement doué n'a pas mis toutes les chances de son côté niveau médiatisation, alors aidons-le : lui qui se voudrait le « Ivan le Terrible du XXIe siècle » serait plutôt le Rabelais de Bangkok.

Numéro 81 : « L'Usage du monde » de Nicolas Bouvier (1963)

« Un voyage se passe de motifs. Il ne tarde pas à prouver qu'il se suffit à lui-même. » Le monde est de plus en plus laid et étroit. La mondialisation est un mot compliqué pour dire une chose très simple : depuis que l'homme a marché sur la Lune, il sait que sa planète est un rond minuscule et verdâtre, sur fond noir. L'avion, le TGV, la télévision et internet ont rétréci un terrain de jeu déjà exigu. Comment faire pour s'évader d'un endroit qui rend de plus en plus claustrophobe ? Y a-t-il encore des différences entre les peuples ? Allons-nous tous finir habillés pareillement, assis devant le même écran, parlant une langue unique ? Nicolas Bouvier ne le savait pas mais son goût du voyage était surtout la dernière tentative d'un être humain pour échapper à l'uniformisation. Il ne fuyait pas seulement sa Suisse natale mais l'embourgeoisement, le conformisme, la banalité. Il voulait être Nicolas Bouvier pour ne pas devenir Nicolas Tartempion. *L'Usage du monde* est un titre prophétique : comme si notre monde était un espace que nous devions utiliser, les tribulations de Bouvier ne constituant finalement qu'un mode d'emploi de la planète.

Il faut vite se servir de cette terre. Or à quoi sert-elle ? A marcher dessus, à rouler sur ses routes, à garder les yeux ouverts, à prendre des notes pour ne rien oublier. Ecrire serait comme prendre des photos mentales. On apprend plus en bougeant qu'en restant immobile. Blaise Pascal s'est trompé : le bonheur consiste à sortir de sa chambre. « Nous, bien sûr, la gaieté nous est facile : nos valises sont faites et nous partons demain. » Chef-d'œuvre de la littérature de voyage du XXe siècle, *L'Usage du monde*, le premier livre de Bouvier, raconte un périple chaotique de Genève à Kaboul en compagnie du peintre Thierry Vernet qui dessinait comme Jacques de Loustal. En 1953, au péril de leur vie, ces deux inconscients, hippies aux cheveux courts, tournent le dos au lac Léman et se dirigent vers l'Asie. Ils traverseront la Yougoslavie, la Turquie, l'Iran, le Pakistan et l'Afghanistan. Refusé par toutes les maisons d'édition, publié à compte d'auteur après dix ans de démarches en 1963, *L'Usage du monde* est le manifeste de l'innocence retrouvée et de la liberté reconquise. Moins mythomane que Blaise Cendrars, plus classique que Kerouac, des années avant la naissance de Sylvain Tesson, la route de Bouvier respire le luxe de la lenteur, avec en exergue ce vers de Shakespeare : « I shall be gone and live / Or stay and die. » C'est Larbaud qui ferait un stage chez Kessel. Ensuite Bouvier voyagera seul en Inde, au Japon, en Chine ; l'aventure continuera. Moi qui ne quitte jamais le 6e arrondissement de Paris, j'aime chanter régulièrement « sur la route de Bouvier / il y avait un cantonnier ». C'est un des pires calembours de ce livre, mais ça détend.

Nicolas Bouvier, une vie

Il est né en 1929 près de Genève. Pour ses 20 ans, les parents de Nicolas Bouvier lui offrent une Fiat Topolino (c'est-à-dire une petite bagnole pourrie) qui va lui permettre de parcourir le globe en tombant régulièrement en panne – s'il avait roulé en BMW il n'aurait rien eu à raconter ! Sans le savoir, sa façon intimiste et rocambolesque de narrer ses pérégrinations en a fait l'inventeur du « travel-writing » (même si avant lui Flaubert et Loti avaient balisé le terrain). Le travel-writing n'aura pas que des conséquences positives : le *Guide du routard* s'en inspirera, le voyage se démocratisera. Mais le talent, lui, demeure aristocratique. Peu de touristes savent voyager avec autant de délicatesse que Nicolas Bouvier. Parce qu'on ne peut pas voyager génialement avec seulement cinq semaines de congés payés ! La route est incompatible avec la RTT. Le vrai nomade consacre sa vie à son désir d'ailleurs. « Fainéanter dans un monde neuf est la plus absorbante des occupations. » Principaux chefs-d'œuvre : *L'Usage du monde* (1963), *Le Poisson-Scorpion* (1981), *Journal d'Aran* (1990). Seule la mort empêchera Bouvier de voyager ; à partir du 17 février 1998 il ne bougera plus du tout.

Numéro 80 : « La Foire aux atrocités » de J. G. Ballard (1970)

Trois ans avant *Crash !* (également classé dans ce top 100, à la 62e place), Ballard inventait *La Foire aux atrocités* (éditions Chute Libre) : un collage d'ordures, une poubelle d'images, une collection de désastres, une accumulation d'éclopés. Pourquoi imaginer des histoires quand il suffit d'empiler ses visions comme Arman avec ses fourchettes ? Jim Ballard inventait un genre nouveau : le roman « New Wave », mélange de SF et de Nouveau Roman. Pour la première fois, un auteur de science-fiction choisissait délibérément de ne parler que du présent. Le futur l'intéressait moins que l'actualité ; depuis qu'il s'était retrouvé prisonnier des Japonais à l'âge de 11 ans, Ballard savait qu'il y a davantage de suspense dans la rue que sur la planète Mars.

Ballard est en vérité un descendant des surréalistes : comme Breton, il est capable de s'extasier devant n'importe quelle ruine moderne. La destruction du Japon en 2011 arrive à point nommé pour rappeler l'apport immense de ce visionnaire halluciné par les catastrophes. Après *Le Cauchemar climatisé* de Henry Miller vient le cauchemar technologique de J. G. Ballard. Il décrit un paysage étrange, le nôtre : une suite de cataclysmes magnifiques et de célébrités aux couleurs criardes, mourant violemment en public (Marilyn et JFK, James Dean et Albert Camus...). Entre le cut-up et le patchwork, ce roman-laboratoire évoque les toiles de Warhol ou Rauschenberg. Dans un entretien resté mythique, Ballard a déclaré (et tous ceux qui désirent comprendre quelque chose à la littérature du XXIe siècle feraient bien de recopier ceci noir sur blanc dans leurs petits calepins) : « Je crois à mes obsessions personnelles, à la beauté de l'accident de voiture, à la paix de la forêt engloutie, à l'émoi des plages estivales désertes, à l'élégance des cimetières de voitures, au mystère des parkings à étages, à la poésie des hôtels abandonnés. » Il aurait pu ajouter les hélicoptères foudroyés, les tsunamis atomiques, les publicités tridimensionnelles, les attentats télévisés, les mannequins en plastique, et « les autoroutes filant au-dessus de leurs têtes ». La préface de William Burroughs est moins originale que la postface scintillante de Jean-Jacques Schuhl datant de 1977 : *Silhouette*. Le monde a changé. La réalité imite de plus en plus les œuvres de Ballard. Quarante ans après, le monde est devenu une perpétuelle Foire aux atrocités. Approchez, approchez, bonnes gens ! Vous voulez du massacre, du sang, du boyau qui gicle ? Bienvenue à l'Atrocity Exhibition ! Entrez, prenez place !

J. G. Ballard, une vie

James Graham Ballard fut longtemps le plus grand écrivain anglais vivant, mais en France personne ne le lisait : tout le monde croyait que c'était David Lodge, Ian McEwan, Jonathan Coe ou Julian Barnes. Né en 1930 à Shanghai, interné dans un camp japonais jusqu'à la fin de la guerre, J. G. Ballard découvre l'Angleterre en 1946 et publie sa première nouvelle en 1956 dans *New Worlds*. Ensuite, il n'a cessé d'écrire de la Speculative Fiction apocalyptique (*Le Vent de nulle part*, 1961 ; *Le Monde englouti*, 1962 ; *La Forêt de cristal*, 1966 ; *Sécheresse*, 1975), puis une littérature cyberpunk avant l'heure (*Crash !*, 1974, adapté au cinéma par David Cronenberg ; *Vermilion Sands*, 1975 ; *I.G.H. : Immeuble de Grande Hauteur*, 1976).

La Foire aux atrocités (1970) fut sa première tentative réaliste : elle sera suivie en 1984 par l'autobiographique *Empire du Soleil*, devenu un mélo entre les mains de Steven Spielberg.

Ballard régna plusieurs décennies sur la fiction anglo-saxonne comme un vieux singe dont toutes les grimaces se sont vérifiées. En l'an 2000, *Super-Cannes* (Fayard) a rassuré ses fans : son cadavre bougeait encore. La seule catastrophe qu'il n'a pas vue venir fut son cancer de la prostate en 2009.

Numéro 79 : « Podium » de Yann Moix (2002)

Pour être réussi, un roman nécessite une parfaite adéquation entre un auteur et un sujet. Jusqu'en 2002, Yann Moix était un obsessionnel qui publiait des romans d'amour lyriques. Chacun de ses livres servait de piédestal à une femme (Hélène dans *Jubilations vers le ciel*, Anissa dans *Anissa Corto*). Moix cherchait toujours à « épuiser » un amour, à le disséquer de façon exhaustive, voire scientifique. Le lecteur risquait, parfois, de finir enseveli sous la stèle sublime. Avec *Podium*, Moix n'a rien perdu de son enthousiasme maladif ni de son inspiration fiévreuse, mais sa maniaquerie trouve cette fois un dérivatif : Claude François. En Cloclo, Moix a trouvé la femme de sa vie ! Il narre donc les délirantes aventures d'un sosie de l'auteur de *My way*. *Podium* traite le sujet du moment (la célébrité, ce nouvel opium du peuple), mais écrit surtout un roman d'amour fou, absolu. Bernard Frédéric est un orphelin radin et homophobe qui ne cherche pas Dieu mais veut le devenir. Pour cela il devra franchir de nombreuses épreuves : passer l'examen officiel de sosie puis gagner le concours d'Evelyne Thomas sur France 3 !

Yann Moix insiste sur les points communs entre Jésus et Cloclo (ils ont tous deux bu du vinaigre et gravi chacun leur Golgotha). Cependant, la grande différence entre la nouvelle religion et les anciennes, c'est qu'on ne vénère plus une entité supérieure : on se vénère soi-même.

Ce n'est pas un hasard si les jeunes répètent tout le temps ce mot : « vénère ». Je suis vénère = je veux que tu me vénères ! Les candidats des émissions de télé-réalité croient parler le verlan alors qu'ils sont juste en train de prier pour le salut de leur âme. Le narrateur, lui-même sosie de C. Jérôme, est le meilleur ami et beau-frère de Bernard Frédéric. Mais il est surtout son apôtre. *Podium* est donc un évangile burlesque, désopilant, dément, déjanté et pathétique, hilarant et atroce, où Moix révèle un art du comique qu'il réservait jusqu'alors à ses articles de presse ou ses billets radiophoniques. Humoriste méticuleux, reporter très documenté sur les chanteurs des années 70, dialoguiste renversant (Alléluia ! San Antonio est ressuscité !), Yann Moix impose *Podium* comme son *Broadway Danny Rose* : une satire du show-biz jamais méchante, toujours attendrie et humaine. Il y dénonce la violence du vedettariat (les fans de Cloclo rêvent d'exterminer les fans de Sardou) et se moque d'une des principales aliénations contemporaines tout en respectant la fascination qu'elle suscite en nous.

Il y a toujours eu des idolâtries (on s'est suicidé pour le jeune Werther avant la mort de Cloclo), mais l'ère de la télévision a donné aux stars un pouvoir totalitaire. N'oublions pas que f, a, n sont les trois premières lettres de fanatisme. *Podium* décrit comment les mass media ont imposé leur présence grâce aux vedettes. Elles furent leur bras armé. Dans ce monde-là, Moix nous montre que la principale difficulté tient en un seul mot : exister.

Yann Moix, une vie

Yann Moix est un graphomane surdoué. Né en 1968, il est resté scotché dans ces années-là (1972 dans *Anissa Corto*, 1978 dans *Podium*). Il n'écrit que pour se replonger dans l'époque de son enfance, seul moyen de ne pas vieillir, donc d'être immortel. Ses trois premiers romans forment une trilogie amoureuse : *Jubilations vers le ciel* (prix Goncourt du premier roman, 1996), *Les cimetières sont des champs de fleurs* (1997) et *Anissa Corto* (2000) étaient des odes romantiques de « stalker » amoureux (un homme amoureux peut-il être autre chose qu'un puéril harceleur éconduit ? Si la dame est d'accord, la quête perd beaucoup de son intérêt...). Avec *Podium*, Moix entama une nouvelle trilogie, plus loufoque et politique, complétée par *Partouz* (2004) et *Panthéon* (2006). En 2004, il a réalisé lui-même l'adaptation cinématographique de *Podium*. Une troisième trilogie a suivi, cette fois composée d'essais : *Mort et vie d'Edith Stein* (2008), *Cinquante ans dans la peau de Michael Jackson* (2009) et *La Meute* (2010, sur l'affaire Polanski). L'amour et l'humour ne sont pas contradictoires mais peu d'écrivains savent marier les deux. Autrefois, il y avait Albert Cohen ; aujourd'hui, il y a Yann Moix.

Numéro 78 : « Mémoire de mes putains tristes » de Gabriel García Márquez (2004)

A partir d'un certain âge, les vieux n'écrivent plus que pour dire une seule chose : je ne suis pas vieux. Gabriel García Márquez vient d'avoir 84 ans : dans dix ans, il sera peut-être comme son narrateur, un vieux vicelard à tête de cheval mort qui écoute Bach dans son hamac, entre une femme de chambre amoureuse et un chat persan. García Márquez se prend pour Hemingway : il écrit son vieil homme et la mère maquerelle. Un vague professeur journaliste retraité, laid et célibataire, surnommé « crétin mélancolique » par ses élèves, décide un jour de s'offrir une nuit d'amour torride avec une putain de 14 ans. On pense à *Mort à Venise*, de Thomas Mann. La mort est une jolie vierge : après tout, on ne meurt qu'une fois, donc la mort est toujours un dépucelage. « A mon âge, chaque heure est une année. »

García Márquez a voulu se payer une tranche de vie entre deux gros tomes de ses mémoires. On le sent ici en roue libre, détaché, nonchalant... jeune. Tout écrivain finit en pervers pépère : trop de pouvoir de séduction, de goût pour la manipulation, de fantasmagorie permanente. « Ce qui n'est pas normal, c'est mon âge. » Ceci est un livre de révolte. Les gens manifestent pour toucher plus de pognon alors qu'ils devraient descendre dans la rue tous les jours pour exiger l'abolition de la mort, cette arrogante petite allumeuse. La mort est mal faite : García Márquez décrit les douleurs dans le dos, les trous de mémoire, l'enlaidissement physique, et le désir de vivre qui cependant ne disparaît pas. Une nuit de libertinage peut-elle compenser tant de violence ? Les provocations séniles s'enchaînent : « Je n'ai jamais couché avec une femme sans la payer », « Aïe, monsieur, c'est pas une entrée, ça, mais une sortie », « Les putes ne m'ont pas laissé le temps de me marier ». On se dit : serions-nous face au Kawabata latino ? Le libidineux Nobel japonais, auteur des *Belles endormies*, est cité en exergue : « N'essayez pas de mettre les doigts dans la bouche de la petite qui dort ! » Et puis le rythme nous conquiert, de ce boléro bref et sans réalisme magique à la con (ouf !). La sotie primesautière devient vite un thriller à suspense : le vieil obsédé va-t-il vraiment devenir un ignoble pédophile à 90 balais ? Ou vivre un grand amour comme il l'annonce en page 13 ?

Le brio gagne la partie : « Un cœur si grand qu'il avait pitié du diable », « la force invincible qui mène le monde, ce ne sont pas les amours heureuses mais les amours contrariées ». On retrouve l'immense romantique de *L'Amour aux temps du choléra*. Ne comptez pas sur moi pour raconter ce qui se passe quand le sagouin entre dans la chambre où la nymphette dort, « brune et tiède ». Tout ce que je peux dire de ce livre est ce que j'en ai retenu : qu'il est impossible de mourir sans amour.

Gabriel García Márquez, une vie

Gabriel García Márquez figurait déjà dans le choix des Français en 2002 avec un roman beaucoup plus épais : *Cent ans de solitude* (1967) trônait à la 33e place de *Dernier inventaire avant liquidation*. Prix Nobel de littérature en 1982, il est né beaucoup plus tôt, en 1927 à Aracataca (Colombie). Ses œuvres les plus importantes, hormis le monument précité, sont *L'Automne du patriarche* (1975), *Chronique d'une mort annoncée* (1981) et *L'Amour aux temps du choléra* (1985). Journaliste et chroniqueur, il a hérité de sa grand-mère un art du récit fantastique : entremêler le réalisme du reportage et la créativité des histoires de fantômes lui a permis d'inventer ce « réalisme magique » qui fait son charme et (parfois) son ennui.

Numéro 77 : « Glamorama » de Bret Easton Ellis (1998)

La solution de facilité, pour un vilain critique qui veut flinguer un bouquin, consiste à dire deux choses (au choix) : 1) ce livre est moins bien que le précédent ; 2) c'est toujours le même. Or Bret Easton Ellis, qui est notre idole absolue, cumule ces deux écueils et cela ne nous dérange pas : au contraire, on en redemande. Bon sang, j'ai tellement de choses à dire sur ce livre qu'il me faudrait vingt pages ! Il faut que je me calme, respirons un bon coup, prenons un Xanax 50, voilà, ça va mieux. Où en étais-je ? Ah, oui.

Non seulement *Glamorama*, quatrième roman d'Ellis, est moins puissant que le précédent (*American psycho*), mais en plus c'est le même livre. Voilà qui est dit. Cela ne l'empêche pas d'être LE roman définitif sur la Civilisation des Apparences, et tout simplement un immense pied de nez qui jouit de ce qu'il prétend dénoncer. *Glamorama* est une satire qui se caricature, une destruction de l'ironie par l'ironie. L'homme qui a détruit les années 80 avec *American Psycho* a voulu réitérer son exploit avec les années 90, et y est parvenu. Après les aventures de Patrick Bateman, le golden boy qui zigouillait des escort girls, voici les pérégrinations de Victor Ward, le mannequin qui devient patron de boîte de nuit à New York puis terroriste à Paris (l'attentat du métro Port-Royal, c'était lui !).

Cela sonne un peu comme un écho « glamourisé » de l'opus précédent, n'est-ce pas ? Ou un reportage de Fashion TV ? Alors, Bret gâtifie-t-il ou quoi ? Toujours la même histoire, les mêmes personnages clonés, les mêmes dialogues glacés et indifférents, la même violence gratuite et impunie, la même pornographie distanciée, la même ironie clinique, le même name-dropping incessant de stars et de marques de fringues ?

Eh bien, oui : ce schizophrène bisexuel a INVENTÉ, vous m'entendez, INVENTÉ le roman du XXIe siècle et n'a pas l'intention de changer son fusil d'épaule. Sa force est justement de ne pas se déjuger, de creuser le même sillon, toujours plus superficiellement profond. Aucun écrivain de la planète n'ose aller aussi loin dans l'étalage du N'IMPORTE QUOI. Bret Easton Ellis enfonce toujours le même clou : il n'écrit pas pour nous plaire, il écrit pour nous crucifier. Il est l'auteur le plus radical et intransigeant que je connaisse. Et voici ce qu'il nous dit : la réalité n'existe plus ; la justice est illusoire ; tout le monde veut être un top model ; la seule manière de différencier les habitants de cette planète est le logo sur leurs vêtements ; on attrape froid dans les restaurants à la mode ; les VIP perdent la mémoire ; la drogue et le sexe sont des palliatifs provisoires ; seul le meurtre est distrayant ; les deux seules choses qui comptent sont le fric et l'éjaculation dans des orifices étroits.

Dans un style toujours aussi précis, d'une vacuité « béhavioriste » (et là encore, il a raison de s'y tenir puisque personne n'a vu qu'il l'avait plagié sur Hemingway), il nous montre que la vie occidentale est devenue un numéro de *Vogue* – un perpétuel défilé de mode pour fuir la mort. Victor, Chloe, Beau, Damien, Alison, Kenny Kenny, tous ses vagabonds creux errent de club en club, de ville en ville, et « pensent à la pose qu'ils devraient prendre », jusqu'au jour où leur sang coule.

Il faut beaucoup de talent pour nous passionner avec 500 pages de vide et d'attentats, de listes de « people », de caméras de reality-show et de confettis sur le sol. Si nous acceptons de le supporter, c'est sans doute parce qu'il nous ravage de l'intérieur avec ses sarcasmes sans pitié, et parce qu'on adore se mirer dans son labyrinthe de glace, en espérant qu'on restera photogénique. Ellis se moque du matérialisme en se vautrant dedans, le plus ignoblement possible. Il tourne en rond mais son intuition était la bonne : voici comment il concluait sa quatrième partie (description d'un crash aérien) en 1998. « Téléphones et ordinateurs portables et lunettes de soleil Ray-Ban et casquettes de base-ball et rollers attachés en paires et caméras vidéo et guitares mutilées et des centaines de CD et de magazines de mode (...) et des garde-robes entières de Calvin Klein et Armani et Ralph Lauren sont suspendues à des arbres en feu et il y a un ours en peluche trempé de sang et une bible et des jeux Nintendo ainsi que des rouleaux de papier hygiénique et des sacs à dos et des bagues de fiançailles et des stylos et des ceintures enlevées aux tailles qu'elles serraient et des porte-monnaie

Prada encore fermés et des boîtes de caleçons Calvin Klein et tant de vêtements Gap contaminés par le sang et d'autres fluides et tout pue le kérosène. » C'est exactement tout ce qu'on a trouvé dans les décombres de Ground Zero, trois ans plus tard.

Bret Easton Ellis, une vie

Né en 1964, Bret Easton Ellis est la réincarnation de Hemingway mais il ne le sait pas. Alors il se prend pour le marquis de Sade en béhaviorama : un sale gosse pourri gâté qui casse ses jouets. En fait, c'est un écrivain faussement amoral, et un vrai satiriste : depuis *Moins que zéro* (1985) et ses étudiants blasés, drogués et snobs de Los Angeles, jusqu'à cette nouvelle fresque en *Glamorama* de la mode et de la célébrité, en passant par le serial killer en costume Armani d'*American psycho* (1991), Ellis décrit les turpitudes les plus extrêmes de notre société avec une froide délectation. C'est pourquoi il fait scandale, alors qu'au fond de lui se cache seulement un curé qui appelle au secours.

Numéro 76 : « La Face cachée de la lune » de Martin Suter (2000)

Drôle d'idée de se prénommer Urs. Si je m'appelais ainsi, moi aussi je péterais les plombs, tomberais amoureux d'une hippie, mangerais des champignons hallucinogènes et tuerais tous ceux qui me résisteraient avant de disparaître dans la forêt. Je pourrais même devenir le héros d'un roman portant le titre du meilleur album de Pink Floyd : *Dark side of the moon.*

A la fois polar, satire, conte moral, odyssée, *La Face cachée de la lune* de Martin Suter fait preuve d'une redoutable efficacité. Très rares sont les romans qui parviennent avec autant de brio à captiver l'attention du lecteur tout en scrutant notre monde sans pitié. Martin Suter est à la fois intelligent comme Patrick Süskind, calibré comme Jean-Christophe Grangé, documenté comme John Grisham et psychédélique comme Carlos Castaneda. Il accomplit l'exploit de mêler l'art et le commerce, la littérature et l'argent du beurre : en douce à la façon d'un Jean Echenoz, il glisse dans son thriller, tel un cadeau Bonux, une critique du mode de vie occidental, un cri dans la nuit, une déclaration de guerre... et beaucoup d'humour glacé et sophistiqué.

Donc Urs est avocat d'affaires, il a 45 ans et en a marre de sa vie de con. « Il allait peut-être devoir modifier deux ou trois choses dans son existence. » Il plaque Evelyne pour Lucille, une baba cool qui lui fait goûter aux « magic mushrooms ». C'est alors qu'il devient fou.

Mais ne l'était-il pas déjà, quand il grommelait contre les « crétins de Panurge » et les « docteurs Ducon », buvait trop d'armagnac avant de conduire sa grosse Jaguar, priait ses clients d'« aller se faire foutre », pestait contre ces femmes qui « ont toutes 35 ans, pas un jour de moins, pas un jour de plus » ? L'expérience hallucinogène ne lui servira que de révélateur, en lui permettant de se « lâcher », comme disent les animatrices de « Fort Boyard ». Urs le businessman finira homme des bois ; sa « midlife crisis » le métamorphose en une sorte d'hybride étrange entre Hamlet (« La folie des grands demande à être surveillée », dixit Shakespeare), son compatriote Paul Nizon, Timothy Leary et Theodore Kaczynski, dit « Unabomber », car le retour à la nature cache toujours un appétit de violence. Il est finalement inquiétant de préférer les arbres aux gens (c'était, par exemple, le cas d'Adolf Hitler).

La morale de l'histoire ? Comme toujours, c'est la faute à la société. Les méchants sont des gentils qui ont mal tourné. Comme Conrad Lang, le héros de *Small world*, Urs Blank découvre sa face cachée : la psilocybine est son Alzheimer. Nous sommes tous comme dans *Star Wars*, menacés par le côté obscur de la Force. Un jour, tout le monde se prénommera

Premier bilan après l'apocalypse

Urs, tout le monde aura des visions, tout le monde réalisera ses rêves, tout le monde tirera dans le tas.

Martin Suter, une vie

Martin Suter est le plus grand écrivain suisse allemand après Paul Nizon, Fritz Zorn, Friedrich Dürrenmatt et Max Frisch. La Suisse alémanique est un pays tellement ennuyeux qu'il forge de grands écrivains et de grands drogués. Il est chroniqueur hebdomadaire au *Weltwoche* et au *Neue Zürcher Zeitung*. Et c'est un ancien publicitaire, comme Salman Rushdie, J. G. Ballard, Don DeLillo, Théophraste Renaudot, Scott Fitzgerald, David Goodis, William Burroughs, Yves Navarre, Raymond Carver, Elmore Leonard, Jean Anouilh, Robert Desnos et Boris Vian. L'avantage avec la publicité c'est que c'est un métier qui vous donne le goût des mots et, après quelques années, les moyens d'arrêter ce métier. Un jour, Suter a choisi de tout bazarder pour écrire à Ibiza. Un choix judicieux qui a donné la vie à deux romans réussis : *Small world* (prix du Premier Roman étranger en 1998, disponible en poche dans la collection Points Seuil), et *La Face cachée de la lune*, dont il est vaguement question plus haut sur cette page. Ensuite il en a publié un tous les deux ans mais je ne les ai pas lus. C'est ballot.

Numéro 75 : « Tranches de vie » de Gérard Lauzier (1975-1986)

Si *99 francs* s'est bien vendu, c'est grâce à Gérard Lauzier : puisqu'il a lâchement abandonné la bande dessinée pour faire du cinéma, je n'avais qu'à prendre sa place laissée vacante de satiriste anti-bourgeois, d'immoraliste publicitaire, d'humoriste pessimiste et de caricaturiste cynique. C'est donc un simple renvoi d'ascenseur de ma part que de l'inscrire dans mon hit-parade du siècle.

En relisant Lauzier, ce qui me frappe le plus est sa liberté. Les *Tranches de vie* n'ont pas pris une ride ; en 2011, leur violence, leur cruauté, leur drôlerie restent inchangées, voire décuplées par le politiquement correct ambiant. Lauzier décrit avec méchanceté un monde méchant, et montre comment le désir de libération a tué la liberté. Il n'est pas réactionnaire, mais rigole en croquant les dérapages des révolutions sexuelles, féministes, marxistes, libertaires. La société a régressé depuis, tant sur le plan des libertés que sur celui du droit à l'irrespect. Il est assez effarant de voir à quel point il avait raison de se bidonner. Lauzier fait défiler devant nos yeux ébahis des boudins féministes, des imposteurs conceptuels, des parents pseudo tolérants, des échangistes jaloux, des bourgeois rebelles, des communistes refoulés, des managers hippies, des utopistes adultérins, des impuissants aliénés, des capitalistes sadomasos, des « cadres moyens qui se croient supérieurs », des « vieux jeunes hommes de gauche », des monstres babas cool. La précision de ses dialogues sonne incroyablement juste, tout comme le tranchant de ses dessins : il concevait déjà des storyboards avant de se mettre au cinéma.

Trente ans ont passé, et aujourd'hui plus personne n'ose se moquer de toutes ces « avancées » car elles n'existent presque plus, et surtout parce qu'on ne plaisante plus avec elles. Qui pourrait en ce moment se permettre de publier des satires aussi corrosives sur les féministes sans se retrouver avec les « Chiennes de Garde » sur le dos ? Qui aurait le cran de s'en prendre aux exhibitionnistes littéraires, aux psychothérapies de groupe, à l'euthanasie démocratique, à la psychanalyse orgasmique, au racisme antiraciste et aux plateaux de télé chiants où pérorent des intellectuels barbus à l'hygiène approximative ? Est-il possible en 2011 d'inventer un rescapé des camps nazis publiant son témoignage « De Treblinka à Saint-Tropez » sans susciter immédiatement l'indignation générale ? Est-il concevable d'imaginer le témoignage d'un prêtre masochiste sans avoir à affronter un procès des associations anti-pédophilie ? Martin Veyron a été taxé d'homophobie et licencié d'un journal pour beaucoup moins que ça ! Chaque planche de Lauzier est un acte de bravoure admirable contre la langue de bois actuelle. Il faut le lire pour se marrer bien sûr, mais aussi pour comprendre quel retard ma génération a pris sur celle qui l'a précédée. J'admire cette liberté que je n'ai pas connue et la regrette aussi, même si je comprends bien pourquoi Lauzier aime la critiquer (comme Houellebecq après lui).

Le style de Lauzier demeure inégalé : toujours amoral, abrasif, aussi sale que celui de Reiser et snob que celui de Bretécher. Il fut le premier à chambrer les riches qui dansent le jerk chez Castel et Régine, et l'un des inventeurs de la satire de l'entreprise. Il avait compris que tout artiste digne de ce nom doit s'intéresser au pouvoir et au sexe. C'est pourquoi il s'en prend d'abord aux hommes. Les grands perdants, dans les bandes dessinées de Lauzier, sont toujours les hommes : des loques stressées, ridicules, des play-boys prétentieux, lâches, mégalos, obsédés, pathétiques... Largués par des femmes sublimes qui prennent toujours le dessus sur eux, ils osent parfois un aphorisme littéraire : « Quand on refuse à un enfant quelque chose dont il a très envie et qu'il pleure, on dit qu'il fait un caprice ; quand c'est un adulte, on dit qu'il est désespéré. »

Au fond, voici ce que je préfère chez lui : il a toujours été, avant tout, un écrivain. Et puis, il y a souvent chez lui un personnage de maigrichon chevelu au menton en galoche qui se fait violer par trois nymphomanes aux gros nichons... Disons que je m'identifie.

Gérard Lauzier, une vie

Gérard Lauzier (1932-2008) s'est bien amusé dans sa jeunesse : après les Beaux-Arts, il fout le camp pendant dix ans au Brésil. Il revient en France l'année de ma naissance, sans doute pour marquer l'événement. C'est encore dix ans plus tard qu'il entame la série des *Tranches de vie* dans le magazine *Pilote.* Il est aussi l'auteur du scénario d'un de mes films préférés : *Je vais craquer* de François Leterrier (1980), où Christian Clavier, maigre et frustré, ressemble à Marc-Edouard Nabe. Et il a réalisé quelques films, dont *Mon père, ce héros* (1991) où Gérard Depardieu, en vacances à l'île Maurice, ne comprend plus rien à sa fille de 15 ans. Je sens que je n'ai pas fini de me sentir concerné.

Numéro 74 : « Tourne, roue magique » de Dawn Powell (1936)

Bien qu'américaine, Dawn Powell est drôle, sensible, méchante, jolie, intelligente, craquante, pétillante, tendre et décédée. Dawn, pourquoi être morte d'un cancer du sein en 1965 ? C'est un sale coup que tu me fais. Tomber amoureux d'une morte, c'est se prendre un râteau éternel.

Tourne, roue magique est paru en 1936 : chef-d'œuvre d'humour mélancolique, c'est un tableau subtil et désespéré de la haute bourgeoisie new-yorkaise des années 30. Angelo Rinaldi a dit d'elle que c'est « une Scott Fitzgerald au féminin ». Or Angelo Rinaldi a toujours raison !

Tourne, roue magique raconte la double vie de Dennis Orphen, un jeune écrivain partagé entre deux femmes : Effie (l'ex d'un écrivain célèbre) et Corinne (une femme mariée donc nymphomane). En gros, il est amoureux d'Effie mais préfère coucher avec Corinne qui est moins coincée. Il écrit un bouquin sur Effie, laquelle le prend très mal (comme d'habitude : les livres plaisent aux femmes sauf quand elles sont dedans). Un roman peut perdre son temps avec des gens futiles qui boivent trop de Martini. On peut se passionner pour autre chose que des destins édifiants. On peut même être édifiant avec ce qui ne l'est pas ! Dawn Powell est une moraliste amorale, une anarchiste bcbg, la Jean Rhys américaine : la reine des oiseaux mazoutés.

Toutes ces péripéties se déroulent dans les bars à la mode et les réceptions mondaines de Manhattan à l'époque où cette île était fréquentable. Dawn Powell gaspille sa sagacité, son sens de l'observation et la finesse de son esprit à observer des personnages stupides, engoncés dans leur confort pourri, perdus dans des cocktails aussi élégants que vains. Dawn Powell y case tous les gens qu'elle croise, de Peggy Guggenheim à Dorothy Parker en passant par Ernest Hemingway et Scott Fitzgerald. Il y a du beau monde. Il y a surtout un ton revenu de tout, à hurler de rire, qui donne envie de se saouler la gueule en jetant des confettis (si jamais l'on avait arrêté pour devenir un rebelle anti-société de consommation). « Au revoir, chérie, au bout de ces quatre, cinq années, petite chérie tourmentée, exaspérante, idiote, infidèle, méchante petite chérie. Au revoir mon ange cruel, ma petite chérie adorable et douce et toute bouclée, j'arrive dans dix minutes. » Comment mieux résumer l'atroce paradoxe du sentiment amoureux ? Dennis passe son temps à larguer celle qu'il désire et dégoûter celle qu'il aime. Avec un apitoiement détaché, Dawn Powell regarde cet élégant garçon rater sa vie en beauté. L'amour… L'amour est maso. Nous reprochons à ceux que nous aimons de nous faire souffrir, puis nous leur reprochons de ne plus nous faire souffrir.

Comme tous les enfants gâtés, Dawn Powell doute. Autour d'elle, tout le monde est riche et malheureux. Ce Manhattan a paraît-il existé. Il y avait sûrement des pauvres quelque part, mais on ne les voyait pas. Ne parlons même pas de l'Afghanistan. Et d'abord, c'est où, exactement, l'Afghanistan ? Il s'habille chez quel couturier, l'Afghanistan ? A l'époque, les Afghans étaient hors sujet, sauf les lévriers.

Dawn Powell, une vie

En France, personne ne sait qui c'est. Pourtant, comme son prénom l'indique, Dawn Powell (1896-1965) est à l'aube d'une grande carrière chez nous. Elle est la Sagan américaine : une petite provinciale devenue femme d'esprit, fêtarde et coqueluche de la jet-set. Mariée à un publicitaire alcoolique (pardon pour ce pléonasme), mère d'un enfant autiste, cette orpheline joyeuse écrivit seize romans, dix pièces de théâtre et une centaine de nouvelles pour se changer les idées. *Tourne, roue magique* est le premier roman de son cycle new-yorkais. Par crainte de l'ennui, elle écrit des histoires sans imagination, des chroniques bourgeoises hilarantes, des portraits aussi acides que sa copine Dorothy Parker. Dawn Powell a réussi son œuvre en racontant comment rater sa vie.

Numéro 73 : « Nada exist » de Simon Liberati (2007)

Depuis Casanova et Kierkegaard, on sait à quel point le destin du play-boy est humiliant. On a du succès quand on est jeune, beau et riche. Puis on a moins de succès, on grossit, on drague des cageots, et on finit seul comme un rat. Dès la première phrase du roman, Patrice Strogonoff soupire : « Je suis fatigué, j'ai envie de mourir. » On le comprend : à 49 ans et demi, ce photographe déchu et séropositif vit chez ses parents, dans une bâtisse banlieusarde, avec sa femme mourante et un Arabe junkie homosexuel. Le soir de Noël, il veut fuir à Paris dans son Aston Martin de 1973 pour honorer quelques maîtresses et s'acheter de la drogue. Malheureusement, sa bagnole tombe en panne...

Résumé ainsi, j'imagine que le lecteur s'attend à du trash branché, une sorte de huis clos dans une tribu burlesque et aigrie, une gentille galerie de portraits « fashion » saupoudrés de cocaïne mondaine. Les analphabètes critiqueront sûrement *Nada exist* en enfonçant ce clou injuste et réducteur. Ce serait passer à côté d'un roman crucial. Liberati, c'est Perec à l'hôtel Nikko, c'est Modiano qui aurait fumé du crack, c'est Proust qui aurait lu *Glamorama*. C'est surtout un peintre, celui de la décadence, de l'immobilisme et de la mollesse des snobs sans catholicisme. La trajectoire impitoyable et délicate de Patrice est un chant religieux qui entrelace (en les approfondissant) tous les thèmes du roman précédent de l'auteur (*Anthologie des apparitions*, 2004) : la fin de la jeunesse, la perte du luxe, la disparition de la grâce, le souvenir du bonheur et l'attente de la mort. Il est rédigé avec une densité et une précision nouvelles qui rendent ce texte plus original et plus ambitieux (l'influence du Nouveau Roman est évidente : le récit se déroule comme un plan-séquence qui dure cinq heures ; le name-dropping à la Jean-Jacques Schuhl y est hissé au rang d'art majeur). Liberati pose en riant la question qui fâche : ainsi donc ce n'était que cela, la vie ? Patrice Strogonoff est un pédophile qui ne couche qu'avec des vieilles, son cœur semble vide, il s'autopsie toute la sainte journée, son cerveau l'empêche de respirer. La beauté lui échappe ou le fuit, il n'est plus que l'ombre de lui-même, il a le sentiment de n'avoir rien vécu alors qu'il voit bien que son tour de piste est déjà terminé. Sa matinée non féerique ressemble à toutes les autres, comme autrefois les mannequins dénudés dans les vieux numéros de *Vogue USA* empilés dans ses chiottes. Avec toujours ce portable qui sonne dans le vide. Il n'y a pas de Dieu au numéro que vous avez demandé.

Nada exist (expression de Francis Bacon signifiant à la fois que rien n'existe ou que seul le néant est certain) est un joyau de drôlerie amère et de cruauté désespérée : « Si on regarde les choses de près, tout est horrible. » Pourtant, ce n'est pas un roman nihiliste, au contraire, mais une ode à l'année 2007. Quand on parle aussi comiquement de la mort, on rend hommage à la vie, cette sublime déception. La grande littérature est toujours celle qui se gausse de notre finitude.

Simon Liberati, une vie

En dehors d'être le barbu ivre que vous avez peut-être découvert chez Thierry Ardisson il y a quelques années, Simon Liberati est aussi un écrivain professionnel. Je veux dire qu'il a longtemps écrit pour les autres : il a été nègre et journaliste. Il fut même brièvement « rédactrice en chef » (c'est lui qui le dit) du magazine *Cosmopolitan* au XXe siècle. Son premier roman, *Anthologie des apparitions* (Flammarion, 2004), était un hommage aux jeunes adolescents qui traînaient à l'Elysées-Matignon dans les années 70 en talons hauts et minijupe avant de finir dans des poubelles tropéziennes. *Nada exist*, plus étrange, long et original, était le road book d'une génération sans voyages. Plus étincelant, le troisième, *L'hyper Justine*, a obtenu le prix de Flore en 2009. Simon Liberati est né en 1960 à Paris mais il est pourtant un des premiers romanciers importants du XXIe siècle. Il prépare actuellement un récit sur l'accident mortel de Jayne Mansfield que, malheureusement, J. G. Ballard ne lira pas.

Numéro 72 : « Une vie à brûler » de James Salter (1997)

On croit qu'on se fout de la vie des autres, et je vais vous faire une confidence : c'est vrai. *A priori*, la vie de James Salter, vieil Américain de 86 ans, ex-pilote d'avion dans l'armée américaine, n'a rien pour nous passionner et, par ailleurs, on commence à en avoir marre des écrivains qui tiennent à tout prix à nous raconter leur biographie : où ils sont nés et à quelle heure, ce que faisaient leurs parents et comment ils se prénommaient, et toutes ces conneries à la David Copperfield. Quand Balzac a dit qu'il voulait « concurrencer l'état civil », il ne voulait pas dire « rédiger sa fiche d'état civil ». Et puis tout le monde n'est pas Chateaubriand. Dieu merci, James Salter n'est pas Monsieur-tout-le-monde. Sa vie, il s'en fout autant que nous : il a les Mémoires qui flanchent. Tout ce qu'il veut, c'est se souvenir de quelques émotions fugaces, de conversations perdues, de filles échappées. Il visite son passé comme un musée trop grand, sans s'appesantir sur chaque tableau. Ici, tiens, une promenade avec mon père ruiné chantant *Otche Chornia* (*Les Yeux noirs*). Là, une guerre en Corée. Et regardez, là-bas, c'est Jack Kerouac sur un terrain de foot. Vous ai-je parlé de cette femme dont j'étais amoureux et qui n'en a jamais rien su ? Laquelle ? Il y en a tellement.

Une vie à brûler n'est pas une autobiographie, c'est une soirée diapos chez un ami américain : des images défilent sur un drap jauni, instantanés éphémères, esquisses, bribes. Une vie passe si vite. Et se lit aussi rapidement. Comme Sagan dans *Avec mon meilleur souvenir*, Salter surfe sur son existence, énumère les rencontres qui ont compté ; il écrit le livre que Fitzgerald n'a pas eu le temps d'écrire, étant mort trop tôt. Quand j'étais adolescent – je le suis toujours, mais passons –, je voulais mourir à 30 ans. Aujourd'hui, j'en ai 45, et j'aimerais vivre vieux comme Salter, pour pouvoir me repencher sur ma vie et la feuilleter avec mélancolie et tendresse, comme un album de famille, en faisant semblant de m'en moquer. *Une vie à brûler* est donc le livre qui vous ôte l'envie de mourir jeune : « ... il n'y a pas la place pour tout. Il n'y a que les générations qui s'avancent comme la marée, les années remplies de bruit et d'écume, qui sont ensuite balayées et englouties par le reste. C'est ce dont on hérite, à vivre dans les villes ». (Bénissons au passage la divine traduction de Philippe Garnier.)

Oui, on aimerait, comme James Salter ou Charles Simmons, devenir un beau vieux, au lieu d'un vieux beau. Simplement s'asseoir en costume froissé, et fermer les yeux pour se récapituler, glanant çà et là les moments de joie qui ont justifié notre présence sur terre. Oh, ce n'était pas grand-chose, « une maîtresse italienne tout ce qu'il y a de bien, qui prenait l'avion n'importe où pour me rejoindre », trois fois rien, les yeux émeraude de Lara Micheli, un soir d'automne, au Café du Soleil, à Genève... Quelqu'un a dit que la culture, c'est ce qui reste quand on a tout oublié : c'est faux. Mais c'est la meilleure définition possible du bonheur. Le bonheur, ce sont toutes ces petites choses auxquelles on pense quand on ne pense pas.

James Salter, une vie

Pour raconter sa vie, James Salter a écrit un livre de 439 pages et vous voudriez qu'on vous résume son existence en dix lignes ? Non mais vous me prenez pour Wikipédia ou quoi ?! Certes, on pourrait vous dire que James Salter est né en 1925 à New York, qu'il fut pilote de chasse avant de plaquer l'armée pour écrire des scénarios et quelques beaux romans, dont *Un sport et un passe-temps* (son histoire d'amour avec une Française) et *Un bonheur parfait* (son *Tendre est la nuit*). Mais pour le reste, lisez son livre, vous ne le regretterez pas, et ainsi Salter ne mourra jamais.

Numéro 71 : « Journal parisien » de Ned Rorem (1951-1955)

Sur la couverture trône une photo de Ned Rorem par Henri Cartier-Bresson : on dirait Le Clézio. Mais dès qu'on entrouvre son *Journal parisien*, on ne trouve ni désert, ni Nouveau-Mexique, ni petites filles pauvres émigrées, ni chercheurs d'or indiens. La ressemblance physique n'entraîne pas de similitude littéraire, sinon je serais aussi drôle que Pierre Palmade. Ned Rorem tient son journal d'Américain à Paris mais il le fait sans exotisme ni condescendance, contrairement à Hemingway. C'est un Miller gay, ou plutôt un Truman Capote qui serait resté à Paris plus longtemps, ou une Shirley Goldfarb du sexe masculin. Ce livre d'une magnifique tapette absorbe et restitue les années 50 comme personne. Ivrogne invétéré, lèche-cul professionnel, obsédé séducteur, mégalomane soumis, faux timide et vrai arriviste, narcissique érudit : Rorem a toutes les qualités du parfait diariste. Marie-Laure de Noailles en était folle. Julien Green lui offrit une bible chez Galignani. Il rencontra Picasso, Dalí, Jean Cocteau et Jean Marais, Paul Eluard, Boris Kochno, Christian Dior, Alice B. Toklas, Man Ray,

Balthus et Cecil Beaton. Cela se passait il y a cinquante ans. Ce qui a changé ? Aujourd'hui, il rencontrerait au mieux Pierre Bergé, Karl Lagerfeld et François-Marie Banier, au pire Laurent Ruquier, Amanda Lear et Orlando. C'est juste que l'époque est différente.

Lire ces carnets intimes présente de nombreux avantages : on peut les reposer pour lire autre chose et les reprendre quand l'autre chose vous ennuie. On peut sauter les passages de name-dropping mélomane sans perdre le fil des ragots distrayants. On a réellement le sentiment d'être en 1951, bien plus que si on lisait un roman se déroulant en 1951. Si un héros de roman rencontrait Picasso, Green, Cocteau, etc., il ne serait pas crédible ! Chez Ned Rorem non plus, ce n'est pas vraisemblable, seulement c'est vrai. On recopiera avec bonheur une belle moisson d'aphorismes : « On ne peut continuer à bien créer sans être complimenté » ; « Puisqu'il nous faut vivre en cage, je préfère la construire moi-même » ; « L'Amour est Résignation, c'est-à-dire un incident qu'on ne sait différer » ; « Reconnaître que l'on est idiot n'empêche pas d'être idiot » ; « En France, les disputes renforcent une histoire d'amour, en Amérique elles l'achèvent » ; « Nos dons ne sont pas des dons puisqu'on les paie très cher » ; « Tous les artistes ne sont-ils pas le croisement d'un enfant et d'une vicomtesse ? » Cela dit, la meilleure phrase du livre n'est pas de Ned Rorem mais du poète John Ashbery : « Quand on a été heureux à Paris, on ne peut plus l'être ailleurs – même pas à Paris. » Les plus belles phrases sont celles qu'on ne comprend pas tout à fait mais qu'on ressent profondément : elles s'adressent à notre âme davantage qu'à notre cerveau.

Ned Rorem, une vie

Né le 23 octobre 1923, Ned Rorem est un compositeur américain. Il a vécu en France de 1949 à 1955. Il me fait penser à Zouzou la twisteuse : quelqu'un dont on ne soupçonnait pas l'existence et dont on s'aperçoit tout d'un coup qu'il a connu tous les gens talentueux de son époque. *The Paris Diary* est paru aux Etats-Unis en 1966 mais n'a jamais été traduit chez nous avant 2003. A ce jour, Rorem a publié seize livres : principalement des journaux intimes (dont le plus chic semble être *The Nantucket Diary*, 1987) ; imaginez la conversation la plus snob du millénaire : « Qu'est-ce que tu lis en ce moment ? – Oh ! rien de spécial, juste le *Journal de Nantucket*, de Ned Rorem – D'accord, je vais me suicider TOUT DE SUITE parce que je ne pourrais JAMAIS dire un truc plus puant de ma vie », mais aussi des recueils d'articles et une correspondance avec Paul Bowles. Ned Rorem vit toujours, contrairement à la plupart des gens dont il parle. Cela doit lui faire un drôle d'effet de voir son *Journal parisien* traduit à Paris après toutes ces années, alors que tous ses amis sont morts. Mais peut-être ne le sont-ils pas ?

Numéro 70 : « Les Bonbons chinois » de Mian Mian (2000)

J'étais fatigué, j'avais froid, j'écoutais la musique hypnotique de Sigur Rós, le groupe islandais qui a démodé Björk. Lire encore un livre ? Pour quoi faire ? Qu'est-ce que cela change puisque tout sera bientôt détruit ? A quoi rime-t-il de continuer à faire travailler ses neurones quand Lara Stone vient de se marier et d'annoncer en même temps qu'elle cessait de boire de l'alcool ? Il n'y a plus de valeurs. Tout fout le camp, nous inclus. Personne ne sera récompensé. Bref, je n'étais pas super dans mon assiette quand j'ai ouvert *Les Bonbons chinois*.

Pardonnez cette blague prévisible, mais c'est Mian Mian qui m'a redonné l'appétit. Dans un style translucide et fragile comme un papillon implorant la pitié de Vladimir Nabokov à Montreux en 1965, elle débute son livre par ces quelques mots : « Ce livre est fait des larmes que je n'ai pas pu pleurer, des peurs cachées dans mon sourire. Ce livre existe parce qu'un matin je me suis dit qu'il fallait que je ravale toutes mes terreurs et tous mes déchets pour en faire du sucre à l'intérieur de moi, parce que je savais que c'était comme ça que vous pourriez m'aimer. » La tendresse de Salinger + la sensibilité de Gao Xingjian + le physique de Gong Li + la modernité de Virginie Despentes, est-ce Dieu possible ? Si pareils assemblages existent, c'est qu'il reste des raisons d'espérer en ce bas monde.

Mian Mian est une Chinoise de 40 ans qui a fait scandale dans son pays avec ce premier roman, *Tang*, traduit aux éditions de l'Olivier sous le titre *Les Bonbons chinois*. Au début du livre, la narratrice n'a pas encore 18 ans. Ensuite, elle vieillit vite : sa meilleure amie s'ouvre les veines, alors elle se goinfre de chocolats, devient chanteuse dans des bars à entraîneuses, poignarde un mec, va en prison, sort de prison, perd sa virginité (et découvre sa frigidité) avec un guitariste de rock prénommé Saining, écoute *Riders on the Storm* des Doors en fumant de l'herbe, Saining la trompe, elle s'ouvre les veines à son tour (décidément, c'est une manie) et lui casse une bouteille de champagne sur la tête avant de plonger avec lui dans la drogue dure. Ensemble, le petit couple sort tous les soirs dans des nuits de Chine qui ne sont pas très câlines, mais plutôt tarifées.

Lire cet étrange roman d'amour est une expérience unique. Il y a un contraste ahurissant entre la sérénité poétique de l'écriture de Mian Mian et les histoires brutales qu'elle raconte. A la fin du livre, elle prétend qu'il ne s'agit pas d'une autobiographie, mais on a du mal à la croire tant ce tableau d'une jeunesse chinoise décadente est criant de réalisme. Question : est-ce l'arrivée du capitalisme qui la traumatise ou les restes du communisme ? Ou bien est-ce simplement avoir 30 ans qui est insupportable, quel que soit le pays ? Inutile de se faire rouler dessus par des chars sur la place Tian'anmen pour s'en rendre compte. On dit qu'à l'Ouest il n'y a rien de nouveau. Eh bien, à l'Est, si. « Je suis un canal qui s'emplit des eaux de pluie, je m'appelle Mian Mian. (...) Pour le moment, mon écriture n'est qu'une sorte d'effondrement. » « Nous ne savions pas si notre dose quotidienne était vraiment de l'héroïne, mais la vie était vraiment devenue un vampire. » « Il nous faut parfois croire aux miracles, la voix de l'écriture ressemble aux échos d'une bouteille brisée au milieu de la nuit » (dernier paragraphe). Quand la Chine s'éveillera, la littérature tremblera.

Mian Mian, une vie

Mian Mian est un nom qui donne faim. Pourtant, cela veut dire « coton » en chinois. Or, le coton n'est pas une denrée très comestible. Mian Mian non plus, d'ailleurs, qui cache, sous son apparente légèreté, un désespoir bien réel. De toute façon, Mian Mian est un pseudonyme. Le vrai nom de la Lolita Pille chinoise est Shen Wang. Née en 1970 à Shanghai, cette jeune artiste touche à tout : disc-jockey au Cotton Club (encore du coton !), organisatrice de raves et de concerts de rock (elle est la première femme à avoir brisé ce tabou en Chine), elle a publié en 1997 à Hong Kong un recueil de nouvelles intitulé *Lalala* (aussitôt interdit chez elle). Son premier roman, *Les Bonbons chinois*, s'est vendu à 40 000 exemplaires en Chine, avant d'être retiré de la vente par la censure en avril 2000. En la lisant, on découvre qu'il existe une Chine trash, underground, dont la jeunesse est aussi dépravée que la nôtre. Mais aucun de ses livres aux titres évocateurs (*We are panic*, *Acid lovers*, *Panda sex*) n'est publié dans son pays : c'est la grande différence avec la France. Chez nous, les jeunes paumés sont encouragés par la librairie.

Numéro 69 : « En avant la moujik ! » de San-Antonio (1969)

Il était bien naturel que le commissaire San-Antonio héritât de la place numéro 69. La difficulté fut de choisir lequel des 180 épisodes serait notre préféré. Si nous jetâmes finalement notre dévolu sur *En avant la moujik !*, c'est par nostalgie, certes (ce tome étant l'un des premiers que nous ayons lus à l'adolescence), mais aussi parce qu'il date de 1969, année érotique, ce qui apporte une certaine cohérence à ce classement. Dans *En avant la moujik !*, on retrouve tous les ingrédients qui ont fait le succès de San-Antonio : une intrigue policière enchaînant les meurtres, les scènes de sexe et les bagarres, une invention syntaxique hors du commun (« J'ai fait ma carrière avec un vocabulaire de 300 mots. Tous les autres, je les ai inventés », déclara ultérieurement l'artiste), et des élucubrations sur tout ce qui passe par la tête de l'auteur. Les premiers San-Antonio, ceux des années 50, pastichaient les romans noirs argotiques de Peter Cheyney : il y avait de l'humour mais la vraie folie est arrivée plus tard. A partir de la fin des années 60, Frédéric Dard prend ses aises, il part en roue libre, se lâche complètement, rassuré par un succès commercial qui ne faiblit pas, alors que ses textes deviennent de plus en plus... littéraires ! Sa créativité verbale culminera dans les années 70 et 80, mais on la voit naître dans *En avant la moujik !*, qui se déroule en Russie dans la bonne ville de Bradévostock, et dont un des personnages féminins se nomme Alexandra Kouchtoyla Kjtdénièz. Il est émouvant d'assister en direct à la naissance d'un potache. San-Antonio, c'est un mélange de Rabelais, Céline et Queneau, et en même temps ce n'est aucun des trois. San-Antonio n'a pas seulement trouvé sa voix, il a créé un nouveau genre romanesque : le polar parodique à humour débile, personnages baroques, situations burlesques et jeux de mots génialement minables. Bref, San-A fait du... San-A. Sa grivoiserie et sa liberté ont décoincé le roman français des années 50, davantage que Robbe-Grillet et Beckett réunis. San-Antonio fomente une révolution mais, évidemment, dès qu'on prétend l'analyser, on se ridiculise comme Henri Bergson lorsqu'il prétendait expliquer pourquoi une blague était drôle. San-Antonio fait le contraire du *Rire* de Bergson : du vivant plaqué sur du mécanique. Il détourne le roman noir pour y caser sa verve.

Le roman débute par un mariage : San-Antonio épouse une grosse Russe (pour de faux : c'est la fille d'un savant soviétique décédé). Et c'est parti pour un festival. « Malgré son prénom enchanteur qui évoque la steppe, les troïkas sur la piste blanche et les amours du docteur Jivaty-Jiva-Gigot, Natacha, c'est un vrai boudin, croyez-moi. Un boudin russe ! Elle ressemble à la plus grosse des poupées gigognes qu'on vous vend dans les bazars de Moscou. Dodue, cuissue, ventrue, mafflue, les joues peintes en vermillon, la moustache drue, le cou couleur de saindoux, le sein doux parce que mahousse comme un oreiller, le cheveu blond filasse, la bouche en étreinte de limaces, le front bas, la cuisse jambonnière, le mollet en tronc de palmier sous les bas de coton grisâtre, l'œil aussi pétillant qu'une rondelle de truffe sur une tranche de foie gras, cette aimable jeune fille de trente-deux ans est à la volupté ce que M. Francisco Franco est à la démocratie. » Nous n'en sommes qu'à la deuxième page, et déjà les tirades s'enchaînent : discours de mariage de Bérurier, digressions diverses du commissaire sur le tourisme, le mot « oui », jeux de mots incessants (« néanmoins, comme disait Cléopâtre » ; « la Brie (antiatomique) ») ; métaphores alambiquées (« la désolation se peint sur son visage comme des chiffres sur une plaque minéralogique » ; « il a un rire tellement sarcastique que le diable, s'il l'entend, doit le repiquer sur sa mini-cassette pour l'étudier à tête reposée »). Frédéric Dard n'écrivait pas pour le grand public mais pour lui-même, il jubilait, il fuyait l'ennui. Il est l'écrivain le plus décomplexé du XXe siècle, précisément parce qu'il fut publié au Fleuve Noir, sur les tourniquets des gares. C'est du roman de Simenon dessiné par Dubout. Sa truculence est un accident du travail, il n'écrivait que pour faire fortune et il est devenu expérimental sans le faire exprès. Son éditeur Armand de Caro n'avait sûrement pas prévu de se retrouver avec des manuscrits aussi inventifs et bordéliques. Mais les Français ont suivi, et Rabelais ressuscita. Le choc fut frontal pour un jeune lecteur rétif à l'analyse scolaire du bien nommé *L'Assommoir* de Zola dans les années 70 : San-Antonio sifflait la récré. San-Antonio a changé ma vie : depuis *En avant la moujik !*, je refuse catégoriquement de m'emmerder en lisant ou en écrivant. Je lis pour m'enfuir, j'écris pour revenir. Grâce à Dard, je sais que c'est possible : lire comme on entend la sonnerie libératrice. Depuis Dard, je sais que la littérature reste la meilleure chose à faire dans une journée pour lutter contre la claustrophobie.

San-Antonio, une vie

La dernière blague de Frédéric Dard fut de très mauvais goût : mourir. Il parlait si souvent de la mort qu'il a fini par attirer son attention. Onze ans déjà que San-Antonio nous a quittés : c'était le 6 juin 2000. Né en 1921 à Bourgoin-Jallieu dans l'Isère, Frédéric Dard a commencé par écrire sous son vrai nom, puis il est devenu le commissaire San-A en 1949 dans *Réglez-lui son compte*. La suite est connue : 180 romans vendus à près de 270 millions d'exemplaires, l'admiration de Cocteau, l'amitié d'Albert Cohen, la correspondance avec Simenon, et des thèses universitaires sémiotiques, sémantiques, philologiques. Il eut droit à tous les honneurs sauf l'Académie française (institution qui s'est, par là même, irrémédiablement disqualifiée). Les deux grandes catastrophes de la vie de Frédéric Dard furent sa tentative de suicide par pendaison en 1965 et l'enlèvement de sa fille Joséphine en 1983. S'il était encore là, il ajouterait sans doute : « Tu oublies ma naissance ! »

Numéro 68 : « Les Couleurs de l'infamie » d'Albert Cossery (1999)

Jusqu'à sa mort, je me suis souvent assis à la terrasse du Bar du Marché pour surveiller l'entrée d'Albert Cossery à l'hôtel La Louisiane, où il résida durant soixante ans. A l'époque où il y emménagea (chambre 58), ses voisins de palier se nommaient Simone de Beauvoir, Jean-Paul Sartre, Juliette Gréco, Boris Vian, Albert Camus, Jean Genet, Lawrence Durrell, Henry Miller. Et puis les temps ont changé. Plus personne ne reconnaissait Cossery quand il traversait la rue de Buci pour aller déjeuner au Flore. Les passants préféraient s'exciter sur Chiara Mastroianni (sortant du pressing) ou Charlotte Gainsbourg (déjeunant à la Casa Bini). Cossery a publié en l'an 2000 son huitième et dernier roman, *Les Couleurs de l'infamie*, qu'il a mis quinze années à peaufiner, à raison d'une phrase par semaine.

Soudain je l'ai vu sortir de son hôtel, princier, en chemise mauve et veste beige. Je me suis levé de table. Allais-je vraiment l'aborder pour lui dire mon admiration ? Pourquoi importuner ce clochard céleste, cet aristocrate fauché, ce dandy méconnu ? Quelque chose, qui s'appelle le respect, freina mon élan.

Le respect est une notion abstraite mais néanmoins essentielle. Le respect, c'est ce qui vous empêche d'aller montrer votre sexe à toutes les filles dans la rue. Le respect, c'est ce qui vous oblige à vouvoyer les gens que vous ne connaissez pas. Le respect consiste à écrire sur un livre au lieu de flagorner son auteur pendant qu'il fait son marché. Le respect vous protège de devenir tout à fait un animal. Mais attention : il y a des gens qui inspirent le respect et d'autres pas. Il est important de ne respecter que les êtres respectables. Y aura-t-il encore des gens respectables en l'an 3000 ? Y aura-t-il un an 3000 ?

Que dit Cossery ? « L'ambition d'Ossama n'était point d'avoir un compte en banque (acte déshonorant par excellence) mais seulement de survivre dans une société régie par des forbans sans attendre une révolution hypothétique et sans cesse remise au lendemain. » Ossama est le héros de ce roman : un pickpocket élégant qui vit au Caire. Une prostituée, Safira, est amoureuse de lui. Il vole le portefeuille d'un gros homme d'affaires et découvre une lettre compromettante : sa victime s'avère un escroc qui a construit des HLM écroulées.

Comme d'habitude, Cossery raconte une histoire de corruption avec des adjectifs désuets. Comme dans tous ses romans, il fait l'éloge de la paresse, vitupère les riches possédants et ne respecte que les mendiants, les marginaux, les pauvres. Pour lui, ce sont les seuls humains libres. Après la loi Aubry des 35 heures, il faudrait que le Parlement vote la loi Cossery du zéro heure : cessons de considérer les chômeurs comme des handicapés alors que ce sont des seigneurs ! « Rien n'est tragique sur cette terre pour un homme intelligent » (page 25). Dans une cinquantaine d'années, quand les robots bosseront à notre place et que nous serons tous salariés au RMO (Revenu Maximum d'Oisiveté), on étudiera les œuvres de Cossery à Sciences-Po.

Car ce prophète des temps futurs a compris que le destin de chacun d'entre nous n'est pas d'aller au bureau pour payer les impôts de l'an qui précède. « Ne rien faire est un travail. »

Albert Cossery, une vie

Un jour, Paul Bowles a quitté l'Amérique pour s'installer à Tanger. Il n'a plus parlé que du Maroc. Né en 1913, Albert Cossery a fait le contraire : quittant l'Egypte pour vivre à Saint-Germain-des-Prés en 1945, il n'a jamais cessé d'écrire sur son pays natal, comme s'il avait besoin de distance géographique pour se rapprocher de ses origines. *La Maison de la mort certaine* (1942), *Les Fainéants dans la vallée fertile* (1948), *Mendiants et Orgueilleux* (1955) et *Un complot de saltimbanques* (1975) ont été réédités en poche, en même temps que le dernier roman de ce pharaon culte. J'ai fini par rencontrer Cossery. Il est venu dans une émission que j'animais, sur Paris Première, « Des livres et moi », en 2005. Suite à une maladie, un chirurgien lui avait retiré les cordes vocales. Il s'est tu avec génie, et de temps en temps, bougonnait un borborygme qu'une jolie blonde traduisait. En face de lui, Ismail Kadaré marmonnait derrière ses lunettes aux verres fumés. Un grand moment de poésie cathodique. Cossery est parti le 22 juin 2008, sans voir la révolution égyptienne, à laquelle il ne croyait plus.

Numéro 67 : « Une œuvre déchirante d'un génie renversant » de Dave Eggers (2000)

Quand j'ai entrouvert cet énorme roman intitulé *Une œuvre déchirante d'un génie renversant*, j'ai pensé : « Quel frimeur potache. » Et puis, deux nuits plus tard, en larmes, j'ai pensé : « Quel titre humble. » Entre-temps, j'avais (dans l'ordre) ri, sangloté, voyagé, admiré, puis enfin jalousé ce jeune auteur américain béni des dieux. Depuis combien de temps n'avais-je plus ressenti cela ?

Une œuvre déchirante d'un génie renversant n'est pas un livre que je vous conseille de feuilleter sur la plage : c'est un livre que je vous ordonne de dévorer séance tenante, debout, dans l'ascenseur qui monte vers votre bureau, ou en marchant dans le métro, ou en conduisant votre voiture, tant pis, courez le risque. L'immense succès de ce livre en Amérique est venu du bouche à oreille : les gens offraient Dave Eggers en cadeau à leurs amis, puis leurs amis l'offraient à d'autres amis, et ainsi de suite. Chose très surprenante pour un roman aussi autobiographique, dès sa sortie en l'an 2000, *Une œuvre déchirante d'un génie renversant* est devenu un objet de culte, et ses lecteurs une famille fraternelle, un club de plus en plus ouvert, souriant et humain. Je fus moi aussi contaminé par le virus. J'ai offert ce livre à tout le monde, à ma mère, à mon frère, à mes voisins de palier. J'ai même secoué les passants dans ma rue : « Comment faites-vous pour continuer de vivre sans avoir lu Dave Eggers ? » Je crois que j'ai un peu perdu la boule et je remercie cet inconnu d'en être la cause.

Dave Eggers est un disciple de J. D. Salinger. Son héros orphelin entrera dans la légende au même titre que Holden Caulfield, l'égaré de *L'Attrape-Cœurs*. Dave Eggers est le nouveau Jack Kerouac. Son écriture torrentielle chamboulera votre existence autant que *Sur la route*. Mais Dave Eggers est surtout... Dave Eggers, son principal sujet. Un enfant perdu, qui déverse toute la tendresse du monde sur son petit frère âgé de 8 ans, Toph, qu'il élève seul à San Francisco : « On avait hérité l'un de l'autre et aussi, pensions-nous, de la responsabilité de tout réinventer, de rejeter et de recréer, et de rouler vite en chantant à tue-tête et en tapant sur les vitres. » Quelqu'un qui perd successivement son père et sa mère en l'espace de trente-deux jours se retrouve libre malgré lui « dans un monde sans sol ni plafond ». Mais cette liberté est un curieux fardeau pour un garçon de 21 ans.

« Si l'on pouvait perdre ses deux parents en un mois, alors tout pouvait se produire, n'importe quand – chaque balle porte votre nom, chaque voiture est là pour vous écraser, chaque balcon est susceptible de céder : l'accumulation de désastres paraissait logique. » Tous les grands livres racontent la même chose : comment leur auteur est devenu un écrivain. Tous les grands livres racontent pourquoi ils sont des grands livres : pour combler le vide, sans y parvenir. J'ai l'impression qu'au XXe siècle tous les grands livres parlent aussi de l'impossibilité de vivre sans famille, c'est-à-dire sans structure. Au XXe siècle la condition humaine s'est crue libérée d'un carcan : elle a hérité d'une angoisse. A mesure que j'avance dans le maquis de mes livres préférés, je comprends qu'ils disent presque tous la même chose : sauve-toi !

Dave Eggers, une vie

Dave Eggers, où que tu sois, sache que je t'embauche comme meilleur ami. Tu as suivi les conseils de Sean Connery dans *Finding Forrester* (*A la rencontre de Forrester*) : il faut écrire le premier jet avec son cœur et le deuxième avec sa tête. *Une œuvre déchirante d'un génie renversant* (Balland) restera sans doute comme l'une des plus fracassantes entrées en littérature de ce début de siècle. Best-seller aux Etats-Unis et en Grande-Bretagne, ce premier roman fut également traduit en France, Allemagne, Hollande, Suède, Espagne, Italie... Il a été numéro 2 sur la liste des dix meilleurs livres de l'an 2000 sélectionnés par la *New York Times Book Review*. En 1991, Dave Eggers a perdu son père et sa mère, morts d'un cancer en même temps. Il a désormais 41 ans et vit à San Francisco, où il dirige une maison d'édition (McSweeney's) et la revue littéraire *The Believer*. Il est toujours orphelin mais aimé de millions de lecteurs. Donc, peut-être, un peu moins seul. Il a publié ensuite trois romans : *Suive qui peut* (2002), *Pourquoi nous avons faim* (2004) et *Le grand Quoi* (2006). Il est aussi le fondateur de 826 Valencia, un atelier d'écriture pour enfants de 6 à 18 ans en difficulté, et co-scénariste du film *Away we go* de Sam Mendes (2009). Encore une traversée de l'Amérique. Comment vivre dans un pays que les gens préfèrent traverser ?

Numéro 66 : « Journal » de Kurt Cobain (2002)

« Don't read this diary when I'm gone. » A cause de cette phrase trouvée dans les carnets de Kurt Cobain, certains intégristes nirvanesques reprochent à sa veuve, Courtney Love, d'avoir désobéi à son mari en faisant éditer ce journal intime pour toucher plein de pognon. D'une part, signalons tout de même que le pactole en question ira principalement à Frances, la fille de l'artiste. D'autre part, insistons sur l'aspect vain et inculte de la polémique : avec ce genre d'argument, nous n'aurions pas lu *Le Procès* de Kafka. La publication de celui de Kurt Cobain n'était pas seulement possible mais indispensable.

Ce texte (ou plutôt ce bric-à-brac de fragments) nous introduit dans le cerveau d'un suicidé. Il est difficile de le juger sans penser à ce qu'il est advenu à son auteur : qu'on le veuille ou non, le coup de fusil dans la bouche du 5 avril 1994 en sanctifie chaque ligne. Une phrase comme « I hate myself and I want to die » ne prend pas la même dimension quand c'est Cioran qui l'écrit, puisqu'il est mort dans son lit. Kurt Cobain, junkie dépressif, a bien été retrouvé le crâne fracassé à l'âge de 27 ans. Lire ses carnets constitue donc une expérience rare : on peut explorer à sa guise les recoins de la tête (bientôt explosée) d'un grand auteur-compositeur musical, mais surtout les backstages de son désespoir, le making-of de son suicide. Le *Journal* de Kurt Cobain, comme les *Fragments* de Marilyn Monroe, c'est Death Academy.

Dès la page 29, première tentative : Kurt s'allonge sur une voie ferrée avec deux gros blocs de ciment sur la poitrine. Le train arrive et roule sur la voie d'à côté. Toute sa vie de punk déchiqueté ne fut ensuite que du rabe. La bonne idée de l'éditeur a été de respecter l'aspect désordonné des cahiers originaux : on passe d'un dessin « gore » à une lettre dactylographiée, on navigue entre les paroles raturées de chansons, les brouillons de communiqués de presse, les listes de disques et les idées de clip. Il n'y a pas de notes de blanchisserie, mais presque. On apprend des choses toutefois : l'attirance de Kurt pour le blasphème trahit une fascination pour le sacrifice christique ; l'héroïne était son seul moyen d'échapper aux douleurs stomacales dues à un ulcère mal soigné ; il craignait d'être disqualifié par le succès ; il était obsédé par les journalistes de rock. On peut dire que Kurt Cobain a été détruit par l'idée qu'il se faisait de lui-même.

On découvre aussi un arriviste forcené, un homme très intelligent, lucide et calculateur, prêt à n'importe quoi pour séduire les filles et les patrons de maisons de disques : « On veut faire du fric et lécher le cul des gros bonnets dans l'espoir de pouvoir nous défoncer et baiser des bimbos torrides et sculpturales. » Les fans du groupe le plus grunge de tous les temps risquent d'être déçus d'apprendre que ce qu'ils prenaient pour du nihilisme spontané n'était rien d'autre que du marketing autodestructeur. Cela ne change rien au résultat final : la mort. Rappelons tout de même que c'est le résultat final pour tout le monde, vous inclus, et que l'art n'y change rien.

En conclusion, le secret pour avoir une voix écorchée, des cordes vocales d'une beauté aussi rare que celle de Cobain, c'est évidemment d'être éraillé de l'intérieur. Il chantait avec son âme enrouée.

Kurt Cobain, une vie

Kurt Cobain est né le 20 février 1967 à Aberdeen (Washington). Dans son journal, il décrit brièvement son lieu de naissance : « La population d'Aberdeen est constituée de beaufs bigots mâchonneurs de tabac, flingueurs de cerfs, tueurs de pédés, un tas de bûcherons pas vraiment portés sur les gugusses new wave. » Il souffre donc très tôt d'habiter au nord-ouest des Etats-Unis, et pas seulement à cause du divorce de ses parents. Il fume de la marijuana dès l'âge de 10 ans, puis s'achète une guitare électrique et des livres de Charles Bukowski. En 1988, il fonde avec Chris Novoselic et Dale Crover (bientôt remplacé par Dave Grohl) le groupe Nirvana, dont le second album, intitulé *Nevermind*, se vend à 10 millions d'exemplaires (1991). L'année suivante, Kurt se marie à Hawaii avec Courtney Love, la chanteuse du groupe Hole. Le troisième album, *In utero*, sort en 1993 et se vend moins bien. Suivront un concert bobo pour MTV (*Unplugged*, fin 1993), un suicide raté à Rome le 4 mars 1994, puis une autre tentative, cette fois très réussie, à Seattle un mois plus tard. « Tu n'attendras pas de ta rock-star qu'elle te guide. »

Numéro 65 : « Œuvres » de Raymond Radiguet (1920-1924)

Faites comme Radiguet : désobéissez. Mordez la main qui vous nourrit. La Première Guerre mondiale ? « Quatre ans de grandes vacances » (*Le Diable au corps*). Eclatez de rire si l'on vous fait le moindre reproche. Moquez-vous de vos amis autant que de vos ennemis. Quittez tout ce qui vous entrave. « Les journées de la semaine prochaine attendent » (poème de 1919). « Encore une année trop courte/ Pour toutes les fêtes à souhaiter » (autre poème de 1919). Soyez travailleur sans cesser de vous amuser. « Malgré l'azur insolent qui nous limite, continuons à charmer les lectrices des magazines anglais » (*Les Joues en feu*, 1920). L'avantage avec les citations, c'est qu'elles m'évitent de bosser. La paresse rend libre. « Les jours de pluie seraient-ils passés ? Le ciel se referme, vous n'avez pas l'oreille assez fine. » (On dirait Rimbaud ? Eh non, toujours Radiguet, poème en prose de 1920.) J'écris comme Sollers. C'est tout un art de citer l'auteur dont on parle afin de le laisser parler de lui. Apprendre à s'effacer. Disparaître derrière l'original. « L'absence d'amour ! ne nous plaignez pas : on accorde plus de valeur aux bibelots et sentiments, quand ils nous font défaut. » (Conte de mars 1920.)

On connaissait *Le Diable au corps* (François se tape la fiancée du soldat inconnu, et la largue dès qu'elle est enceinte) et *Le Bal du comte d'Orgel* (remake de *La Princesse de Clèves* et du *Lys dans la vallée* : lors d'un bal, François tombe amoureux d'une femme mariée mais ne couche jamais avec elle), chefs-d'œuvre faussement classiques et vraiment précieux, décrivant des amours impossibles, torturées par l'excès de psychologie. Radiguet a dit une chose très importante sur l'écriture : « La discipline que doit s'infliger tout écrivain qui a une personnalité, c'est de rechercher la banalité. » Il n'en a pas toujours tenu compte, mais c'est une remarque fondamentale sur laquelle Simenon a bâti toute son œuvre.

La nouvelle compil' des œuvres de Raymond Radiguet en Livre de Poche nous permet de découvrir un poète léger, un journaliste insolent, un auteur dramatique pas théâtral, un écrivain moins éphémère que sa durée de vie. Un autre Rimbaud, qui aurait remplacé l'Abyssinie par les bars de Montparnasse, et Verlaine par Cocteau. « Nous étions des enfants, debout sur une chaise » (*Le Diable au corps*). Jean Cocteau est émerveillé par l'adolescent perpétuel : il aura le courage de reconnaître que cet élève est devenu son maître.

La jeunesse est impardonnable, et l'Art injuste. Radiguet est un sale gosse bourré qui se drogue au Bœuf sur le Toit, rue Boissy-d'Anglas, pour faire mieux que ses copains Satie, Max Jacob, Picasso, Diaghilev. Et en plus, il a l'outrecuidance de mourir tôt pour mieux les encombrer de sa postérité. « Le bonheur est égoïste » (*Le Diable au corps*). On voudrait que les artistes soient des gens gentils ? Ce sont des monstres innocents.

Raymond Radiguet, une vie

Le James Dean de la littérature française. « Un enfant après la course, seul au monde, assis dans une gloire, les joues en feu » (Cocteau). « Petit être myope, habituellement silencieux, qui promenait son visage de marbre au milieu des conversations et des rires » (Nimier). « Monsieur, c'est un enfant avec une canne... » (Justin, le valet de chambre de Cocteau). « Un bolide indolent » (Paul Morand). « Il jette sa vie par les fenêtres » (Renaud Matignon). « Drôle de métier que celui de météore » (François Bott). Oui, Raymond Radiguet (18 juin 1903-12 décembre 1923) est une étoile filante : par conséquent, quand on le lit, il faut faire un vœu. Premiers poèmes publiés en 1918, à l'âge de 15 ans ; puis petits reportages et échos dans la presse ; un opéra-comique, une pièce de théâtre, et déjà *Le Diable au corps*, son premier roman, écrit à 17 ans, paraît chez Bernard Grasset en 1923. Quant au *Bal du comte d'Orgel*, il sera posthume (et peut-être rewrité par Cocteau), la fièvre typhoïde l'ayant emporté, son œuvre à peine achevée. S'il avait vécu quatre-vingts ans, Radiguet serait-il devenu laid et barbant comme tout le monde ? On ne le saura jamais. Tel est le principal avantage de mourir jeune : on vieillit moins longtemps.

Numéro 64 : « Romans et récits » de Georges Bataille (1928-1962)

Bataille est un auteur sulfureux qui plaît aux jeunes filles. Dans mon lycée, elles ne juraient que par lui. Ça faisait chic de lire ses textes courts et bizarres : *Le Mort, Ma mère, Le Bleu du ciel*... J'étais jaloux de ce vieux pervers. Faites le test : offrez n'importe quoi de Bataille et vous passerez pour un ténébreux érotomane.

Moi, c'est Gallimard qui m'a fait cadeau de la Pléiade de Bataille. Je l'ai lu à Bucarest. Et je n'ai pas honte de le dire : enfin un bouquin de la Pléiade qui fait durcir le zizi ! (Ou alors était-ce la vodka roumaine ? La chanson de Claudine Longet dans mon iPod ? L'assistante de mon éditeur local, sosie de Natalie Portman ?) Georges Bataille, c'est du cul littéraire, du cul subversif, du cul intello, certes, mais du cul quand même ! *Madame Edwarda* (1941) : comment une pute qui se prend pour Dieu se roule par terre en pleine rue avant de se taper le chauffeur du taxi. *Histoire de l'œil* (1928) : Simone trempe ses fesses dans une assiette de lait avant d'uriner sur le ventre de son copain, et de partager sa copine avec lui. Incipit : « J'ai été élevé seul et, aussi loin que je me le rappelle, j'étais anxieux des choses sexuelles. » (Cet « aussi loin que je me le rappelle » me fait penser à la première phrase des *Affranchis* de Scorsese : « As far back as I can remember, I've always wanted to be a gangster ».) Surtout évitez de lire l'appareil critique (sûrement très instructif mais tellement peu bandant). Foncez dans le texte sans réfléchir, pénétrez Bataille sans préliminaires ! Vous découvrirez un auteur monstrueusement libre, un poète en prose, un malade caressant. *Le Bleu du ciel* (1935, paru en 1957) : à Londres, Barcelone et Trèves, une relation sado-masochiste avec trois adorables nécrophiles, « un personnage qui se dépense jusqu'à toucher la mort à force de beuveries, de nuits blanches et de coucheries ». *Ma mère* (posthume, 1966) : une alcoolique traumatise son fils en jouissant plus souvent que lui. « Ah, serre les dents, mon fils, tu ressembles à ta pine, à cette pine ruisselante de rage qui crispe mon désir comme un poignet. » Enfreindre tant de tabous d'un coup, belle prouesse ! *Le Mort* (posthume, 1967) : une nymphomane prénommée Marie organise une tournante dans une auberge après la mort de son amant.

J'adore l'ambiance de Bataille, j'imagine toute une époque de grands bourgeois obsédés qui citent Baudelaire et Sade en cachette, un « don de fièvre » en pleine période de censure coincée. Il faut imaginer Bataille dans ses réunions d'éditeurs ventripotents. Quand je songe à ces artistes d'apparence si fonctionnaire, qui firent exploser les limites du sexe et du corps tout en dînant poliment dans des salons, rue Sébastien-Bottin ou rue de l'Université... D'abord Proust avec ses bordels pour gays, et Dominique Aury imaginant l'*Histoire d'O* pour exciter Paulhan... « Paulhan c'est le diable », dira Mauriac en apprenant son élection à l'Académie française. Bataille aussi : c'est le diable déguisé en Georges Pompidou. Dissimulé derrière ses pseudos, il dynamitait tranquillement la langue française à coups de petits textes obscènes et mystiques : « J'imagine une jolie putain, élégante, nue et triste dans sa gaieté de petit porc. » Quel luxe d'humour salaud ! Où sont les provocateurs désormais ? On transpirait en lisant Bataille édité par Pauvert en douce... Et maintenant c'est dans la Pléiade qu'on attrape la rage, la folie, l'excès, le scandale. Cela ne signifie pas que les romans de cet élégant détraqué aient perdu de leur force. Cela veut seulement dire que Bataille a gagné la guerre. Depuis sa mort, en 1962, il y a beaucoup plus de femmes qui se promènent à poil dans les rues de Paris, élégantes, nues, tristes et gaies comme des petits porcs.

Georges Bataille, une vie

Né dans le Puy-de-Dôme en 1897, Georges Bataille est mort à Paris en 1962. Ecrivain catholique devenu surréaliste et licencieux après avoir lu Nietzsche. Dans sa préface à la Pléiade, Denis Hollier le surnomme joliment « le Huysmans à rebours ». Bataille estime que pour détruire la société capitaliste il faut la transgresser. Obsédé par le sexe et la mort, il finit par les confondre. Son style mêle le blasphème au plaisir, le mal au désir, Eros à Thanatos. « La terreur au bord de la tombe est divine et je m'enfonce dans la terreur dont je suis l'enfant » (*Ma mère*). Il signe de pseudonymes divers : Lord Auch, Pierre Angélique, Louis Trente. Il rédige des essais philosophiques et des récits scatologiques. Il croit qu'il restera par ses essais (*L'Expérience intérieure*, 1943 ; *La Part maudite*, 1949 ; *La Littérature et le Mal*, 1957). Il se met le doigt dans l'*Histoire de l'œil* ! Comme tous les génies, il n'a aucune idée de ce qu'il a fait. C'est pourquoi il le fait.

Numéro 63 : « Journal d'un cœur sec » de Mathieu Terence (1999)

Mathieu Terence s'est lancé à lui-même un défi, et en plus, ce petit sagouin l'a relevé, réussissant l'impossible : donner une suite au *Portrait de Dorian Gray*, l'unique roman d'Oscar Wilde, paru en 1890. Ne lésinons pas sur les adverbes et les épithètes : ce pari extrêmement risqué et terriblement prétentieux est magnifiquement tenu. Tout le monde se souvient de l'argument du conte fantastique : le portrait d'un beau jeune homme vieillissait à sa place, ce qui n'empêchait pas le beau jeune homme de se flinguer à la fin. Mais le tableau peint par Basil Hallward, que devenait-il ?

C'est le sujet du roman de Terence. Nous sommes en 1899, dix ans après le suicide de Dorian Gray. Lord Henry Wotton conserve le fameux tableau dans une pièce close de son hôtel particulier londonien, mais le sien, de portrait, celui qui pourrit à sa place, c'est son reflet dans le miroir. Nous avons tous notre « portrait de Dorian Gray » chez nous, dans notre salle de bains ; il suffit de se regarder dans la glace pour découvrir un monstre qui emprunte notre visage et grimace chaque jour davantage.

Lord Henry, vieil esthète blasé, tient son « journal d'un cœur sec », sorte de carnet d'une marquise de Merteuil rosbif, avec « un nombril en guise d'encrier ». Avant Freud, les névrosés étaient obligés de faire leur psychanalyse tout seuls. On remplaçait le divan par du papier. Lord Henry sait que l'innocent Dorian Gray est mort à cause de lui. Il rencontre un jeune psychiatre, Clifford Alistaire, et commence à le prendre sous son aile. Va-t-il en faire une nouvelle victime ? L'histoire va-t-elle se répéter ? Suspense.

C'est un livre qu'on lit lentement pour en savourer le jus. Très travaillé, presque « surécrit », en tout cas d'une densité rare, le style de Terence est corseté comme l'Angleterre victorienne. C'était une époque où le plaisir était réservé aux maisons closes et où les pauvres mouraient empoisonnés – Londres n'a pas beaucoup changé en cent ans.

On a l'impression d'entendre la voix off d'un vieux film d'horreur en noir et blanc : Mathieu Terence écrit comme Vincent Price parle. Sur les parquets vernis des immeubles de Mayfair, les aphorismes de Lord Henry évoquent des fleurs fanées : « Je suis un enfant, l'avenir en moins » ; « Le bonheur est la forme que prend un chagrin qui approche » ; « En amour, la vérité ne sert qu'à rompre ». Terence semble obéir à la célèbre blague de Roland Barthes : tout d'un coup il lui est devenu indifférent de ne pas être moderne.

Bien que nihiliste, notre narrateur souffre beaucoup, pleure un amour d'enfance, est ému par une folle internée dans un asile. Sa solitude l'angoisse mais il fait partie de ces suicidaires qui ne se tuent jamais (Terence est ami avec Jaccard). C'est tout un boulot, d'être un crocodile dandy : il faut se retenir d'être sensible.

Il a fallu un siècle pour qu'un jeune romancier français ressuscite les personnages d'un vieil écrivain irlandais. Oscar Wilde ne se retournera pas dans sa tombe du Père-Lachaise, car le beau livre de Mathieu Terence ajoute le constat qui manquait à son œuvre : plus un cœur est sec, plus il est fragile.

Mathieu Terence, une vie

Mathieu Terence est né en 1972 mais porte des Ray-Ban : c'est que, pour ressembler à Oscar Wilde, il a fait une cure de vieillissement accéléré dans diverses stations pas très thermales (Biarritz, Bordeaux, Paris 6e). C'est pourquoi ses deux premiers livres, *Palace Forever* (Distance, 1996) et *Fiasco* (Phébus, 1997), paraissaient plus frivoles que son *Journal d'un cœur sec* (1999) qui a reçu le prix François Mauriac de l'Académie française. Ses trois romans suivants l'ont éloigné de la prose hussarde pour explorer de nouveaux territoires : *Maître-Chien* (2004), *Technosmose* (2007) et *L'Autre Vie* (2009) forment une sorte de trilogie futuriste sur la mutation de l'humanité. Ce qui fournit une excellente transition avec l'auteur suivant de notre liste.

Numéro 62 : « Crash ! » de J. G. Ballard (1973)

Nous vivons dans un monde transformé par la technologie. Nous volons dans les airs, nous roulons sur le bitume à 250 km/h, nous naviguons sur les océans, sous la mer et sur la lune. Cette incroyable révolution a entraîné des catastrophes nouvelles. Fusées qui explosent dans le firmament, avions qui s'écrasent contre des tours, sous-marins qui coulent au fond des mers, paquebots éventrés par des icebergs. Et l'accident le plus banal : l'automobile fracassée contre une autre automobile, ou un platane, un mur de béton, un camion de butane, une famille nombreuse. Cette horreur fait partie de notre réalité quotidienne. De temps en temps, l'accident de voiture est plus glamour (la Porsche de James Dean, la Mercedes de Lady Diana, la Buick de Jayne Mansfield...) ou littéraire (Albert Camus, Roger Nimier, Jean-René Huguenin...). Pas étonnant qu'un jour de 1973 un écrivain anglais ait eu l'idée d'en faire une métaphore de notre société.

Crash ! de J. G. Ballard est un classique du roman réaliste que l'on prend à tort pour un délire expérimental de perverse-fiction. Mais c'est un livre que Balzac aurait pu écrire s'il avait connu une époque aussi malade que la nôtre. Traumatisé par la mort de sa femme, J. G. Ballard imagina en pleine crise pétrolière un personnage (portant son nom) excité par la beauté érotique des tôles froissées. Ce Ballard fictif rencontrait Vaughan, un cinglé qui rêvait de mourir dans un accident avec l'actrice Elizabeth Taylor. Crash !, faisaient les voitures volontairement fracassées par ce personnage détraqué. Drôle d'idée, quand on est adolescent, de dévorer un roman où il est question de mutilations jouissives, du plaisir de la tôle froissée et d'orgasmes ensanglantés. Dans les années 70, la puissance morbide de Ballard faisait écho à la folie macabre de Lautréamont, dont j'apprenais par cœur des passages au lycée… et à Sade, qu'on n'enseignait pas en cours, mais que je lutinais dans mon boudoir.

« Des fragments de pare-brise étaient incrustés dans son front comme une couronne de diamants. » Ballard (et le lecteur, par transitivité) découvrait un milieu malsain où les compressions de César seraient des instruments de jouissance pour des masochistes déchiquetés à l'intérieur des habitacles. Andy Warhol avait eu auparavant la même fascination aux Etats-Unis, avec ses sérigraphies de « car crashes ». J'ai lu *Crash !* trop tôt : c'est un des plus grands chocs de ma vie, un texte tellement bizarre, scintillant et répugnant qu'il ne peut pas faire autrement que changer votre vision du monde. La première phrase est un des débuts de roman les plus métalliques jamais écrits : « Vaughan est mort hier dans son dernier accident. » Ah bon ? On peut collectionner les accidents comme des timbres ? Je me souviens aussi de l'adaptation au cinéma réalisée en 1996 par David Cronenberg avec l'espiègle Rosanna Arquette : on ignorait avant ce film qu'une attelle, un plâtre, une minerve, un bandage et des broches pouvaient être aussi sexy qu'un porte-jarretelles et une guêpière. Le roman comme le film ont fait scandale et sont devenus « cultes » puisque le scandale est désormais un sacrement. Ceux qui ont perdu un proche dans un accident de la route ne trouvent peut-être pas cette pornographie automobile de très bon goût. Eternelle question : le scandale est-il de montrer la réalité ou n'est-ce pas plutôt la réalité elle-même, à savoir une industrie automobile devenue toute-puissante au prix de millions de vies brisées ?

J. G. Ballard, une vie

James Graham Ballard fut longtemps le plus grand écrivain anglais vivant, mais en France personne ne le lisait : tout le monde croyait que c'était David Lodge, Ian McEwan, Jonathan Coe ou Julian Barnes. Né en 1930 à Shanghai, interné dans un camp japonais jusqu'à la fin de la guerre, J. G. Ballard découvre l'Angleterre en 1946 et publie sa première nouvelle en 1956 dans *New Worlds*. Ensuite il n'a cessé d'écrire de la Speculative Fiction apocalyptique (*Le Vent de nulle part*, 1961 ; *Le Monde englouti*, 1962 ; *La Forêt de cristal*, 1966 ; *Sécheresse*, 1975), puis une littérature cyberpunk avant l'heure (*Crash !*, 1974, adapté au cinéma par David Cronenberg ; *Vermilion Sands*, 1975 ; *I.G.H. : Immeuble de Grande Hauteur*, 1976).

La Foire aux atrocités (1970) fut sa première tentative réaliste : elle sera suivie en 1984 par l'autobiographique *Empire du Soleil*, devenu un mélo entre les mains de Steven Spielberg.

Ballard régna plusieurs décennies sur la fiction anglo-saxonne comme un vieux singe dont toutes les grimaces se sont vérifiées. En l'an 2000, *Super-Cannes* (Fayard) a rassuré ses fans : son cadavre bougeait encore. La seule catastrophe qu'il n'a pas vue venir fut son cancer de la prostate en 2009.

Numéro 61 : « Mon amie Nane » de Paul-Jean Toulet (1905)

De quoi s'agit-il ? D'un remake leste et preste du *Nana* de Zola, sans autre morale que celle du plaisir mélancolique. D'un éloge de la prostitution par un des plus charmants poètes du XXe siècle. Publié en 1905, ce court roman nous fait tomber amoureux d'une « fille de joie – et de tristesse », nommée Hannaïs Dunois ou Anaïs Garbut (cela dépend des jours). Un narrateur adepte de l'ironie désinvolte scrute cette créature à la loupe, observe son visage et son épiderme, « l'ambre pâle de ses épaules » et les reflets de sa sueur... « on peut deviner dans un sourire de femme tout le secret de son corps (...) en elle, j'ai cru contempler le monde. » Ce n'est pas Nane qui l'intéresse (croit-il) mais son époque futile, les jolies courtisanes, le flirt inconséquent, la dépression mondaine, ou ce que Debussy avait décelé chez Toulet : la « sensibilité meurtrie ». De fait, *Mon amie Nane* est un reportage incomparable sur la Belle Epoque.

Nane est louée par un industriel qui voyage en yacht (rien n'a donc changé en un siècle ?). Le narrateur la rencontre alors qu'elle chute de l'omnibus

Batignolles-Clichy-Odéon. On boit de l'absinthe rue Royale, on va au cinématographe ou dans des salles de jeux, avant de partir pour Venise en train. C'est snob comme du Proust mais Nane fait tout de même moins de simagrées qu'Odette. « Eh, laissez-le donc tranquille, l'Art : afin qu'il vous le rende. »

Toulet fait mine d'écrire une petite sotie légère et mondaine, parsemée d'aphorismes humoristiques qui scintillent dans le noir : « En vérité, ce qu'elle aimait le plus de lui ce n'était pas sa présence » ; « Mais ce soir je ne saurais lui refuser rien, pas même un mensonge » ; « A vrai dire, je n'ai jamais recherché le monopole de sa tendresse. N'eût-ce pas été de l'égoïsme ? Outre qu'il faudrait en avoir les moyens. »

Mon amie Nane c'est *Un amour de Swann* en plus rapide (Hannaïs Dunois est une poule à peu près aussi conne qu'Odette de Crécy), mais quand on se serre aussi fort dans le laconisme romantique, on encaisse la douleur plus profond. Proust, au moins, extériorisait sa peine, en la ressassant interminablement et la décortiquant comme une écrevisse ébouillantée. Toulet la concentre, en fait une liqueur, puis lève son verre, insulte l'orchestre, déshabille la grue et meurt (ou s'endort par terre). Bizarrement, ces deux génies sont morts à peu près au même âge (51 ans pour Proust, 53 pour Toulet). Se sont-ils croisés ? C'est probable, mais Toulet était trop ivre pour s'en souvenir… et Proust trop snob pour s'intéresser à ce Béarnais aviné.

Leur projet est le même (peu importe que l'un mette cent pages à le réaliser et l'autre trois mille) :

décrire une pute pour montrer son temps. Montrer son temps pour embrasser le monde. (Oui : l'embrasser, dans tous les sens du terme.) Le poète Paul-Jean Toulet ne prend pas le roman au sérieux, et c'est pourquoi le sien n'a pas plus vieilli que *Du côté de chez Swann*. Il est beaucoup trop coquet pour pouvoir se permettre de prendre une ride. Jusqu'au bout le narrateur se persuade que Nane n'est qu'une petite amie. Il croit qu'il s'en fout alors qu'il en est fou. Cette fausse satire cache un vrai roman d'amour, cru, libre, moderne et insouciant. « Parfois elle soulève les paupières ; et tu verrais alors palpiter la lumière de ses yeux, comme un éclair de chaleur au fond de la nuit. » Les seules femmes dont on ne se lasse jamais sont celles qui nous font beaucoup de mal très gentiment.

Paul-Jean Toulet, une vie

La vie de Toulet ressemble à son œuvre : elle est courte (53 ans), pleine de courtisanes merveilleuses et de plaisirs sévèrement réprimés (le poker, l'opium, l'alcool, le talent). Orphelin de mère, il a cherché sa beauté toute sa vie, partout, l'a retrouvée parfois, et perdue souvent. Il s'écrivait des lettres à lui-même, était l'un des nègres de Willy, éreinta lui-même une de ses pièces de théâtre, faillit travailler avec Debussy. L'île Maurice est son seul point commun avec J. M. G. Le Clézio, qui est nettement plus sain (même s'il a goûté aux champignons mexicains en 1973). Né à Pau le 5 juin 1867, Paul-Jean Toulet est avant tout l'auteur de ceci :

« Dans Arles où sont les Aliscamps,
Quand l'ombre est rouge sous les roses,
Et clair le temps,
Prends garde à la douceur des choses. »

Ce Béarnais obsédé et fêtard littéraire (ami de Toulouse-Lautrec, Giraudoux et Léon Daudet) aimait faire la bringue sur les grands boulevards parisiens et dans les cabarets de Montmartre en 1900. Avec son béret basque et son regard tendre bien que sardonique, il est devenu un auteur culte, un « écrivain pour écrivains », un peu à la façon d'un Larbaud, dont il partage les rentes, le goût des voyages et la poésie. Il publia *Mon amie Nane* en 1905 et *La Jeune Fille verte* en 1920 (entre autres). Il eut l'élégance de mourir à Guéthary afin d'être enterré dans un endroit agréable, avec vue sur l'océan Atlantique, peu de temps avant la publication de ses fameuses *Contrerimes* (1921), qui sont classées 6e dans ce top 100.

Numéro 60 : « Passion fixe » de Philippe Sollers (2000)

Philippe Sollers est horripilant et c'est pourquoi je tenais à sa présence ici. On peut reprocher beaucoup de choses à cet histrion médiatique : il ne parle que de lui sous couvert de biographier des écrivains morts (Casanova, Vivant Denon, Sade, Nietzsche, Stendhal) ; il faut toujours qu'il donne son avis sur tout (surtout quand on ne le lui a pas demandé) ; il se défend sans cesse contre des attaques qui n'existent pas (serait-il le Don Quichotte de La Closerie des lilas ?) ; il se plaint toujours de n'être pas lu... Comme disait Paulhan : « L'on l'a lu, l'on l'a aimé. » J'ai lu *Passion fixe* en l'an 2000 et c'est mon 60ᵉ livre préféré du XXᵉ siècle. Je suis sûr que son auteur sera vexé d'être derrière Modiano et Houellebecq, alors qu'il devrait se féliciter d'être devant Hemingway et Bataille !

Comme souvent chez Sollers, *Passion fixe* est une suite de citations (Cyrano de Bergerac, André Breton, Lautréamont, Victor Hugo, Maupassant...). Mais pourquoi les mêmes qui respectent les patchworks de Schuhl, les collages de Ballard, les scrapbooks de Peter Beard et les cut-ups de Burroughs sont-ils incapables d'apprécier les découpages savants de Sollers ? Il veut seulement vous obliger à lire ce qui ne se lit plus. Il juxtapose les intrigues, déconcerte par ses aphorismes paradoxaux (« Les esprits sont chagrins, Dieu est frivole » ; « Les terroristes sont de grands sentimentaux » ; « Le droit au non-sens devrait être le premier droit de l'homme »), surprend avec ses cumuls d'épithètes (« vide silencieux sphérique », « souplesse avertie brune »), ses listes qui sont autant d'accumulations à la Arman, ses dialogues elliptiques.

Souvent on a du mal à rentrer dans les romans de Sollers mais ici, au bout de quelques pages, on a franchement l'impression d'avoir mis les doigts dans une prise électrique : « C'est à moi, ça ? Un nez, un front, des yeux, une gorge, des poumons, des bruits, une ville, de la pierre, un pont, un fleuve. » Sollers n'écrit pas seulement des romans autobiographiques comme tout le monde (ici son histoire d'amour avec Dominique Rolin), mais joue avec les mises en abyme, les auto-explications de texte, les commentaires composés de soi. Un test intéressant est le suivant : on ne peut pas lire Sollers en regardant la télé ou en écoutant de la musique. Lire Sollers est une occupation à plein temps. Cela veut dire qu'il exige non pas votre attention mais votre concentration. Il s'éparpille pour vous, mais attention, danger : ce style est celui d'une électrode.

Un jeune homme de 23 ans, un peu suicidaire, qui vit dans un trou à rats, rencontre, il y a quelques années, une avocate prénommée Dora dans une partouze chez des riches à Neuilly. Il va squatter chez elle, dans une grande maison avec jardin. Suit une liaison torride (Dora « offre » son jeune amant à son amie Clara), un roman sur le bonheur sensuel, une passion d'autant plus érotique qu'elle est menacée, fliquée, traquée. Car le narrateur se trouve être une sorte de comploteur masqué, de conspirateur révolutionnaire, d'agent secret comme dans *Studio* et *Le Secret*. Tout le propos est là : il faut imaginer 007 heureux.

Passion fixe est un roman sur la possibilité de l'amour, sur le bonheur comme arme suprême, sur la destruction de la société par la jouissance et le temps. Le vrai nom de Sollers est Joyaux ; or voici son roman le plus joyeux. Une initiation libertine, un éloge de la vie partagée, « un traité de savoir-vivre ». Il n'échappe pas aux défauts habituels de Sollers : trop de digressions empêchent parfois de suivre son aventure ; et son obsession pour la poésie chinoise peut saouler (il suffit de sauter ces pages). Mais je confesse avoir frissonné d'exaltation en tombant sur des fulgurances pures comme : « La lune brille dans le ciel ouvert » ou « Brune Dora aux yeux bleus virant au violet sous les cèdres ». Que cherchons-nous d'autre dans les romans que ces instants d'épiphanie ? Pour une telle déclaration d'amour, que dis-je, révélation sentimentale, tout lui sera toujours pardonné : Sollers est l'homme qui croit que l'amour dure plus de trois ans. « Je dis passion fixe, puisque j'ai eu beau changer, bouger, me contredire, avancer, reculer, progresser, évoluer, déraper, régresser, grossir, maigrir, vieillir, rajeunir, m'arrêter, repartir, je n'ai jamais suivi, en somme, que cette fixité passionnée. J'ai envie de dire que c'est elle qui me vit, me meurt, se sert de moi, me façonne, m'abandonne, me reprend, me roule. Je l'oublie, je me souviens d'elle, j'ai confiance en elle, elle se fraye un chemin à travers moi. Je suis moi quand elle est moi. Elle m'enveloppe, me quitte, me conseille, s'abstient, s'absente, me rejoint. Je suis un poisson dans son eau, un prénom dans son nom multiple. Elle m'a laissé naître, elle saura comment me faire mourir. » Si ce paragraphe vous laisse de marbre, comme vous êtes à plaindre.

Philippe Sollers, une vie

Né en 1936, ce fils de famille bordelais publie son premier roman en 1958 : *Une curieuse solitude* sera salué par Mauriac et Aragon, ce qui s'avère un parrainage hybride, à la fois catho et coco. Ce début schizophrène résume assez bien Sollers et ses trente romans suivants. Papiste et libertin, maoïste et balladurien, classique et moderne, critique et éditeur, avec ou sans ponctuation, patron de revues littéraires (*Tel Quel*, *L'Infini*) et chroniqueur (*Le Nouvel Observateur*, *Le Journal du Dimanche*), il porte tellement d'étiquettes qu'on dirait un coureur cycliste. D'ailleurs il se dope : son meilleur livre, *Passion fixe*, est un hommage aux junkies de William Burroughs. Après un premier roman nostalgique de son dépucelage par une bonne espagnole (pour faire hussard on aurait pu dire « ses amours ancillaires ibériques »), il change de cap et devient avant-gardiste avec *Le Parc* (prix Médicis 1961), puis *Nombre* (1968),

Lois (1972), *H* (1973) et *Paradis 1 et 2* (1981 et 1986), tous ouvrages qui s'affranchissent de la tyrannie de la grammaire traditionnelle. Puis il trouve son style actuel dans *Femmes* (1983) et *Portrait du joueur* (1985) : collages, citations, sexe, clandestinité, joie, paranoïa. *Passion fixe* peut être considéré comme l'illustration de ce que cette écriture kaléidoscopique peut produire de meilleur. Philippe Sollers rassemble par ailleurs régulièrement ses articles de journaux et préfaces artistiques dans de gros volumes gouleyants : *La Guerre du goût* (1994), *Eloge de l'infini* (2001), *Discours parfait* (2010). On ne le lui reprochera pas ici : ce serait l'hôpital qui se fout de la charité.

Numéro 59 : « Mauvaise journée, demain » de Dorothy Parker (1922-1955)

Ce livre a été écrit entre 1922 et 1955 : seize nouvelles parues dans *Cosmopolitan*, *The New Yorker* et *Harper's Bazaar*, qui concentrent ce que la littérature peut fabriquer de plus pétaradant sur terre. Des scènes de ménage hystériques, des sanglots longs sans violons de l'automne, des monologues à plusieurs, des désillusions comme des gifles. Dans son journal, Jules Renard écrit : « Il y a les grands écrivains et il y a les bons. Soyons les bons. » Comme lui, Dorothy Parker n'a jamais voulu être un grand écrivain. Elle n'a pas essayé d'écrire *Moby Dick*. Tant mieux : Melville l'avait déjà fait et personne n'a besoin d'une baleine supplémentaire sur le marché aux poissons. Elle a fait bien plus beau : gaspiller son immense talent dans des magazines ; sortir pour pouvoir raconter à ses amis des histoires méchantes qui leur ressemblaient.

Je le dis souvent, mais ne le répéterai jamais assez : je préfère le talent au génie, le charme à l'ambition, la fragilité à la force, le violoncelle à la grosse caisse, Sagan à Duras, Modiano à Gracq,

Blondin à Céline. Et, bien qu'humbles, mes goûts et mes couleurs ne se discutent pas.

Dorothy Parker, avec son air de ne pas y toucher, dénonce la connerie américaine, les séducteurs monstrueux, l'éducation traumatisante, les injustices sociales, la stupidité des poules de luxe. Bien qu'écrits en demi-teintes, ses contes frivoles nous révoltent bien plus qu'une fresque néoréaliste rédigée à la truelle par un pompeux crâneur du genre Norman Mailer. Ses quelques gouttes de nitroglycérine ont plus d'efficacité qu'un gros pétard mouillé. Elle nous transperce avec de petits détails espionnés : une petite fille que ses parents habillent avec des vêtements toujours trop grands, une fêtarde qui ne saura jamais faire semblant d'être française, un alcoolique qui répète toute la soirée qu'il doit se lever tôt le lendemain (oh my God, à qui cela me fait-il penser ??).

Ce livre est une sonnette d'alarme. Depuis des années, à force de concevoir de grandes théories sur le roman, on a négligé une petite chose. L'art de Dorothy Parker tient en un seul mot – un handicap qui suffit à disqualifier les plus brillants professeurs de lettres diplômés, un miracle inexplicable qui donne envie de croire en un monde meilleur, une qualité rare et très chèrement payée, un bonheur qui cause bien du malheur, une soif que des hectolitres d'alcool n'ont jamais pu étancher : la SENSIBILITÉ. La sensibilité est l'essence même de l'écriture, son moteur et son fuel. Assieds-toi dans ton coin et attends de ressentir les choses suffisamment fort pour que ton stylo ait quelque chose à dire. Ou alors, n'écris rien.

Dorothy Parker, une vie

La dernière amie de Fitzgerald s'appelait Dorothy Parker (1893-1967). Elle avait débuté à *Vanity Fair* en 1914. Un jour que son article était en retard, son rédacteur en chef la chercha partout pendant plusieurs jours, et elle finit par lui répondre la vanne parfaite : « I was too fucking busy, and *vice-versa* » (intraduisible). Pour la récompenser, il la nomma critique de théâtre. C'est là qu'elle félicita Katharine Hepburn pour sa « sublime palette d'émotions allant de A jusqu'à B ». Elle fut virée en 1920 et entra au *New Yorker*. Elle y publia de nombreux poèmes aux chutes délicieuses :

« Oh, life is a glorious cycle of song,
A medley of extemporanea ;
And love is a thing that can never go wrong ;
And I am Marie of Romania. »

Elle est l'auteur de nouvelles tragi-comiques réunies en trois recueils : *La Vie à deux*, *Comme une valse* et *Mauvaise journée, demain* (tous trois disponibles en 10/18). Membre de la célèbre Table ronde de l'hôtel Algonquin, cette « flapper » spirituelle illumina les années folles puis, quelques décennies plus tard, mourut dans l'alcoolisme, la solitude et l'anonymat. Elle proposa comme épitaphe sur son urne funéraire : « Désolée pour la poussière. » Et Vialatte ajouterait : « C'est dire l'importance du plumeau » !

Numéro 58 : « Un petit bourgeois » et « Le Musée de l'Homme » de François Nourissier (1963-1978)

François Nourissier a mâché le travail de ses biographes : il s'est enterré souvent. « Je ne suis pas fier de ma vie. Je ne m'aime pas. Je n'aime pas ma vie » (*Un petit bourgeois*). « Ecrivains vieillissants, avec leurs baises comme avec leurs tirages : en rajoutant toujours un peu » (*Bratislava*). Ce qui me plaisait chez lui, c'est le contraste entre l'homme et l'œuvre. L'homme avait une image entièrement fausse de vieux notable, de barbon onctueux, machiavélique, de vieux manipulateur, marionnettiste du prix Goncourt, de chroniqueur influent au *Point* et au *Figaro magazine*... Il suffit d'ouvrir ses livres pour découvrir quelqu'un d'autre. Horriblement sincère, d'une violence impardonnable envers lui-même, un styliste maniaque de la clarté et un humoriste plus noir que son maître Jerome K. Jerome. Son œuvre autobiographique est une des plus profondes, des plus tristes, et des mieux ciselées de l'histoire de la littérature française. *Un petit bourgeois* (1963) et *Le Musée de l'Homme* (1978) sont des classiques. *A défaut de génie* (2000) un chef-d'œuvre de mémorialiste. Et *Bratislava*... Bratislava, la ville où il fut si heureux de fêter ses 20 ans à l'été 1947, est sa *Fêlure* : « Je me souvenais de souvenirs – autant dire de rien. » Dès la dernière phrase de son premier roman, *L'Eau grise* : « La vie ne rebondit pas, elle coule... », la messe était dite. Nourissier aurait pu ressembler à la méchante reine de Blanche-Neige si elle s'était injuriée devant sa glace : « Miroir, mon beau miroir, suis-je toujours la plus moche du royaume ? »

Après un début pamphlétaire (en 1957, *Les Chiens à fouetter* étrillait le carnaval des lettres), Sisyphe Nourissier a gravi tous les échelons de la gloriole académique : il poussait son rocher afin de le regarder dévaler la pente. C'est fou ce que la trouille peut motiver un être humain. Mais elle ne guérit jamais. Toutes ses consécrations (Grand Prix du roman de l'Académie française pour *Une histoire française* en 1965, prix Fémina pour *La Crève* en 1970, président de l'Académie Goncourt de 1996 à 2002) n'ont jamais réussi à le rassurer complètement. François Nourissier n'a pas attendu Miss Parkinson pour commencer à trembler : « On remonte ensuite dans sa chambre, on s'installe devant la page commencée et l'on écoute en soi des bruits de délabrement » (*Un petit bourgeois*). Nourissier, c'était Cioran dans un fauteuil Louis XVI. « De vieilles maisons, de vieilles vies : voilà mon décor. » *Un petit bourgeois* distille une prose brève et lucide, d'une impitoyable cruauté. Il faut se rendre à l'évidence : on ne lira plus beaucoup d'auteurs comme celui-ci. On n'aura plus le temps, il n'y aura plus de gens comme Nourissier pour peaufiner doucement des pages sadiques sur la bourgeoisie française, ni de nouveaux lecteurs pour s'y intéresser. Une beauté crépusculaire se dégage de ses paragraphes tirés à quatre épingles, et l'on se sent happé par le mystère de cet homme qui se détestait tellement qu'il en a fait un des plus sensibles autoportraits du siècle. « Tout me faisait rougir : la timidité, la colère, le désir, le plaisir, les gâteaux, le vin blanc, le rouge, le rose, le cognac, les humiliations, les sauces, le sport, les victoires, les regards, l'appel de mon nom, les rencontres inopinées, les bouffées de la mémoire » (*Un petit bourgeois*).

Plus loin dans ce livre, j'évoque la figure parfaite de l'écrivain américain Hunter S. Thompson, l'école « alcoolo et torse nu », mais il ne faut pas non plus négliger l'alternative Nourissier : le barbon solitaire qui pleure sur la fin des haricots. Les deux styles se rejoignent un peu : quand ils ne se sont pas rétamés en bagnole contre un platane, les jeunes gandins ivres morts finissent toujours par porter une veste en tweed et fumer la pipe en polissant leurs mémoires. Mais tous n'auront pas la « loose » classe de Nourissier.

Je lui dois tant. Il m'a enseigné cette sécheresse qui décuple l'émotion. « Mon père est mort le dimanche 17 novembre 1935, vers cinq heures du soir, assis à côté de moi au cinéma où il m'emmenait pour la première fois. »

L'autre jour, j'ai trouvé chez un libraire du 15e arrondissement *Le Musée de l'Homme*, publié en 1978, introspection qui commence par cette phrase : « J'étais devenu mon propre fantôme. » Je l'ai lu en marchant, autour des Invalides, puis sur un banc, sous une pluie fine, sans discontinuer : « J'avais été l'homme des soirées vides et des maisons perdues.» Puis, plus loin, ce trait d'humour : « Ma grande âme chaussait ses charentaises. » Bien qu'ex-académicien Goncourt, Nourissier était tout sauf académique. Son autodestruction est ultramoderne, sa solitude très contemporaine, sa concision métaphysique. Le vieux barbu prolonge par son autobiographie laconique le Sartre des *Mots*, par son sens de la formule le Montherlant des *Jeunes Filles*, y ajoutant la méchanceté de Barrès, la liberté de Gide, la jubilation de Stendhal et la précision de Constant. Il était le dernier des monstres français. Il avait le subjonctif révolté, le verbe rigoureux, le tir juste. « Je voudrais seulement creuser le trait, donner enfin de moi une image que ne paraisse pas avoir estompée sur le miroir une buée de narcissisme. ».

François Nourissier, une vie

Le grand problème de François Nourissier fut d'être François Nourissier. Cela, il ne l'a jamais accepté : c'est tout le sujet de son œuvre. Il aurait aimé être quelqu'un d'autre (ses amis Aragon ou Chardonne ? Benjamin Constant ? Rousseau ou Montaigne ?) : « Les hors-la-loi de la première personne, les innocents de l'aveu. » Sa mort en février 2011 sonna le glas d'un certain style français. Né en 1927, Nourissier est l'auteur de quelques grands livres d'autodénigrement : *Un petit bourgeois* (1963), *Le Musée de l'Homme* (1978), *Bratislava* (1990) et *A défaut de génie* (2000). « Depuis que je me dégoûte, je dégoûte aussi les autres. » Ses romans sont plus ampoulés, même si *Le Bar de l'Escadrille* commence par un incipit terrifiant de laconisme (et qui nous concernera bien assez tôt) : « Depuis qu'ils ont mon âge, les morts m'intéressent. » Pour l'embêter, nous dirons que Monsieur Sans-Génie avait du talent et demi.

Numéro 57 : « Tropique du Cancer » et « Tropique du Capricorne » de Henry Miller (1934 et 1938)

« Pas de passé, pas d'avenir : le présent me suffit. » Si vous n'avez pas déjà lu les *Tropiques*, vous avez de la chance : votre vie va changer de latitude. Si vous les avez déjà lus : votre vie n'est déjà plus la même. Très peu de livres ont cet effet-là : *Sur la route*, *L'Attrape-Cœurs*, *Women*, *Tropique du Cancer*. Cela fait quatre, et ils sont tous américains. C'est bizarre, la littérature américaine. En Europe, on ne cherche pas à ce que l'écriture soit forcément utile. En Amérique, ils veulent que les romans transforment votre existence. Ils veulent vous attraper par la chemise et vous secouer comme un prunier. Les écrivains américains espèrent toujours que leurs lecteurs vont descendre dans la rue et se mettre à gueuler comme des putois qu'ils sont heureux d'être en vie, ou que leur femme est une salope, ou qu'ils ont soif à en crever.

« Si vivre est la chose suprême, alors je veux vivre, dussé-je devenir cannibale. » Serions-nous écrasés sous notre vieille Histoire, qui nous empêcherait de délirer, nous autres Européens ?

La première fois que j'ai entendu parler de *Tropique du Cancer*, c'était dans *After hours* de Martin Scorsese (1985). Le héros se perd dans la nuit new-yorkaise et rencontre une fille fragile et lutanique interprétée par Rosanna Arquette. Elle est en train de lire ce livre et il tombe amoureux d'elle instantanément. Dans mon souvenir la scène est très romantique : ils sont dans un coffee shop éclairé au néon et ils citent Henry Miller en battant des cils comme des chats timides.

Tropique du Cancer et *Tropique du Capricorne* ont fait scandale à leur publication (en France dans les années 30, aux Etats-Unis trente ans plus tard) parce qu'il y a du cul alors que ce sont d'abord de grands livres romantiques. En fait, Henry Miller est un des premiers au monde (après l'Anglais D. H. Lawrence) à oser écrire que le sexe est plus fort que la société. Que l'amour physique peut et doit tout briser (les conventions bourgeoises, les schémas économiques, les carcans sociaux). Qu'un homme amoureux est avant tout un gros obsédé, et que sinon c'est un menteur sans couilles. (Cela me fait penser à ce que répondait la princesse Soutzo, épouse de Paul Morand, aux malotrus qui lui disaient qu'elle était cocue : « Un homme qui ne trompe jamais sa femme n'est pas un homme ! ») Miller ose le dire dans une autobiographie, c'est-à-dire en prenant le maximum de risques. Il s'expose, s'immole, se sacrifie et ressuscite. Miller est le Christ, en moins chaste sexuellement ! *Tropique du Cancer* est un hymne lyrique à la liberté du corps dans un monde en train de sombrer dans l'artifice. Un « cauchemar climatisé », écrira-t-il en 1945 à propos de l'Amérique. Aujourd'hui le tableau peint dans *Tropique du Capricorne* pourrait être élargi à l'ensemble de la planète : « Etre civilisé, c'est avoir des besoins compliqués. »

Voici pourquoi il faut lire Henry Miller en 2011 : ces deux livres forment aussi un pamphlet politique. Le plaisir est devenu une dictature mais qui exulte vraiment ? La pornographie a remplacé l'orgasme. On gicle sur des visages en gros plan mais on ne crie pas sa rage de tout foutre en l'air pour vivre comme un insensé. Le XXIe siècle bande mou ! Les gens ne baisent plus ; ils se branlent. *Tropique du Cancer*, page 38 : « Depuis cent ans ou plus, le monde, notre monde, se meurt. » *Tropique du Capricorne*, page 385 : « J'ai parcouru les rues de bien des pays au monde ; nulle part je n'ai connu dégradation, humiliation plus grande qu'en Amérique. »

Tropique du Cancer est aussi un des plus beaux livres jamais écrits sur Paris, Montparnasse, le Dôme, la Coupole, la rue de Buci, la place Saint-Sulpice, Notre-Dame, la place Clichy, la Contrescarpe, les Champs-Elysées... Donc dans *After hours*, film qui se passe à New York en 1980, j'ai découvert ce « chant » à la gloire de Paris en 1930. Simultanément, en 1932, un Français écrivait des choses similaires sur New York : Louis-Ferdinand Céline. Miller l'émigré voit en Paris un havre de joie et de fraîcheur (Céline le désapprouverait). Il est heureux dans la Ville lumière parce qu'il nous prend pour des hédonistes sales et décomplexés. Il décrit Paris comme un lieu de plaisir et de liberté où, malgré sa pauvreté, il respire et se sent exister pour la première fois dans les bras des putes du boulevard Beaumarchais ou de la rue Saint-Denis. « Je n'ai pas d'argent, pas de ressources, pas d'espérances. Je suis le plus heureux des hommes au monde. » « This is how Paris was in the early days when we were very poor and very happy », plagiera Hemingway à la fin de *Paris est une fête*, écrit trente ans plus tard. Dans *Tropique du Cancer*, Miller raconte comment il s'est évadé (comme prof d'anglais à Dijon puis vaguement employé dans une maison d'édition américaine à Paris). Dans *Tropique du Capricorne*, il montre sa prison (enfance à Brooklyn, jusqu'au job de chef du personnel à la Compagnie du télégraphe de New York). « Je ne servirai pas plus qu'on ne me servira : je chercherai en moi-même la fin de toutes choses. »

Mais je m'aperçois que je parle très mal de ces chefs-d'œuvre bancals, luxuriants, déroutants. C'est comme si l'on me demandait de dire pourquoi je tombe amoureux. Je serais probablement incapable de rédiger une préface à ma fiancée. Les *Tropiques* sont deux délires verbaux, parfois grotesquement démodés (le genre « crachat à la face de l'Art, coup de pied dans le cul à Dieu », bourré de pathos et d'emphase) et souvent exagérément optimistes ou répétitifs, mais ils déversent une écriture passionnée dont le souffle et l'énergie absolument torrentielle emportent tout sur leur passage. Au lieu de les baptiser *Tropiques*, il aurait dû les intituler « Tsunamis » ! Lire les *Tropiques*, c'est accepter d'être baladé par un fou grandiloquent et mégalomane, un humain génialement torturé, un épicurien contagieux, un révolté jubilatoire et furibond. Le style de Miller saoule comme un vin merveilleux. Ces textes ne se lisent pas, ils se boivent d'un trait ! Et l'on peut les consommer sans modération. Avec, en guise de gueule de bois, le bonheur – ce cadeau empoisonné.

Henry Miller, une vie

De lui nous aurions pu choisir aussi la trilogie de *La Crucifixion en rose* : *Sexus* (1949), *Plexus* (1952), *Nexus* (1960). Henry Miller y forge une manière de nouvelle religion rabelaisienne : le sexe et l'ivresse comme mode de résistance joyeuse au matérialisme puritain et à l'embourgeoisement américain. C'est surtout une belle succession de scènes pornographiques et néanmoins pures. Cet érotomane-graphomane avait la santé : né à New York en 1891, Miller a commencé sa vie comme clodo à Paris et fini comme ermite en Californie, où il est mort à 88 ans. On peut parler d'une trajectoire parfaite (à Pacific Palisades il fait plus chaud que sous la pluie de Clichy). Son écriture radicale est libératrice par ses envolées lyriques, qui ont galvanisé Kerouac mais aussi Blaise Cendrars. Il a longtemps été interdit de publication dans son pays (*Tropique du Cancer* et *Tropique du Capricorne* ont été publiés en France en 1934 et 1938 par Obelisk et Olympia Press, mais ne sont sortis aux Etats-Unis qu'en 1961).

Numéro 56 : « Le Maître et Marguerite » de Mikhaïl Boulgakov (écrit entre 1928 et 1940, publié en 1967)

Tous les grands romans racontent la même histoire : celle d'un paumé qui traîne ses guêtres n'importe où. *Don Quichotte*, *Ulysse*, *L'Attrape-Cœurs*, *Le Maître et Marguerite*... C'est logique : si le héros n'était pas paumé, quel besoin aurait-il de chercher son chemin ? La grandeur du roman tient dans cette quête géographique. Le lecteur suit un fou, un malade, un aventurier, un désespéré qui lui ressemble (car pour lire des romans il faut être fou, malade, aventurier ou désespéré). Il ne tient pas en place, croise des gens, traverse des rues et des pays, trouve parfois quelque chose (l'amour, la beauté, la vérité ou la mort). Les professeurs parlent de « recherche d'identité » mais il s'agit surtout d'une belle balade. Celle de Boulgakov a le mérite d'être facile à tracer, comme celles de Joyce et Salinger. Il existe même des fanatiques qui organisent des circuits touristiques sur les pas de Leopold Bloom à Dublin, de Holden Caulfield à New York ou d'Ivan Nikolaïevitch Ponyrev, dit Bezdomny, à Moscou. Preuve que le roman n'est pas complètement inutile puisqu'il peut servir de guide ou, au contraire, aider à se perdre dans les méandres d'une ville fantôme. *Le Maître et Marguerite* peint un monde parallèle et pourtant ancré dans des lieux réels : Boulgakov croyait rédiger un « roman sur le diable » mais il en a profité pour faire un opéra de l'oppression soviétique. Ainsi Moscou était un Enfer sans Dante, et le diable un grand échalas en complet gris.

Toute tentative de résumé prive ce chef-d'œuvre de la complexité qui en fait le charme, mais tant pis, essayons quand même : donc le diable s'appelle Woland et il sème la pagaille durant la semaine sainte dans le monde des lettres et du théâtre moscovite, vers la fin des années 20. S'ajoute à cette trame picaresque un délire faustien, puisqu'une certaine Marguerite passe un pacte avec Woland pour retrouver un écrivain disparu qu'elle appelle « Maître ». En superposant ces deux narrations (et bien d'autres !), Boulgakov peut aussi entremêler le burlesque et le thriller, le surréel et la satire, le romantisme et la bouffonnerie. Comme tous les grands livres, *Le Maître et Marguerite* est une auberge espagnole, un fourre-tout, un bric-à-brac où Jésus croise le diable et où Ponce Pilate danse au bal de Satan. Il y a la passion du Christ comme chez Mel Gibson, et juste après une scène où Marguerite s'envole sur un balai comme dans *Harry Potter*. Il y a un chat qui parle, et des robes magiques qui disparaissent dès qu'on sort dans la rue (il est vrai qu'à Moscou un tel phénomène est assez habituel notamment au Kafka, à l'Imperia et au Luch Bar. Grâce au génie de Boulgakov, nous gobons avec délectation sa relecture des Evangiles (plus digeste que le remix d'Homère par Joyce). Quitte à raconter une histoire abracadabrante, autant en choisir une que tout le monde connaît déjà, à condition de la raconter comme personne ne l'a jamais fait.

Mikhaïl Boulgakov, une vie

Mikhaïl Afanassievitch Boulgakov (1891-1940) élabora *Le Maître et Marguerite* pendant une douzaine d'années, de 1928 à sa mort. On peut donc affirmer que ce roman l'a tué encore plus efficacement que le camarade Joseph Staline. D'ailleurs il ne rencontra le public qu'à titre largement posthume, en 1966-1967, lorsque la revue *Moskva* le publia en pleine période de « dégel ». Avant *Le Maître et Marguerite*, Boulgakov, qui était médecin comme Tchekhov et Céline, eut tout de même le temps d'inverser *La Métamorphose* de Kafka (*Cœur de chien* raconte, en 1925, la transformation d'un chien en être humain), de renvoyer l'ascenseur à un autre rebelle (Jean-Baptiste Poquelin, dans *Le Roman de monsieur de Molière*) et de pondre de nombreuses pièces de théâtre destinées à être interdites, censurées, invectivées par la critique prolétarienne. Finalement, pour Boulgakov, le seul moyen d'être libre, c'était de mourir (la morphine le soutint quelque temps mais finit par avoir raison de sa santé).

Numéro 55 : « Histoire d'amour » et « Promenade » de Régis Jauffret (1998 et 2001)

Quand on veut séduire une fille, il ne faut pas lui sauter dessus tout de suite, sans lui avoir parlé avant. Il arrive que cette méthode fonctionne, mais, dans la plupart des cas, la fille risque de porter plainte. Vous serez alors condamné pour harcèlement sexuel ou viol. C'est précisément ce qui arrive au narrateur d'*Histoire d'amour*, le cinquième roman de Régis Jauffret, un roman superbe, que dis-je ? hyperbe. Oui, ce livre donne envie d'inventer des mots nouveaux.

Il commence par un viol et se poursuit dans la passion romantique à sens unique. L'héroïne est presque aussi égarée que le héros. L'intrigue va de catastrophe en catastrophe, comme dans *Tristan et Iseult* ou la vie de tous les jours. Régis Jauffret décrit avec une tendre résignation l'enchaînement des événements qui font battre le cœur de son héros détraqué (entre le tueur du 11e arrondissement et un ex-directeur général du Fonds monétaire international. Qu'y a-t-il d'original là-dedans ? Rien, c'est pour ça qu'on aime ce livre. C'est un roman qu'on lit en apnée : pas question de respirer sans connaître la fin.

L'air de rien, *Histoire d'amour* pose pas mal de questions cruciales : qu'est-ce que « draguer » ? Où s'arrête la séduction et où commence le harcèlement pénible et collant ? Où sont les limites ? Et puis : un homme amoureux est-il autre chose qu'un violeur attendant la permission d'agir ? Tout dragueur n'a-t-il pas derrière la tête des idées d'une sauvagerie effroyable ? A force d'exposer aux hommes des images pornographiques, n'en fait-on pas des frustrés sexuels à la recherche de sensations de plus en plus inaccessibles bien qu'omniprésentes dans leur champ visuel/virtuel ? A partir de combien de temps d'isolement et de solitude un homme normal finit-il par péter un fusible ? Et enfin la question principale, que je me pose personnellement depuis que j'ai lu *American psycho* : sommes-nous tous des serial killers en puissance ?!!!

Régis Jauffret n'est pas d'accord avec Gilbert Bécaud : pour lui, la solitude, ça existe. C'est même la principale maladie contemporaine. Une société qui érige l'individu en modèle ne pouvait que forger un monde égoïste. Tous les romans de Jauffret reposent sur ce simple théorème : notre nouveau mode de vie actuel conduit à la solitude qui mène à la folie.

Comme *Clémence Picot*, *Promenade* décrit une femme seule qui erre dans une ville sombre. Elle hésite entre prendre un taxi, boire un café, faire l'amour avec un inconnu ou se suicider. Sa vie est un road movie sans but. Si Jauffret avait été Kerouac, ce livre aurait pu s'appeler « Sur la rue ». L'originalité de Jauffret réside dans ses changements de vitesse : en un paragraphe, il peut raconter trois semaines, puis s'attarder trois pages sur une nuit, ou suivre tel ou tel passant dans un plan-séquence littéraire, au conditionnel. Il regarde comment vivent tous ces gens que personne ne regarde. Suivons cette chômeuse insomniaque qui squatte des bureaux ou un salon de coiffure. Si elle va à droite ou à gauche, qu'est-ce que ça change ? Personne ne s'y intéresse. Sa famille s'en fout, elle n'a pas d'amis, même le lecteur ignore son nom. Elle pourrait tout aussi bien dormir toute la journée, ou faire semblant de bosser dans une entreprise jusqu'à ce qu'un vigile appelle la sécurité. La solitude est une insoutenable liberté de l'être. Que faire, qui être quand tout est permis ? Il y a de quoi devenir dingue. C'est pourquoi les villes modernes sont des hôpitaux psychiatriques géants. Tout est possible, donc rien n'arrive. Pour Jauffret comme pour Houellebecq, nous sommes des explorateurs sans découvertes. Notre vie est banale ; la liberté a tué l'amour. « Elle sentait qu'elle perdait peu à peu sa place dans la société. »

Vous l'aurez sans doute deviné : on ne se tape pas sur les cuisses en lisant Régis Jauffret. Pourtant, ce qu'il dit est tellement vrai qu'on en sourit nerveusement, comme à la lecture de Kafka ou Jacques Sternberg. Jauffret invente une littérature glaciale qui observe la destruction du tissu social : un Occident qui est une addition d'appels au secours ; une époque en dépression nerveuse. Ce qu'il écrit nous terrifie, mais part d'un constat statistique : dans les grandes villes, la majorité des femmes de plus de

40 ans vivent seules. Petit à petit, ces femmes quittent la société, puis la réalité. Elles deviennent peu à peu invisibles. The Hollow Women ! Jamais dosage n'a été aussi parfait entre sécheresse du style et béhaviorisme de l'action. Sa *Promenade* est un chef-d'œuvre cruel, d'une monotonie désespérée, une histoire noire comme le macadam gluant que l'on vient de déverser rue Mazarine, et qui sèche au soleil silencieusement pendant que j'écris ceci. Tout à l'heure, quand je traverserai la rue, mes chaussures s'enfonceront dans le goudron mou, et je pourrai ainsi demeurer immobile, statufié, jauffrétisé à jamais, comme sa déserteuse noyée dans le bitume.

Régis Jauffret, une vie

Il faut faire gaffe aux métiers que l'on choisit. A force de travailler pour un magazine de faits divers, Régis Jauffret est devenu fou, effrayé par tous ces meurtres, ces viols, ces destins horribles et banals. L'atrocité quotidienne a logiquement fini par pénétrer ses livres. Né en 1955 à Marseille, Jauffret fut révélé en 1998 par *Histoire d'amour* qui était en réalité un viol à répétition, puis il narra en 1999 la vie de *Clémence Picot* qui tuait ses voisins en série, et enfin en 2000 furent publiés *Fragments de la vie des gens* et *Autobiographie*, des tranches de non-vie broyées par l'indifférence, *Promenade* s'inscrivant dans le droit-fil de cette trajectoire d'une rare cohérence, tout comme son extraordinaire recueil de *Microfictions* (2007).

Numéro 54 : « Œuvres poétiques complètes » de Jean Cocteau (1918-1962)

« Je suis sans doute le poète le plus inconnu et le plus célèbre » (*Journal d'un inconnu*). Etre l'ami de Radiguet, Picasso, Proust et Apollinaire ne sert à rien. Jean Cocteau a désobéi aux deux règles principales : il s'est amusé et il s'est dispersé. Si vous vous lancez dans une carrière d'écrivain, permettez-nous de vous déconseiller de l'imiter. Premièrement, il ne faut jamais donner l'impression d'aimer la vie ; un tel comportement vous disqualifie d'emblée. Cocteau fréquentait les poètes, les bals, les théâtres, l'opéra, le cinéma, les dîners, les romans, l'opium. Il mélangeait tout. Or chez nous, un écrivain n'a pas le droit de faire la fête – la frivolité est pire qu'une faute de goût : un péché mortel. Pour être « crédible », il faut tirer la gueule, se déguiser en miséreux, faire semblant de souffrir. Les gens n'ont jamais pardonné à Cocteau sa persévérance dans la désinvolture (« Ce qu'on te reproche, cultive-le : c'est toi »).

Deuxièmement, il ne faut faire qu'une seule chose à la fois. Toute sa vie, on a puni Cocteau d'être un touche-à-tout, parce qu'il « cherc[hait] une place fraîche sur l'oreiller ». Si vous avez tous les dons, si vous savez dessiner, écrire, filmer, danser, chanter, surtout cachez-le. N'exploitez jamais vos capacités multiples. L'erreur de Jean Cocteau fut de laisser croire qu'il était surdoué et heureux de l'être. Il avait tout faux : en France, les grands artistes ne doivent pas seulement être ennuyeux, mais limités.

Le recueil des *Œuvres poétiques complètes* ouvre par *Le Cap de Bonne-Espérance*, poème où « la marge n'encadre pas le texte. Elle se trouve à l'intérieur, distribuée parmi ». C'est une ode à la traversée de la Méditerranée par l'aviateur Roland Garros : « C'est le poème de la pesanteur. La tête s'exalte, explore, exploite le vide. » Publié en 1918, c'est aussi un hommage aux soldats massacrés durant la guerre qui s'achève. D'une absolue liberté, les vers disjoints, éclatés, comme jetés sur la page, semblent voler vers l'œil. Le livre se ferme quand il s'ouvre :

« Alors

ils suivirent le chemin
qui mène aux villes »

Le dernier poème de Cocteau fut publié un an avant sa mort, en 1962. Le poète devait se douter de quelque chose puisqu'il l'intitula *Le Requiem*. Je ne connais pas beaucoup de phrases plus bouleversantes que celle qui ouvre sa préface : « Ce texte, qui semble être mal traduit d'une langue étrangère, celle que dicte aux poètes le seigneur qu'ils servent et qui se cache en eux, fut écrit pendant les suites d'une hémorragie profonde. » Cocteau rêve sa maladie, il invente un genre nouveau : l'autopsie poétique, le diagnostic en quatre mille vers.

« Un pied sur le sol un pied dans le vide
Boite le poète vainqueur ».
Un jour nous serons dans sa situation
Et j'espère que nous aussi vaincrons.
Et lorsque nous mourrons
Nos enfants souriront.

Quand, en 1912, Diaghilev lança à Cocteau : « Etonne-moi », se doutait-il qu'il lui donnait le pire conseil imaginable ? Les lecteurs ne veulent pas qu'on les étonne, ils veulent qu'on les rassure. Personne n'aime être surpris avec des vers comme : « Les dieux existent : c'est le diable. J'aimais la vie ; elle me déteste ; j'en meurs. » C'est trop facile à comprendre : les surréalistes préféraient les mensonges qui disent la vérité. Cocteau se foutait du monde : ni cubiste, ni dadaïste, mais un peu de chaque. « Il faut à tout prix que la pensée batte comme bat le cœur avec sa systole, sa diastole, ses syncopes qui le distinguent d'une machine. » L'esprit de contradiction (ou de synthèse, c'est pareil) fut son mode de vie. C'était un caméléon mort de fatigue sur un plaid écossais. Il fallait punir ses « tours de cartes exécutés par l'âme ».

Le XXIe siècle sera poétique ou ne sera pas.

Jean Cocteau, une vie

Si on vous dit « Jean Cocteau 1889-1963 », vous allez rétorquer *La Belle et la Bête* (1946), *Les Enfants terribles* (écrit en dix-sept jours), *Les Parents terribles* (écrit en huit jours), l'épée d'académicien réalisée par Cartier en 1955, les dessins homosexuels pornographiques du *Livre Blanc* (1928), la célèbre cure de désintox d'opium à Saint-Cloud la même année, Jean Marais et *tutti quanti* ; mais Cocteau, ce n'est pas que cela. C'est aussi un poète faussement léger, mort il y a quarante-sept ans dans l'indifférence générale (on ne parla que du trépas de son amie Edith Piaf, ce jour-là). Jean Cocteau était en avance dans tous les domaines, y compris l'incompréhension, depuis le suicide de son père quand il avait 9 ans. On peut être à la fois mondain et maudit. Heureusement qu'il y a une vie après la mort pour les grands écrivains.

Numéro 53 : « Journal » de Marc-Edouard Nabe (1983-1990)

Lundi 27 mars 2000. Il fait froid et j'ai sommeil en me réveillant. Chloë a attrapé une otite. Je lis l'interview de Caroline Barclay par Patrick Besson au début de *Voici* : les questions sont plus longues que les réponses, comme tous les lundis. J'ai reçu le journal de Nabe ce matin : il fait 1 300 pages. Qu'est-ce qu'ils ont tous à publier des livres gigantesques ? C'est Proust qui a commencé. Je feuillette *Kamikaze*, le quatrième tome de la vie de Nabe (1988-1990). L'existence de ce garçon est aussi chiante que la mienne. Il quitte sa femme, puis revient, il en aime une autre, puis la quitte, et soudain sa femme attend un enfant. Il regarde la télé, lit les journaux, déjeune avec des cons, s'engueule avec des amis, part à Istanbul, écoute des disques. A la fin sa femme accouche, alors il pleure de rage et s'évanouit de joie.

Mardi 28 mars 2000. Hier soir j'ai mal défendu le journal de Nabe à la télé : Viviant a dit que personne n'allait lire ça et j'aurais dû lui rétorquer qu'il prenait son cas pour une généralité. Tant pis, je décide de mettre Viviant sur la même page que Nabe dans mon livre, ça lui fera les pieds. Chloë n'a plus de fièvre. Delphine et moi en profitons pour sortir dîner chez Claudio (Le Monteverdi, rue Guisarde, à Paris). Nous nous saoulons de chianti classico. Avant de m'endormir, je replonge dans le journal de Nabe, captivant comme un sitcom brésilien. Jour après jour, j'entre dans sa vie, je me fâche avec Sollers et Hallier, j'écris des papiers dans *L'Idiot International*, je discute avec Albert Algoud et Arletty, Jackie Berroyer et Lucette Destouches, j'insulte des gens, j'en admire d'autres. Je m'endors intelligent.

Mercredi 29 mars 2000. Enfin du soleil : Chloë m'a mis le doigt dans l'œil pour me réveiller. Je poursuis ma lecture de *Kamikaze*. Amusant : tous les titres du journal de Nabe sont écrits dans des langues différentes. Tome 1 : *Nabe's Dream* (anglais). Tome 2 : *Tohu-Bohu* (hébreu). Tome 3 : *Inch'Allah* (arabe). Tome 4 : *Kamikaze* (japonais). Ce type est bel et bien cinglé. Je repasse à la télé ce soir mais cette fois personne ne pourra me contredire quand je clamerai que Marc-Edouard Nabe est un fou génial. Je recopie une de ses phrases : « Mon cœur se retourne dans sa poitrine comme un mort dans sa tombe. »

Jeudi 30 mars 2000. Les journées se suivent et se ressemblent : Delphine part travailler, Chloë ressemble à un coquillage. Je lis toujours *Kamikaze* et vous devriez tous faire comme moi. Lire les aventures ordinaires d'un « personnage émotif et cruel ». Tout d'un coup, je réalise quelque chose : puisque Nabe recopie dans son journal tous les articles qui parlent de lui, cela veut dire que celui-ci figurera dans son tome 9 (1998-2000) ! Ainsi mon journal squattera dans le sien ! Je suis fier de m'incruster dans pareille entreprise gloutonne et titanesque.

Premier bilan après l'apocalypse

Vendredi 31 mars 2000. « Plus on connaîtra ma vie dans les moindres détails, plus je serai libre. » Marc-Edouard Nabe est l'autobiographe le plus courageux du monde car il publie tout de son vivant, sans rien corriger, en laissant les vrais noms. Personne n'a jamais fait ça. Il se fout à poil en public, court tous les risques. *Kamikaze* aurait pu s'intituler *Dans la peau de Marc-Edouard Nabe* ; c'est l'ultime strip-tease mental, la « presse people » de la littérature, une véritable drogue dure. Chloë ne pleure plus, Delphine non plus. C'est bien d'avoir deux femmes chez soi.

(Note de 2011 : malheureusement, Nabe a cessé de tenir son journal intime en 1990, *Kamikaze* en fut le dernier tome. Depuis, je ne vis plus avec Delphine, et Nabe publie ses livres à compte d'auteur.)

Marc-Edouard Nabe, une vie

Au commencement était Alain Zannini, un bébé bruyant né le 27 décembre 1958 à Marseille. Il hésitait : fallait-il grandir ? Devenir guitariste de jazz comme Sacha Distel et Thomas Dutronc ? Dessiner ? Ecrire ? Ah oui, tiens, écrire, pourquoi pas ? Depuis 1985, sous le pseudonyme de Marc-Edouard Nabe, ce Gréco-Turc bigleux a publié 29 livres. Les meilleurs ? *Au régal des vermines* (1985), *Chacun mes goûts* (1986), *Rideau* (1992), *L'Age du Christ* (1992), *Lucette* (1995) et bien sûr les quatre tomes de son mégajournal pas intime du tout, extraordinaire chant du cygne. Dès qu'il cessa de l'écrire, il cessa d'exister. En 2011, Marc-Edouard Nabe continue de s'agiter, s'égosiller, s'époumoner, coller des tracts incendiaires sur les murs, autoéditer son dernier livre sur internet, se suicider dans le désert, faire campagne pour recevoir le prix Renaudot, avant de stigmatiser le système pourri quand il ne l'obtient pas. Le problème, c'est que ses meilleurs textes sont derrière lui. Quel destin plus triste que d'avoir voulu être Léon Bloy et de finir en sous-Jean-Edern Hallier ?

Numéro 52 : « Si c'est un homme » de Primo Levi (1947)

Ce volume est aussi important que la Bible. Un Livre fonda une religion humaniste il y a des millénaires. Un autre Livre raconte la fin de l'humanité au XXe siècle. Si l'on lit ces deux livres, on a tout lu. Entre les deux, il y eut l'homme. L'homme fut un roseau pensant qui fit quelques belles choses comme la basilique Saint-Pierre, *La Joconde*, Venise, Versailles ou Saint-Pétersbourg. Comment s'y prend Primo Levi pour décrire l'indescriptible ? Très humblement, avec la simplicité d'un style transparent, car ce qu'il a vu et vécu suffit : « le trou noir d'Auschwitz ». Regardez le portrait de Primo Levi sur la couverture de ce livre immortel où parle la Mort. Quand vous revenez de l'enfer, vous arborez ce regard détruit, caché derrière de grosses lunettes. Vos yeux noirs et mouillés n'arrivent plus à pleurer ; un homme déshydraté sanglote sans larmes.

« Je pousse des wagons, je manie la pelle, je fonds sous la pluie et je tremble dans le vent. » Cet homme est mort, bien sûr. Il s'est suicidé en 1987, mais on l'a « terminé » en 1944, dans la banlieue d'une petite ville polonaise. Il y avait plusieurs manières de raconter cette histoire. Il existe des photographies et des films de la libération des camps (*Nuit et Brouillard* d'Alain Resnais). Il existe aussi la possibilité d'enregistrer les rescapés et les bourreaux (ce que fit Claude Lanzmann dans *Shoah*). Enfin, il y a le roman (*Les Bienveillantes* de Littell). Primo Levi a opté pour la pureté solide des faits vrais : « une étude dépassionnée de certains aspects de l'âme humaine ». Il a vu l'homme devenir un « non-homme ». Il a entendu un SS lui expliquer : « Hier ist kein warum : ici, il n'y a pas de pourquoi ». Il a visité « le néant, la chute, le fond ». Il faut l'écouter : il est revenu d'un endroit dont on ne revient pas. Personne ne s'en est jamais remis, d'ailleurs. Depuis 1944, nous vivons sans pourquoi. Nous sommes devenus des post-humains, des zombies, des clones, des robots, des individus matériels, des hédonistes égoïstes, des mammifères (comme dit Pierre Mérot). Des animaux sans « warum ».

Très longtemps j'ai trouvé assez énervant le concept d'« unicité » de la Shoah. Six millions de juifs exterminés sont-ils plus importants que plusieurs dizaines de millions de victimes du communisme ? Eh bien, au risque de choquer mes amis russes, ma réponse est, du point de vue de l'inhumanité, oui. Car ce mass murder-là était planifié industriellement et exécuté selon des critères uniquement racistes, avec des outils techniques nouveaux et rationnels (Zyklon B + crématoires). La Shoah n'a aucun équivalent dans l'Histoire. La « démolition de l'homme » a bien commencé dans cette période-là, entre les années 1942 et 1945, sous les yeux du petit chimiste italien.

Primo Levi, une vie

En octobre 1986, Primo Levi a résumé son existence : « Je suis un homme normal, doué d'une bonne mémoire, qui a été pris dans un tourbillon de l'Histoire, qui en est sorti davantage par chance que par mérite, et qui conserve depuis une certaine curiosité pour ces tourbillons, grands et petits, métaphoriques et matériels. » Né à Turin en 1919, chimiste de formation, Primo Levi est mort au même endroit en se jetant du haut de la cage d'escalier de son immeuble, le 11 avril 1987. Déporté à Auschwitz le 20 février 1944 (à l'âge de 14 ans), il sera libéré en janvier 1945. Son premier livre, *Se questo è un uomo (Si c'est un homme*), passe inaperçu à sa publication en 1947. Il sera réédité en 1958 puis en 1976, où il s'imposera enfin comme le chef-d'œuvre de la littérature des camps (au même titre que ceux d'Antelme, Rousset ou Semprun). Ensuite, Primo Levi tentera d'échapper à la réalité en rédigeant des fables fantastiques (*Vice de forme*, 1971, *Lilith*, 1981, *Le Fabricant de miroirs*, 1986). Mais la réalité le rattrapera.

Numéro 51 : « Carton jaune » de Nick Hornby (1992)

Fever pitch est le seul roman que je connaisse sur la folie du football. *Carton jaune* raconte l'histoire d'une obsession. Celle d'un petit Anglais nommé Nick Hornby, qui, de 1968 à nos jours, n'a jamais cessé de se passionner pour l'équipe d'Arsenal. Tout cela par la faute de son père, qui l'emmena à l'âge de 11 ans, en 1968, voir un match de ce club après avoir quitté sa mère. (A noter qu'on trouve la même scène dans *The Full Monty* : les pères divorcés – ou les scénaristes – manquent d'imagination.) Le football devient alors leur seul lien. Il est parfois difficile de communiquer avec ses parents : par le truchement de cette passion sportive, le dialogue père-fils est rétabli. Par conséquent, selon Hornby, pour être un vrai supporter, il faut avoir été traumatisé quelque part. Le foot vient combler un manque. Les deux places de Nick et son père dans la tribune du stade d'Arsenal, à 40 kilomètres au nord de Londres, deviendront sa nouvelle famille, sa nouvelle maison. En psychanalyse, on nomme cela un « transfert » (attention : en football, cela ne signifie pas tout à fait la même chose, et coûte plus cher). Pour Nick Hornby, une équipe de foot équivaut donc à onze psychanalystes en short qui courent après un ballon rond.

Le petit garçon se met à collectionner les autocollants, il joue au foot avec une balle de tennis dans la rue, il rencontre beaucoup de nouveaux amis, aussi dingues que lui. Puis il vieillit mais ne guérit pas de cette maladie. C'est ce virus que bon nombre de Français ont attrapé un certain 12 juillet 1998 sur les Champs-Elysées par exemple. Mais cette communion est un dérivatif qui peut dégénérer en défouloir. Nick Hornby montre très bien comment la haine se développe : haine de l'équipe adverse, bien sûr, haine de l'arbitre, de l'entraîneur, voire de sa propre équipe quand elle perd, haine des supporters adverses, haine de soi. Comme une très large majorité de drogués du foot, sa haine ne se transforma, Dieu merci, jamais en violence, même s'il en fut parfois la victime.

Carton jaune est une version footballistique de *La Gloire de mon père* de Pagnol : une autobiographie sensible, burlesque et poignante. Sa drôlerie stylisée évoque aussi les fameuses chroniques du Tour de France d'Antoine Blondin. Le prodige de ce livre, c'est de parvenir à nous passionner pour le sort d'une équipe de hooligans ventripotents qui perdait souvent, sous une pluie glacée, dans les années 70-80. Cela dit, pour améliorer votre confort de lecture, rien ne vous empêche de remplacer Charlie George par Zidane, Bob McNab par Blanc et Niall Quinn par Thierry Henry.

Nick Hornby, une vie

Nick Hornby est né en 1957. Vers la fin des années 80, il a renoncé à l'enseignement pour se consacrer à l'écriture et au journalisme. Son premier bouquin paru en France s'intitulait *Haute Fidélité* (Plon) : ce roman sur les femmes et les disques de sa vie, traduit dans douze langues, était en réalité son deuxième livre. *Carton jaune* (en anglais *Fever pitch* : « la fièvre du terrain ») est en effet paru en 1992. Lui aussi a été un gros succès : 400 000 exemplaires vendus. Le critique du magazine *GQ* n'a pas hésité à le qualifier de « meilleur livre sur le football jamais écrit » et de « livre le plus drôle de l'année ». Il a été adapté au cinéma, comme *Haute Fidélité*. Hornby a publié ensuite d'autres romans (*Juliet, naked* sur un fan de rock était très réussi en 2009) mais ce qu'il a fait de meilleur est un scénario de film : *Une éducation* de Lone Scherfig avec Carey Mulligan. Le long-métrage le plus élégant de 2009.

Numéro 50 : « Un pedigree » de Patrick Modiano (2005)

« J'écris ces pages comme on rédige un constat ou un curriculum vitae, à titre documentaire et sans doute pour en finir avec une vie qui n'était pas la mienne. » Depuis *La Place de l'Etoile*, en 1968, il a fallu quarante années à Patrick Modiano pour parachever son tableau impressionniste. Chaque roman apparaissait comme une nouvelle pièce du puzzle, une autre tache de couleur floue. Et soudain, voici qu'on recule de trois pas, et que le paysage apparaît dans toute sa splendeur. Tous les livres de cet écrivain faussement distrait ajoutaient un chapitre supplémentaire à la stèle fragile du souvenir : Paris est une ville de rescapés.

Déjà, en 1997, *Dora Bruder* plongeait dans la réalité à la recherche d'une petite fille déportée. Mais ce n'est qu'en 2005 que Modiano ose l'autobiographie. C'est la première fois qu'il s'expose aussi ouvertement. Le grand bègue élégant entre dans la lumière, comme sa mère éclairée par une poursuite sur la scène d'un music-hall bruxellois. *Un pedigree* fait frissonner comme la fin d'*Usual suspects*, quand l'enquêteur s'aperçoit que les indices disséminés sur le mur dressent un portrait parfait de son interlocuteur. Qui sommes-nous ? Nos parents. D'où viennent-ils ? De la mort, et le pire c'est qu'ils y retournent.

J'ai longtemps cru que Patrick Modiano écrivait toujours le même livre ; en réalité il n'en écrivait qu'un seul. Il construisait un château de cartes puis soufflait dessus. Pour être fidèle à son rêve, il faudrait que ses lecteurs empilent ses romans afin de bâtir une cathédrale miniature. Modiano, c'est du Proust laconique. Ses livres racontent la même chose que la *Recherche* : comment l'absence d'une mère façonne un écrivain. J'aime plus que tout ce paragraphe d'un chagrin incommensurable, qui a fait pourtant éclater de rire toutes les salles où Edouard Baer l'a lu sur scène : « C'était une jolie fille au cœur sec. Son fiancé lui avait offert un chow-chow mais elle ne s'occupait pas de lui et le confiait à différentes personnes, comme elle le fera plus tard avec moi. Le chow-chow s'était suicidé en se jetant par la fenêtre. »

Un pedigree raconte aussi l'histoire de ce père, un juif traqué, obligé de trafiquer pour survivre avec des individus louches et des femmes fatales dans un Paris sombre et mystérieux.

Depuis ses débuts, Modiano rédigeait une bio de ses parents. *Un pedigree* aurait pu s'intituler « Le Décodeur » : on comprend enfin pourquoi il nous racontait des aventures étranges de garçons chic égarés dans le 8e arrondissement de Paris en 1954, ou délaissés à Genève par des parents égoïstes, entourés d'exilés russes ou grecs... Il cherchait sa mère dans ces cabarets interlopes, il appelait son père en composant des numéros qui commençaient par Passy ou

Gobelins... L'urgence de la confession transforme son habituelle petite musique en style télégraphique. Jamais Modiano n'a été si précis et concis. C'est pour suivre un conseil paternel : « On ne doit jamais négliger les petits détails. »

Ce livre d'une pureté déchirante est un inventaire de fantômes. Des gens aux noms démodés (Sacha Gordine, Henry Lagroua, le baron Wolff, Freddie McEvoy, etc.) magouillent, s'entretuent ou s'entraident, avant de disparaître pour toujours. « Ils scintillent dans notre imagination comme des étoiles lointaines. » Au-dessus d'eux plane une comète : Rudy Modiano, le frère cadet mort à l'âge de 10 ans.

« J'ai toujours été gêné de rompre les silences surtout quand ils vous font mal. » Il semble, au vu de l'incroyable émotion dégagée par ce texte, que Patrick Modiano n'avait plus le choix que d'entremêler une fois pour toutes les méthodes de l'archéologie avec celles de la police.

Patrick Modiano, une vie

« Je suis né le 30 juillet 1945, à Boulogne-Billancourt, 11, allée Marguerite, d'un juif et d'une Flamande qui s'étaient connus à Paris sous l'Occupation. » Découvert par Raymond Queneau (comme Boris Vian), Patrick Modiano est l'auteur de vingt-six romans ou récits, de quelques livres illustrés, d'un entretien avec Emmanuel Berl et d'un hommage à Françoise Dorléac. Il est marié à Dominique du même nom, qui fabrique des bijoux. Il est le père de deux belles brunes : Marie et Zina. Il a longtemps vécu avec ces trois femmes dans son appartement : finalement, on peut dire que le bougre s'en est bien sorti. A partir de l'âge de 20 ans, il n'est plus jamais allé dans un pensionnat, ni dans un quelconque bureau. Il s'est arrangé pour n'avoir plus jamais à obéir à quiconque. Il est un des plus grands écrivains français. La vie de Patrick Modiano commence mal mais finit bien, comme les films de Frank Capra. En lisant *Un pedigree*, on pige pourquoi il refuse d'entrer à l'Académie française : il a trop de mauvais souvenirs sur le quai Conti.

Numéro 49 : « NovöVision » d'Yves Adrien (1980)

Peu de livres ont eu la même influence secrète que *NovöVision* d'Yves Adrien sur ma génération. Je me souviens encore de la première fois que je l'ai vu : publié par Philippe Manœuvre dans la collection Speed 17 aux Humanoïdes Associés, il traînait en pile dans la librairie Temps futurs, au fond d'une arrière-cour, rue Grégoire-de-Tours... Ou bien était-ce dans le gigantesque loft bleu d'une amie droguée à New York ? Ou au Regard moderne, rue Gît-le-Cœur, dix ans plus tard ? Il y a comme ça quelques bréviaires mystérieux qui n'ont pas besoin de gros tirages pour bouleverser la littérature (*Rose poussière* de Schuhl, *Les Mauvaises Rencontres* d'Alain Bonnand). On pourrait dire de *NovöVision* la même chose que du Velvet Underground : peu de personnes l'ont lu, mais toutes se sont mises à écrire.

Dès le début, comment ne pas adhérer à un texte dédié « aux icebergs qui dérivent » et « aux écoliers japonais qui se suicident » ? *NovöVision* était une manière de réponse glacée au *Jeune homme chic* de Pacadis (publié deux ans plus tôt, au Sagittaire, en 1978, Yves Adrien y étant présent à chaque page) :

même envie de tenir un carnet d'errances rock'n'roll et mondaines, même souci du détail dans les citations, recherche formelle, jeux de typographie, collages, name-dropping, cut-ups, albums de photos, phrases en anglais... Attention, je n'accuse pas Adrien de plagiat : simplement un dialogue s'instaurait entre deux punk-critics qui voulaient témoigner de leur expérience dans une langue nouvelle, tordue par la dope et les guitares électriques, le sexe et la poésie noctambule.

En fait, ils composaient un tandem essentiel : la dernière tentative de révolte hédoniste après mai 68 et avant la chute du mur de Berlin. Aujourd'hui, Pacadis est mort et Adrien se cache. Le nihilisme punk n'est plus de saison : Oussama Ben Laden avait repris le créneau de septembre 2001 à mai 2011. Pourquoi faut-il encore lire ce texte ?

Parce que son style cyberstoïque reste inégalé. Parce que la couverture argentée va bien avec ma nouvelle montre. Parce que le message d'Yves Adrien demeure d'actualité : « Un livre devrait, dès la première page, hurler sa supériorité. » Parce que, quitte à lire une prose hermétique, autant qu'elle soit plus fashion que celle de Pierre Jourde. Parce qu'Yves Adrien est le Lautréamont des aéroports. Parce qu'il a dédié cette réédition à Jacques Mesrine (1936-1979). Parce qu'on peut le déguster en écoutant le dernier Radiohead. Parce qu'il est sain d'être un peu élitiste, surtout en pleine débauche démocratique. Parce qu'Adrien avait prévu la chute des Twin Towers (en photo, page 69) : « Sombrer sous le barrage des buildings narquois, sombrer et être foulé aux pieds. Oui, la punition s'assortissait au privilège. Et les ascenseurs (impavides) chutaient chaque soir du haut des tours, précipitant de nouveaux perdants dans la, splaaash, piscine des ténèbres. » Le mot « vision » n'était pas usurpé.

Yves Adrien, une vie

Pour fuir l'ennui, Yves Adrien a changé souvent d'identité. Au début, il se définissait comme un « cobaye du siècle ». Tel Zelig ou Cocteau, ce caméléon s'adaptait aux modes pour mieux les traverser. Il eut alors une période cheveux courts, cravate fine, polaroids dans *Palace magazine*. Sans le savoir, il fit partie de ceux (Alain Pacadis, Malcolm McLaren et Vivienne Westwood, Jacno et Mondino) qui inventèrent le punk. Dès que tout le monde l'eut rejoint, il lança la mode « novö » avant de disparaître : on était en 1980. On ne le trouva plus. Il envoyait parfois de ses nouvelles aux journaux rock, signées Orphan. Vingt années s'écoulèrent. En l'an 2000, il revint déguisé en Sioux des Seychelles, enturbanné et illuminé. Flammarion publia ses articles aussi mythiques que mystiques sous le titre *2001, une apocalypse rock*. Il laissa le Goncourt à son ami Jean-Jacques Schuhl, avant de proclamer la mort d'Yves Adrien. Désormais, à la manière de Prince, il faudrait l'appeler « ghost-writer 69-X-69 ». Depuis, il brille en silence, tel un astre mort.

Numéro 48 : « La Route du retour » de Jim Harrison (1998)

L'avantage avec les grands écrivains, c'est qu'il suffit de les recopier pour les définir :

« Presque trente ans plus tard, alors que je rassemble tous ces souvenirs, je redeviens cet humble pète-sec envahi d'hormones, passablement effrayé par la nuit, le chien de Fred, l'éclat de la lune sur le lac, le pouvoir du derrière de Laurie jaillissant dans l'encadrement de la porte, la folie des filles, le *Livre des Révélations*, mon père ivre et pervers, ma mère qui s'entourait d'un tel capitonnage qu'elle en devenait fantomatique, et parfois je priais agenouillé à même le plancher pour que la douleur aiguise ma lucidité. Aujourd'hui, j'ai apparemment épuisé toutes mes peurs, mais je suis capable de les recréer. »

Tel est le sens de l'œuvre d'un des plus solides romanciers contemporains : transcender, par le truchement de la fiction, des peurs adolescentes. Recréer les émotions éternelles en remontant plusieurs générations de l'Amérique. Inventer une forme de western littéraire moderne.

La clé de l'œuvre de Jim Harrison se trouve dans une citation du *Livre des Révélations*, à la fin du Nouveau Testament : « Je te désire soit brûlant soit froid, car si tu es tiède, je te répudierai. » Né à Grayling (Michigan) en 1937, Harrison ne connaît pas la tiédeur. Son enfance rurale fut la même que celle du héros de son Bildungsroman (*De Marquette à Veracruz*, 2004) : soleil en été, neige en hiver. Tous les thèmes de son œuvre viennent de l'aube de sa vie : la force de la nature, la tentation de la route, le goût de la pêche et de la chasse, l'amour des femmes (notamment les strip-teaseuses), l'absence de Dieu (« Dieu a créé le cosmos il y a des milliards d'années, puis il est parti en laissant tout en plan »), la sagesse des Indiens, la joyeuse tentation du sexe, les dangers de la cupidité américaine, la violence des secrets de famille... et la beauté de la France. Adulte, Harrison se lança à New York dans l'enseignement et la poésie, l'un finançant l'autre. Jim Harrison admire Hemingway, qui voulait écrire comme Cézanne peint. Il cherche à observer le destin sous tous ses angles. Pourtant ce n'est pas un peintre mais plutôt un sculpteur sur bois : à la fois bûcheron et menuisier, il charpente ses totems comme un Iroquois dont le matériau serait rendu friable par les termites du doute, de l'inquiétude et de la sensibilité. L'adaptation hystérique de *Légendes d'automne* par Edward Zwick en 1995 le dégoûta de Hollywood (point commun avec Fitzgerald et Faulkner). En 2002, il publia un superbe volume de mémoires (*En marge*). On y apprenait comment il avait perdu sa sœur, deuil dont il ne se remettra jamais. Cette douleur dicte sans doute la puissante fragilité de sa prose. Jim Harrison est un auteur ambitieux, mais pas ambitieux pour le plaisir de s'inscrire dans les manuels d'histoire littéraire, seulement ambitieux avec les moyens de l'être : le désir, la joie, la tristesse, le souffle, la liberté, le plaisir.

Et me voilà assis en face de Jim Harrison. Il ressemble à sa légende : un grizzli borgne, ultrasensible et prévenant, avec une canne et un ventre. Un grizzli aux dents écartées (« dents du bonheur », comme Paul Nizon ou Benoît Duteurtre), avec les yeux de Jean-Paul Sartre. C'est Gérard Oberlé qui a suggéré La Taverne Basque, rue du Cherche-Midi. Moi, comme un plouc, j'avais pensé les inviter à l'Atelier Robuchon, mais Oberlé s'est foutu de ma gueule :

— Tu t'imagines que Jim va dîner assis sur un tabouret ?

Les deux écrivains se connaissent depuis longtemps. Jim Harrison considère Oberlé comme le plus excentrique de ses amis français, et le plus français de ses amis excentriques. Ils aiment les mêmes vins, les mêmes festins, les mêmes livres. Il n'y a que sexuellement qu'ils n'ont pas les mêmes goûts ! J'étais passé les chercher en taxi pour les emmener au Lutetia. Mais il y avait trop de monde au Prix des Lectrices de *Elle*, et les grizzlis borgnes ont du mal à tenir plus d'un quart d'heure dans les cocktails littéraires sans manger un bras à quelqu'un.

Pour éviter le drame, on avait filé à l'américaine. Filer à l'américaine, c'est comme filer à l'anglaise en moins discret (par exemple, en hurlant : « See you later motherfucker ! »). A La Taverne Basque, on commanda des côtes de bœuf, sauf Jim : il préférait les rillettes, l'andouillette, rien que des plats finissant en « ette ». Le vin était délicieux, donc on en buvait beaucoup. A Christophe Ono-dit-Biot qui lui disait qu'il aimait les femmes petites, Jim Harrison expliqua que « l'avantage avec les femmes petites, c'est qu'on a l'impression d'avoir une plus grosse bite ». Le ton était donné.

J'aime quand les écrivains ne sont pas décevants ; c'est rare. Généralement, pour ne pas décevoir, ils se taisent. Comme ils parlent toute la journée à une feuille de papier, forcément, le soir ils n'ont plus rien à dire à leurs congénères. Mais Jim Harrison peut parler sans décevoir. Je venais de le lire : j'avais donc passé plusieurs jours et nuits dans son cerveau et sa vie. Je savais comment il avait perdu son œil et sa sœur. Je savais aussi pourquoi il était devenu écrivain, et comment Hollywood l'avait dégoûté de la cocaïne. Je connaissais ses sept obsessions : l'alcool, les strip-teases, la pêche, Dieu, la France, la route, la nature. J'étais bien sûr incapable de lui parler, paralysé par la timidité.

Tous autour de cette table, nous voulions être Jim Harrison, sauf lui, qui voulait être Jack London. L'homme que j'avais en face de moi et qui défendait la beauté d'Anjelica Huston (dont je ne suis toujours pas convaincu) venait aussi de me promener par écrit, de la manière la plus humaine possible. Je regardais son présent et son passé s'entrechoquer dans sa moustache. Je suis un Parisien qui se sert des romans pour voir des forêts et des ciels, courir dans des prairies, chasser des oiseaux comme un Indien. Grâce à Jim, j'ai attrapé une truite arc-en-ciel et deux martins-pêcheurs, puis j'ai parcouru la route 12 qui traverse le centre du Nebraska. Tout cela sans sortir de mon immeuble du 6e arrondissement.

Jim Harrison, une vie

Il va falloir tenter de résumer en vingt lignes ce que Jim Harrison a vécu en soixante-cinq ans et raconte en 466 pages dans *En marge*. Avant de dîner avec moi, Jim Harrison est né à Grayling, dans le Michigan, en 1937. Il a fait ses études à l'université du Michigan. Ses premiers textes (un recueil de poèmes : *Plain Song* en 1965) évoquent son enfance rurale. Il enseigne quelque temps à Stony Brook, une université de New York, dans le but de faire vivre sa femme et ses deux enfants. Thomas McGuane lui suggère d'écrire *Wolf* en 1971. Ensuite, Harrison est l'auteur de deux grands romans ébouriffés : *Dalva* et *La Route du retour*, où il reprend (en les modernisant) les mythes du western (l'expérience des régions sauvages, la rencontre avec l'Indien, la destruction de la faune, l'apprentissage de la liberté et de l'amour). Certains de ses livres ont été adaptés au cinéma, notamment *Légendes d'automne* et *Wolf*. Jim Harrison vit aujourd'hui près de Lake Leelanau, un petit village où il est surtout connu comme chasseur et pêcheur. Enfin, le 12 mai 2003, il a dîné avec moi.

Numéro 47 : « Le Diable et la Licorne » *de Jean-Pierre George (2004)*

Je buvais une vodka Finlandia en haut d'un gratte-ciel à Helsinki, contemplant la mer blanche et les bateaux gris, quand soudain mon téléphone portable a vibré dans la poche de mon jean, ce qui n'était pas désagréable. « Salut, ici Benoît Duteurtre. Tu devrais lire le livre de Jean-Pierre George. » Ainsi va ma vie : souvent des amis m'appellent pour me conseiller de lire Machin ou Bidule. Petit à petit, je me suis constitué un réseau d'informateurs de première catégorie. Duteurtre, je l'écoute davantage que les autres, car c'est lui qui m'a présenté Michel Houellebecq et Milan Kundera. « Mais Benoît, je suis à Helsinki, en haut d'un gratte-ciel, en train de contempler la mer grise et les bateaux blancs ! — Ah bon ? Mais qu'est-ce que tu fous là-bas ? — Je bois pour le savoir. — Eh bien, lis Jean-Pierre George, tu verras : c'est un alcool littéraire. » On ne sait jamais s'il faut faire confiance à ce genre de recommandations. Duteurtre était peut-être obligé de me conseiller ce livre, l'auteur lui tordait éventuellement le bras quand il m'a appelé, avec un flingue braqué sur sa tempe.

Mais je savais qu'il n'était pas attaché de presse aux éditions de la Table Ronde. Son conseil était purement amical, et il m'avait déjà fait connaître Ned Rorem, et Philippe Muray. De retour à Paris, j'ai donc voulu en avoir le cœur net. Après quelques heures de spéléologie dans mes piles d'enveloppes non ouvertes, j'ai déniché *Le Diable et la Licorne*. Un très mauvais titre. Cet auteur n'avait pas mis toutes les chances de son côté. La bande rouge attira néanmoins mon attention : « Métaphysique du strip-tease ». Pour moi qui passais mes nuits entre le Hustler Club, le Stringfellows et le Pink Paradise, à comparer la qualité des épilations maillot, une telle œuvre tombait à pic.

J'ai ouvert le livre sur ce paragraphe attrayant : « Rien, ou presque, à mes yeux, ne le cédait à l'attrait imprévu d'une fine bretelle tombant impromptue sur l'épaule nue d'une fille ou à la provocation d'une dentelle dépassant d'une étoffe sévère. Futile et frivole, je trouvais dans les plaisirs et les transgressions, dans le sexe, motif à oublier conformisme et ennui de toutes choses. » Et voici que, debout dans le couloir de mon appartement de la rue Guynemer, celui où j'ai failli être heureux avec ma deuxième femme, j'ai dévoré un texte lumineusement obscène, doux et dur comme *Le Petit Ami* de Léautaud, chic et culte comme *Rose poussière* de Schuhl, élégant et érudit comme n'importe quel livre de Guy Dupré ou Mathurin Maugarlonne (si vous ne connaissez pas ces derniers, j'en suis navré ; comme disait le prince Poniatowski : « Si ce livre vous paraît snob, c'est qu'il n'est pas pour vous » !). Je cessai de répondre au téléphone. J'ai bu ce livre cul sec. La littérature est la rencontre improbable d'un diable et d'une licorne sur une table d'opération. Le livre raconte l'admiration d'un écrivain situationniste pour une danseuse du Crazy Horse Saloon. Il raconte cette passion avec délicatesse, en citant Jacques Rigaut : « Chaque Rolls Royce que je croise prolonge ma vie d'un quart d'heure. » Au fil de pages tirées à quatre épingles, on croisera également les Rolling Stones et Guy Debord, Pierre Bourgeade et le Katmandou (la boîte de lesbiennes de la rue du Vieux-Colombier), et la « Salomé » de Gustave Moreau. Merci à Benoît Duteurtre d'avoir si bon goût. Merci à Jean-Pierre George d'écrire plus légèrement que Guy Debord.

Jean-Pierre George, une vie

Jean-Pierre George est l'auteur de deux livres à trente ans d'écart : *L'Illusion tragique illustrée* chez Julliard en 1965 (« gadget », dit-il, en réalité un manifeste des premières années situationnistes), puis *Naissance d'une princesse* à la Table Ronde en 1995. Pourquoi ce silence entre les deux ? Parce que Jean-Pierre George est l'Yves Adrien des sixties. Dans *Le Diable et la Licorne* en 2004, il esquisse une explication : « J'achetais des cigarettes de contrebande aux abords des night-clubs. J'avais de grosses liasses de cash dans les poches. Le soir, je marchais au whisky-coca. Les filles me maquillaient dans les loges. » Toutes ces années ne furent pas perdues, puisqu'il accompagnait Rita Renoir, la déesse de ses nuits sans lune. « Je ne ferai pas de carrière littéraire. Je tournerai le dos à la société des hommes. » Jean-Pierre George a choisi la femme plutôt que le travail. C'est ainsi qu'il a vaincu les écrivains besogneux, les arrivistes compromis, les notables de la subversion. Chapeau ! (Comme dirait Max Ernst : « C'est le chapeau qui fait l'homme. Le style, c'est le tailleur. »)

Numéro 46 : « Un bien fou » d'Eric Neuhoff (2001)

Depuis son râteau avec Isabelle Adjani dans *Un triomphe* (1984), Eric Neuhoff est un des seuls écrivains vivants dont j'ai lu tous les livres. Il faut dire qu'ils sont courts. Mais enfin tout de même, c'est très rare, quelqu'un dont on lit tranquillement, naturellement, instantanément, tout ce qu'il publie. Dans *Un triomphe*, il écrivait ceci : « Les jeunes gens ne savent pas où ils en sont. Ils ignorent s'il vaut mieux entrer aux Bains-Douches ou dans la Pléiade. » Il y avait de quoi être immédiatement conquis. Il disait aussi : « Ecrire, écrire, vous êtes marrants, vous. Il n'y avait quand même pas que ça à faire. » Du Bernard Frank pur jus. Je râle toujours contre Neuhoff, certes, je peste contre ses phrases courtes, ses personnages démodés, ses images empruntées au cinéma américain, sa mélancolie piquée à Françoise Sagan, sa petite musique inspirée de Patrick Modiano ; je fulmine quand il nous refait le coup du portrait d'une ravissante chipie (Laetitia en 1989, *La Petite Française* en 1997, Maud dans *Un bien fou*), ou quand il nous cite toujours les mêmes icônes blondes (Sydne Rome, Candice Bergen, Faye

Dunaway). Mais je lis tous ses livres : ce sont des rendez-vous que je ne loupe jamais. Vous croyez que c'est facile ? La vérité, c'est que personne n'est capable d'imiter les notations précises de Neuhoff, sa façon perçante de résumer une après-midi ensoleillée (« Une guêpe se posa dans un reste de glace fondue »), sa tendresse envers les femmes (« Sur le visage, un perpétuel air de surprise, comme si elle avait été éblouie par un flash » ; « La dizaine de choses que je déteste chez Maud : euh, aucune »), son goût du détail chic (dans les romans de Neuhoff, on sait toujours ce que les personnages mangent, boivent, et quelle est la marque de leur chemise), son sens de l'aphorisme dandy (comme ce vibrant éloge du mariage : « Il faudrait toujours vivre avec quelqu'un, ne serait-ce que pour éviter de pisser en laissant la porte ouverte. »).

Neuhoff est un charmeur, comme son maître François Truffaut. On l'a vu grandir. A présent, on pourrait presque le considérer, sinon comme un adulte (Michel Houellebecq a raison de dire qu'« on ne devient jamais réellement adulte »), du moins comme un garçon majeur et vacciné par la vie. Sa gravité nouvelle nous fait « un bien fou », comme la lettre que son héros publicitaire envoie à Sebastian Bruckinger, l'écrivain mythique qui lui a piqué sa femme. Eh oui : un type qui ressemble à l'auteur de *L'Attrape-Cœurs* peut aussi choper ta femme, et plutôt deux fois qu'une ! Tel est le sujet d'*Un bien fou* : que faire si votre femme tombe amoureuse de votre idole ? Quelle lettre Charles Bovary aurait-il écrite à Rodolphe Boulanger ? Tout mari cocu est partagé entre l'aigreur et l'admiration, la rancune et l'envie, la jalousie et le désir, la tristesse et l'échangisme. Après tout, si un type génial aime votre épouse, cela confirme qu'il a bon goût (et donc vous aussi). « Je crois qu'il y a des histoires qui ne finissent jamais. La nôtre est celle de deux personnes qui ont essayé de s'aimer, qui n'y sont pas arrivées et qui le regretteront toute leur vie. » Je vais être chiant et pompeux – la prétention, tout ce que Neuhoff déteste – mais tant pis, il faut bien que quelqu'un se dévoue pour le dire : et si sa douzaine de bouquins bâclés et flemmards, agaçants et nonchalants, ces romans, ces chroniques, ces souvenirs, ces hommages, et si tout cela finissait par constituer une… œuvre ? Beurk, dira-t-il. Quel gros mot. Comme tous les vrais dandies, Neuhoff refuse de se faire remarquer. Désolé, old sport.

Eric Neuhoff, une vie

Né en juillet 1956 à Paris, Eric Neuhoff fut blasé avant d'être vieux. Il grandit à Cahors sans l'avoir décidé. Après son bac, il tente une khâgne à Toulouse, puis échoue au concours d'entrée de Normale Sup pour éviter de devenir Mazarine Pingeot. A la place, il sera journaliste, au *Matin de Paris* puis au *Figaro*. En 1982, il publie son premier roman à la Table Ronde : *Précautions d'usage* a été réédité en poche, ce qui permet de vérifier que tout y était déjà, la légèreté profonde, la pudeur élégante, le charme tout court (même si j'ai préféré *Un triomphe* en 1984, pamphlet sans ennemis). En 1989, il a reçu le prix Nimier pour *Les Hanches de Laetitia*, en 1997 le prix Interallié pour *La Petite Française* et en 2001 le Grand Prix du roman de l'Académie française pour *Un bien fou*. Il écrit aussi des articles sur les romans étrangers au *Figaro littéraire* et disserte sur le cinéma au « Masque et la Plume » et au « Cercle ». Il entrera à l'Académie française en 2016. Se souviendra-t-il alors en souriant de ce qu'il disait dans *Un triomphe* ? « On n'allait tout de même pas vieillir à la Léautaud, avec de vieux pulls troués, baigner dans une odeur de pipi de chat. » Eh bien si, voilà ça te pend au nez !

Numéro 45 : « Ange Vincent » de Jean-Claude Pirotte (2001)

Qu'est-ce que la poésie ? Une suite de mots dont on ne saisit pas tout de suite le sens, mais dont l'assemblage est beau à lire, à entendre, à réciter, à rêver. La poésie, c'est un livre qui parle de la pluie, un livre sur le silence. Quelque chose de plus qu'une simple histoire à raconter : la grâce ne se « pitche » pas. Jean-Claude Pirotte est un poète avant d'être un romancier, parce qu'il attache plus d'importance à la musique qu'aux anecdotes. Et pourtant il en a vécu un paquet, d'anecdotes, cet ancien avocat buissonnier... Ce qui fait d'*Ange Vincent* une des plus fortes émotions de cette liste tient dans le mélange de la langue la plus pure avec les souvenirs les plus évanescents. Conçu comme un catalogue de fragments dédiés aux femmes de sa vie (en commençant par le commencement : sa mère froide, et une sœur lointaine), ce roman autobiographique n'a pourtant pas grand-chose à voir avec un pendant masculin de *Dans ces bras-là* de Camille Laurens. Car Pirotte flotte : chacune de ses phrases semble échapper à la précédente. Saluons la victoire du solitaire en fuite sur les agités grégaires. Jamais je ne me suis senti aussi proche d'un styliste qui pourrait être mon parfait contraire.

Toutes les douleurs font son miel : une photo retrouvée, le son d'un fado, une phrase de D. H. Lawrence, des femmes prénommées Claire, Mariuccia, Lise, Lucina, Caria, Perle d'Eau, et des arbres, et le vent. Par instants, Pirotte se hisse si loin au-dessus des contingences ridicules d'une rentrée littéraire que l'on se croirait en train de lire Fernando Pessoa. Cela nous repose des combines et scandales automnaux. Pirotte a un secret : l'écriture en creux. Son goût de la sécheresse et de la rareté donne à chaque page de ses livres une densité inhabituelle et incongrue. On a envie de l'apprendre par cœur, de se bourrer la gueule de mots comme « hiver », « vallée », « siècles », « fenêtre » et « nuit » qui reviennent si souvent sous sa plume Pirotte, c'est du Bobin réussi, du Delerm qui aurait troqué le « moins-que-rien » pour le « plus-que-tout ».

Certains passages seraient à recopier, pour expliquer aux récalcitrants ce qu'est la littérature : « La petite ville demeure bleue, grise, bleue, noire, bleue. » Est-ce de la paresse, cette hésitation, cette répétition ? Non, c'est la vérité changeante, l'indécision du poète en prose qui tente de décrire un village du Nord, dont la lumière évolue selon les caprices des nuages. Comme chez Baudelaire : « Ta tête, ton geste, ton air/Sont beaux comme un beau paysage » ou Eluard : « La Terre est bleue comme une orange ». L'écrivain est un dictateur qui a tous les droits, dès lors qu'il traque une vision subjective.

Dans sa préface, Pirotte dévoile un secret de fabrication : « Je voudrais que ma mémoire découvre sans l'aide de personne ce qui échappe à la mémoire. » A quoi sert l'écriture à part cela ?

Jean-Claude Pirotte, une vie

Cela fait des années que Jean-Claude Pirotte est un écrivain culte. Personnage atypique, buveur invétéré, capable d'être aussi intime avec un clodo qu'avec Michel Déon, Pirotte fut d'abord poète maudit avant de fuir la société belge. Né à Namur en 1939, ce grand avocat fut accusé en 1975 d'avoir favorisé l'évasion d'un client, ce qui lui valut d'être rayé du barreau, puis condamné par contumace à dix-huit mois de prison. Car il avait pris la poudre d'escampette : parti en cavale, il a vécu dans l'anonymat et le nomadisme jusqu'en 1981. Depuis, il a publié plus de quarante livres (recueils de poèmes, nouvelles, contes, chroniques, romans), s'est marié deux fois, a eu deux filles et une petite-fille (il aime les filles, qui sont d'ailleurs le sujet d'*Ange Vincent*). Discrètement, par son phrasé cristallin et un sens aigu de l'amitié comme de la mélancolie il s'impose de plus en plus comme un digne successeur d'Antoine Blondin (publié chez le même éditeur). Un Blondin bucolique et écolo, qui n'aurait pas fait le Tour de France à bicyclette, mais en cachette.

Numéro 44 : « Cosmopolis » de Don DeLillo (2003)

Cosmopolis de Don DeLillo, c'est *Ulysse* de Joyce en remplaçant Dublin par New York, juin 1904 par avril 2000, et Leopold Bloom par un golden boy coincé dans sa stretch limousine blanche. L'île de Manhattan est entièrement bloquée par un embouteillage géant : le trader va donc donner ses rendez-vous dans sa voiture aux vitres fumées. Voilà bien une situation romanesque qui n'aurait guère été imaginable avant les années 90. Avec le téléphone mobile et l'ordinateur portable, Eric Packer, 28 ans, peut foutre en l'air la planète de son bureau roulant. Il a tout misé sur la chute du yen. Tel George Soros, il a de grandes théories philosophiques pour justifier sa spéculation financière. Il achète des tableaux pour se sentir vivant. C'est un Patrick Bateman sans les meurtres sexuels, un Jim Profit qui ne dort pas dans un carton d'emballage mais dans un appartement avec piscine et salle de cinéma. DeLillo a tout fait pour ne pas plagier Ellis mais il l'imite quand même : par exemple, les problèmes d'insomnie du personnage, son goût pour la gym, et son obsession narcissique (« Il ne savait pas ce qu'il voulait. Et puis il le sut. Il voulait se faire couper les cheveux »). Il y a aussi des différences : par exemple, Eric Packer a des gardes du corps. De toute façon, il n'est pas interdit de s'inspirer du grand livre d'un auteur qui lui aussi s'est inspiré de vous. Le problème est ailleurs : DeLillo hait son héros, alors qu'Ellis ne pouvait pas s'empêcher de l'aimer. *Cosmopolis* est un roman dont le personnage principal est le pire ennemi de l'auteur. Difficile de s'y accrocher puisque celui qui a écrit le livre n'a qu'une envie : s'en débarrasser. Pourtant j'adore ce livre quand même. *Cosmopolis* est si génial que j'ai pu m'attacher à son héros malgré les efforts de son auteur pour m'en dégoûter.

Unité de temps, de lieu et d'action : DeLillo nous a concocté une tragédie – à notre connaissance, la première tragédie en limousine depuis la création du genre dans l'Antiquité gréco-romaine. L'avantage de la tragédie à roulettes, c'est que les protagonistes peuvent se déplacer tout en restant assis. C'est la ville qui défile autour de leur immobilité. DeLillo vient d'inventer le roman picaresque qui fait du surplace. Les dialogues sont tordus, acides et absurdes, toujours surprenants, jusqu'au meurtre final. *Cosmopolis* ferait une étonnante pièce de théâtre.

Il y a un côté Beckett sur Lexington : ce sont des automates désespérés qui se jettent des phrases comme des poignards dans un numéro de cabaret. DeLillo s'échine à n'écrire que des apophtegmes bizarroïdes : « le lycée était le dernier vrai challenge », « le talent est plus érotique quand il est gâché », « Arthur Rapp se faisait tuer en direct sur Money

Channel », des uppercuts dans l'upper-east, une littérature Bloomberg. En plus, quelques euros pour un tour en limousine dans New York, c'est vraiment une bonne affaire.

Don DeLillo, une vie

Né en 1936 à New York, ce fils d'immigrés italiens est un peu le De Niro de la littérature américaine contemporaine : Don DeLillo a grandi et fait ses études dans le quartier du Bronx. A 35 ans, il rédige son premier roman : *Americana* (1971). Les treize romans de Don DeLillo ont imaginé pas mal de choses qui sont arrivées depuis : attentat au World Trade Center dans *Joueurs* (1977), fuite de gaz toxique dans *Bruit de fond* (1985), sectes terroristes dans *Mao II* (1991), islamisme dans *Les Noms* (1982). Ma parole, c'est Nostradamus, ce gars-là ! Cependant il a aussi écrit sur des choses qu'il avait vues à la télé : l'assassinat de Kennedy dans *Libra* (1988), la menace atomique et un match de base-ball datant de 1951 dans *Outremonde* (1997), le body art dans *Body Art* (2001). En vérité ce visionnaire est juste un ancien publicitaire (il fut concepteur-rédacteur pendant cinq ans chez Ogilvy) qui lisait beaucoup de journaux et se transforma en romancier. Dans *Cosmopolis* (2003), le sujet est la traversée de New York par un milliardaire. Dans *L'Attrape-Cœurs* de Salinger (1951), c'était la traversée de New York par un fils de bourgeois. Après Kerouac, on ne traverse plus l'Amérique, on se contente de traverser la rue. C'est déjà pas mal si on arrive vivant sur le trottoir d'en face.

Numéro 43 : Le premier album de Téléphone (1977)

Les disques sont mon carbone 14 : n'ayant qu'une faible mémoire, ils me permettent de me repérer dans l'espace-temps. Je ne sais pas ce que je foutais entre 1965 et 1985, mais je sais que le double album orange *Songs in the key of life* de Stevie Wonder passait en boucle dans les cocktails de mon père, c'est ainsi que je devine que j'avais 11 ans quand ses amies norvégiennes m'embrassaient dans le cou. Même chose pour le premier album de Téléphone : je ne me souviens pas de l'année 1977 mais je sais qu'on entendait ce disque dans les boums du lycée Montaigne. Cette méthode de datation aurait sûrement plu à Proust. Dans *Du côté de chez Swann*, la sonate de Vinteuil le transporte dans des mondes perdus. Ajoutez à ce goût pour les madeleines un léger gâtisme, une forte dose d'auto-apitoiement, la douce frustration de l'adolescence, et vous saurez pourquoi l'un de mes romans préférés de tous les temps est le premier 33 tours du groupe « TELEPHONE ». Ce devait être un très bon nom puisque Lady Gaga et Beyoncé l'ont plagié trente-trois ans après. Je propose de le réécouter ensemble pour en saisir la volupté spontanée.

Je précise que cet album date d'un temps où les disques avaient un début et une fin. L'ordre des chansons avait un sens (du moins le cherchait-on), car l'aiguille du saphir avançait inexorablement sur un microsillon de vinyle vers un rond central ; c'était avant l'invention du video-clip. On avait la tête qui tournait à force de regarder la platine : il n'y avait rien d'autre à voir (MTV fut créée quatre ans après).

L'album commence par *Anna.* Imagine donc, ô jeune ignare qui lit cela, un autre jeune ignare de ton âge, trois décennies plus tôt : moi, qui entends *Anna* pour la première fois. C'est un morceau lent au démarrage, qui s'énerve comme un play-boy après douze râteaux. Un rock répétitif, pas forcément le meilleur de l'album, mais dont l'énergie pue le sexe : « Oh mais tiens-le-toi pour dit ce soir on va s'aimer ». Certes, ce n'est pas du Shakespeare, mais on entend les cris de Corine Marienneau qui répondent à ceux de Jean-Louis Aubert, respectivement âgés de 25 et 22 ans, il fait chaud, et le message est le même depuis Roméo et Juliette. Choisir d'ouvrir le premier album du premier grand groupe de rock français par cette chanson était aussi une façon d'annoncer la couleur : si vous n'aimez pas la transpiration, passez votre chemin.

Le morceau qui suit s'intitule *Sur la route.* Cette fois, on entre dans le vif du sujet. Hommage à Kerouac ? Attention, en France, la beat generation a généralement inspiré des chansons baba cool à la Maxime Le Forestier ou Hugues Aufray... Le titre débute d'ailleurs très calmement. Puis le rythme s'accélère. C'est un hymne à la fugue, à la fuite. Je me souviens que je l'écoutais en cassette dans mon premier walkman, en train ou en bagnole, c'était parfait pour se sentir libre quand on ne l'était pas. Aubert (auteur des paroles) ose une rime trichée que j'adore : « Je suis sur la route / Et j'en ai rien à fout' ». Le charme de ce disque : enregistré en deux semaines, il respire le bâclage, la vitesse, le « par-dessus la jambe » qui est la vérité de toute jeunesse. Quand on est jeune, on est pressé de partir de chez ses parents. Du moins, c'était comme ça en 1977.

Dans ton lit a une construction plus carrée. La musique de Téléphone est tout entière contenue dans ce titre : ce n'est pas un groupe punk, mais de rock classique. S'ils furent très tôt comparés aux Stones, ce n'est pas seulement à cause de la grosse bouche du chanteur. La progression de cette chanson est tellement banale qu'elle résonne comme un standard. Le solo de guitare de Bertignac est de ceux que Keith Richards n'arrivait plus à jouer à l'époque car il était déjà trop riche.

Suit *Le vaudou (est toujours debout)*. Un déluge de violence pour l'époque : « Quand je suis né, j'ai crié ». Guitares saturées, batterie déchaînée, je me souviens d'un concert de Téléphone à Pantin où ce morceau durait un quart d'heure, j'avais tellement secoué la tête que mon cerveau avait failli me sortir par les trous de nez. Il faut s'imaginer, ô jeune amnésique, qu'en ce temps-là la France était gouvernée par Valéry Giscard d'Estaing, qui n'était pas une bombe sexuelle. Un morceau pareil pouvait te bombarder Jim Morrison de ton immeuble.

La face A s'achevait sur *Téléphomme*, la ballade de rigueur, dont les paroles prennent un sens nouveau aujourd'hui. Une suite de numéros à composer « et puis atteeendre ». Ce qu'on peut dire c'est que Jean-Louis Aubert avait eu l'intuition du romantisme qu'aurait le téléphone dans les années à venir, et ceci quinze ans avant l'invention du portable.

La face B est démente. *Hygiaphone* était le tube absolu de mes premières boums, avec son intro pompée sur Chuck Berry. C'est un rock'n'roll simplissime qu'on pouvait danser seul ou accompagné, avec des auréoles sous les bras. Le refrain archibasique parle de l'isolement contemporain. C'est vraiment la chanson de ma génération dominée par les machines : « danser sur ton électrophone », on ne faisait que ça, c'était un hymne à l'humanité ; on peut dire que *We are the robots* de Kraftwerk était une sorte de réponse teutonne à cette chanson l'année suivante.

Métro (c'est trop), malgré son calembour bassement démago, fut aussi un tube des fêtes de mon lycée. Quand je faisais le disquaire – le terme « Disc jockey » était réservé aux animateurs de radio à l'époque – je me souviens que je laissais tourner la face B de cet album en entier, ce qui était pratique pour aller boire un Coca ou parler aux filles sans sourire pour qu'elles ne voient pas mes bagues sur les dents. Qui fait des morceaux pareils aujourd'hui ? Les Plasticines, les Second Sex, les BB Brunes jouent au second degré, ils sont écrasés d'influences, ils ont l'énergie de Téléphone mais pas l'innocence d'Aubert et Bertignac. C'est compréhensible mais regrettable car le secret du rock est justement qu'il faut être un peu couillon, être capable de hurler « Métro c'est trop, tout le monde descend, publicité dans la cité, affiche tu t'en fiches » comme un pauvre niais révolté qui déconne à pleins tubes. Les jeunes d'aujourd'hui sont trop érudits.

Prends ce que tu veux est sous-estimée, mais j'ai une tendresse particulière pour cette chanson. C'est là que Téléphone était à son meilleur, dans ce songwriting classique, aux riffs simples comme bonjour. Tu as l'impression que tu aurais pu l'écrire dans ta cuisine, et chanter la chanson dans ta salle de bains, devant ta glace, en mimant la guitare avec ta raquette de tennis. Chaque fois que je l'entends, je suis violemment ramené en arrière de trente ans, et je redeviens champion d'« air guitar » comme de « head banging ». Cette chanson a été miraculeusement troussée en deux temps trois mouvements comme une fermière sur une botte de foin. Peut-être ma préférée de toute l'histoire du rock français : si j'étais un bébé rockeur, je la reprendrais illico presto, elle est indémodable.

Flipper clôt ce disque en apothéose, c'est le chef-d'œuvre de Louis Bertignac, le morceau phare, que Corynne Charby a essayé d'imiter en vain toute sa vie. Et que Bertignac a essayé de retrouver toute sa vie aussi ! Ô jeune succédané (succès damné), n'oublie jamais d'où tu viens : d'un monde où tes ancêtres jouaient au billard électrique dans des cafés enfumés, où la musique était la seule issue à l'aliénation, où Facebook n'existait pas car on préférait « jouer sa vie de bumper en bumper ».

La seule justice en Art, c'est de parvenir à traverser le temps. La musique déclenche en nous cet appétit d'éternité : « Peut-être est-ce le néant qui est le vrai et tout notre rêve est-il inexistant, mais alors nous sentons qu'il faudra que ces phrases musicales, ces notions qui existent par rapport à lui, ne soient rien non plus. Nous périrons mais nous avons pour otages ces captives divines qui suivront notre chance. Et la mort avec elles a quelque chose de moins amer, de moins inglorieux, peut-être de moins probable » (Marcel Proust, *Un amour de Swann*).

Téléphone, une vie

La vie de Téléphone dura dix ans (1976-1986). Le plus grand groupe de l'histoire du rock français était l'assemblage de quatre personnes hétéroclites : Jean-Louis Aubert, Louis Bertignac, Corine Marienneau et Richard Kolinka. Ils n'étaient pas seulement les meilleurs, ils étaient surtout les premiers ! C'est-à-dire que personne avant eux (depuis les yéyés, lesquels faisaient plutôt des reprises) n'avait véritablement fondé en langue française un groupe simple de rock'n'roll à l'anglaise ou à l'américaine : chant-guitare-basse-batterie, capable de crier dans notre idiome des morceaux carrés, avec couplet-refrain-couplet-refrain-pont-refrain. Ils se sont séparés dès qu'ils ne s'entendaient plus – ce qui est une preuve de perfectionnisme – mais ils étaient bien plus énergiques ensemble. Depuis 1986, j'attends la reformation de Téléphone, leur alchimie me manque. J'espère la revivre avant ma mort. Ce que fout Téléphone dans un livre sur la littérature ? Simple caprice d'auteur groupie. Mais aussi : hommage à l'art de l'écriture à plusieurs, exercice très complexe, rare dans les livres (Boileau et Narcejac, ou Lapierre et Collins, ne valent pas Lennon et McCartney ou Aubert-Bertignac !).

Numéro 42 : « Journal » de Valery Larbaud (1901-1935)

Plus personne n'aura le temps de tenir un tel journal. Y aura-t-il même beaucoup de monde pour le lire dans une décennie ? C'est pourtant un monument essentiel, qui délivre un message urgent en cette période de suicide collectif : Larbaud semble nous dire que, pour sauver le monde, il suffit de prendre le temps d'aller à Milan voir le saint François de bronze sur la place devant San Angelo. Nous savons tous que le monde actuel a besoin de ralentir mais ce freinage nous effraie : nous croyons qu'il va falloir renoncer à notre bien-être pour sauvegarder des ours polaires. En lisant Larbaud, on se rend compte que c'est tout le contraire : en ralentissant, non seulement nous sauverons les ours blancs, mais nous retrouverons notre espace intérieur. Ce dandy mort en 1957 nous avertit d'outre-tombe : nous avons déjà renoncé à notre humanité il y a bien longtemps. Les ours polaires ont survécu, c'est nous qui sommes éteints. Notre vitesse nous a rendus ignares, notre luxe est stupidité, nous ne savons plus voir ce qui est civilisé : nous méritons notre lamentable sort. Pour devenir Larbaud, un certain nombre de conditions devaient être réunies : être un riche héritier en même temps qu'un puits de culture, développer une curiosité insatiable dans une époque plus lente qu'aujourd'hui (avant internet il fallait souvent des semaines pour recevoir une lettre ou voir un tableau), adopter la nonchalance du nomade lettré, écrire dans un même style clair et musical romans, poèmes, nouvelles, journaux, correspondance, et finir son existence de moine sensuel en répétant toujours la même phrase : « Bonsoir les choses d'ici-bas. » La trajectoire parfaite d'un honnête homme que l'argent n'a pas corrompu. Citez-moi un seul milliardaire en 2011 capable d'écrire des pages aussi denses chaque jour, en français, en anglais, en italien ou en espagnol, de traduire les grandes œuvres de son temps, de voyager de musée en musée en notant scrupuleusement chaque éblouissement. Certains riches Français collectionnent les sculptures contemporaines. Mais ils me rappellent Monsieur Jourdain avec son maître de musique ou son professeur de philosophie : ils n'ont ni regard ni plume ni temps, ils paient des écrivains pour les distraire ou les escroquer. Nul besoin d'être rentier pour imiter Larbaud aujourd'hui : il suffit d'ouvrir les yeux et les oreilles ; ce n'est plus une question de fortune personnelle puisque la connaissance est accessible et les voyages peu onéreux. Larbaud n'est pas un esthète du passé, il nous montre l'avenir : nous devons restaurer notre curiosité.

Le *Journal* de Larbaud n'a rien de nombriliste, c'est l'aventure d'un flâneur aux yeux écarquillés. Entamé à Paris en 1901, il s'achève en Albanie en 1935. Il s'en est servi pour nourrir les carnets de son milliardaire imaginaire (A. O. Barnabooth), mais l'ensemble est bien plus volumineux : 1 600 pages qui sont une caverne d'Ali Baba. Le journal de Larbaud c'est le journal de Léautaud avec davantage de paysages, celui de Gide sans couper les garçons en quatre, celui de Renard en remplaçant la sécheresse par la générosité. Les femmes sont des montagnes, les cimes sont des peintures, les arbres sont des monuments, les écrivains sont des ciels. Où trouve-t-il le temps de noter tout ça ? C'est comme un guide dont le routard serait l'être le plus raffiné que la terre ait jamais porté, avec dans son sac à dos toute la culture de l'univers. Lire ce livre est long, tortueux, il faut s'armer de patience, le poser, le reprendre. On est dans la vie d'un mort génial. On a envie de tout savoir de lui. Chaque phrase (parfois télégraphique) contient une histoire potentielle, une image qui inspire, un rêve en pointillés. Par exemple, il note ceci en 1901 (il a 20 ans) : « Petit garçon français amoureux d'une extravagante Américaine de douze ans. Il se tient debout près d'elle pendant qu'elle joue aux dames. » On les voit, ils existent, c'est une scène de Visconti, une photographie de Brassaï, un tableau de Renoir. Autre exemple (complètement au hasard, le journal de Larbaud est un gisement inépuisable) : « La vulgarité, la grossièreté, l'allure stéréotypée des hommes aisés de classe moyenne m'a dégoûté ce matin sur le bateau. La seule personne correcte était un ouvrier en vêtements sales. Vu de belles choses dans l'eau du lac (Larbaud écrit ceci à Côme en 1912) : une rose mi-épanouie et une poignée dorée de feuilles mortes (des feuilles d'olivier) faisant une rapide apparition dans une vague. » La prochaine fois qu'un jeune couillon me demandera pourquoi je lis des livres, il faudra que je songe à lui répondre ceci : c'est pour qu'en 2011 je puisse apercevoir une poignée dorée de feuilles mortes dans une vaguelette créée par le sillage d'un bateau sur le lac de Côme, le 13 juillet 1912.

Valery Larbaud, une vie

Héritier de la source Vichy Saint-Yorre, Valery Larbaud n'a rien fichu de son existence, à part lire, voyager, écrire. Né et mort à Vichy (1881-1957), ce « patriote cosmopolite » a pris souvent l'Orient-Express et arpenté les paquebots de luxe. En 1911, il imagine *Fermina Márquez*, Espagnole de 16 ans, qui est un des plus beaux personnages de jeune fille de toute l'histoire des jeunes filles. « Une jeune fille ! on voudrait battre des mains en la voyant ; on voudrait danser autour d'elle. » Comment voulez-vous ne pas avoir des problèmes sexuels quand vous avez lu ceci trop tôt ? Traducteur d'*Ulysses* de Joyce, Larbaud n'a écrit que des poèmes géniaux et des livres subtils : le journal de Barnabooth (où il enfonce le clou : « je n'ai jamais pu voir les épaules d'une jeune femme sans songer à fonder une famille », lui qui n'eut pas de descendance), *Enfantines* (1918), *Amants, heureux amants* (1923), *Jaune bleu blanc* (1927). Victime d'un AVC en 1935 (à l'époque on disait hémiplégie cérébrale), il ne bougera plus de son fauteuil pendant vingt-deux ans et ne prononcera plus que cette sentence qui résume toute son œuvre nostalgique et émerveillée : « Bonsoir les choses d'ici-bas. »

Numéro 41 : « Las Vegas Parano » de Hunter S. Thompson (1971)

Au fond, un écrivain, ça devrait toujours ressembler à ça : un type ivre mort, bronzé et halluciné, torse nu, sans le sou, avec un bob sur la tête et un fume-cigarette au bec, en train de vociférer sur une plage, dans un pays lointain et ensoleillé. Un écrivain devrait toujours briser des cœurs et des bouteilles vides. Un écrivain devrait toujours être entouré de belles femmes tristes, car terrifiées par sa liberté, et de belles femmes libres, bien que terrorisées par sa tristesse. Un écrivain devrait toujours faire rêver, ou au moins faire envie, ou à défaut faire pitié ; et le reste du temps, faire semblant. Un écrivain devrait toujours être un frimeur paresseux, un dangereux égoïste, un jouisseur frustré, un mégalo défoncé, prêt à risquer sa vie pour quelques paragraphes mal imprimés dans un fanzine de seconde zone. Un écrivain devrait toujours ressembler à Hunter S. Thompson, ou Charles Bukowski, ou Ernest Hemingway, ou Jack Kerouac, ou William Faulkner, et surtout à Scott Fitzgerald. Comme les Américains n'ont pas inventé la littérature, ils se sont rabattus sur autre chose : le « look » de l'écrivain

– sa barbe de trois jours, sa machine à écrire cassée, ses gesticulations désordonnées, son haleine à tuer un troupeau de buffles, son désespoir en bandoulière, son nœud papillon parfumé au vomi de Dom Pérignon. *Las Vegas Parano* illustre à la perfection cette « writing attitude » que Philippe Besson n'aura jamais. L'équation idéale étant : ironie + colère + désespoir = beauté + vérité + légèreté.

A l'origine reportage paru dans le magazine *Rolling Stone* en 1971 sous le pseudonyme de Raoul Duke, *Las Vegas parano* s'intitule en v.o. *Fear and Loathing in Las Vegas : A savage journey to the heart of the american dream* ce qui signifie « Peur et Dégoût à Las Vegas : une Equipée Sauvage au Cœur du Rêve Américain ». Ouf ! De quoi s'agit-il ? De l'escapade sous psilocybine d'un journaliste et de son camarade avocat (Oscar Acosta rebaptisé pour l'occasion « Dr Gonzo ») envoyés par *Sports illustrated* en reportage sur une course de motos (le « Mint 400 ») dans le désert du Nevada. Le commanditaire ne voulait qu'un encadré rapide, Thompson leur rendit un texte de 60 pages détaillant tout ce qui se passait dans le désert, sauf la course. Après le refus par *Sports illustrated* de publier son texte déjanté, Thompson décida de le développer et d'en faire un tableau du rêve américain. Thompson n'écrit que des récits. Ce n'est pas un romancier. Ses « enquêtes » précédentes étaient plus sociologiques (il a vécu un an avec des Hell's Angels), cette fois Hunter Thompson invente le journalisme psychédélique. Le résultat n'est pas de la mystique hallucinogène comme chez Castaneda. C'est un roman réaliste écrit dans un état second. « On était quelque part vers Barstow quand les drogues ont commencé à agir. » L'idée est qu'en étant défoncé le spectateur ne remarque pas les mêmes choses qu'un écrivain normal. Il va s'intéresser à des détails, des à-côtés, des gens et des choses que personne ne regarde habituellement. D'une certaine manière, le journalisme « gonzo » consiste à utiliser le prisme de la drogue pour mieux voir le réel. Mais rien n'interdit de le lire seulement pour se marrer : cette virée en Cadillac de deux toxicomanes dont le coffre est rempli à ras bord de pilules et poudres illicites est un des livres les plus dingues jamais écrits. « Le coffre de la voiture ressemblait à un labo ambulant de la brigade des stupéfiants : nous avions deux sacoches d'herbe, soixante-quinze pastilles de mescaline, cinq feuilles d'acide-buvard carabiné, une demi-salière de cocaïne, et une galaxie complète et multicolore de remontants, tranquillisants, hurlants, désopilants... sans oublier un litre de tequila, un litre de rhum, un carton de Budweiser, un demi-litre d'éther pur et deux douzaines d'ampoules de nitrite d'amyle. » *Las Vegas Parano*, c'est *Sur la route* en remplaçant les joints par du LSD et le jazz par du rock'n'roll. C'est *Very bad trip*, trente-huit ans avant.

La drogue est à Thompson ce que les « moins de seize ans » sont à Matzneff : un moyen de désobéir. J'aime lire ce que je ne vis pas. J'ai peur du LSD (on m'en a proposé souvent mais je n'ai jamais voulu essayer), je n'aime pas coucher avec des personnes mineures (ce sont des mauvais coups). Mais j'aime quand les romans me permettent de connaître ce que je ne connais pas. Il y a une relation très étroite entre le plaisir de la lecture et la tentation de l'illégalité. Je ne vois pas l'intérêt de ne lire que des histoires saines, justes, licites. Lire devrait toujours nous permettre d'être des criminels sans risquer la cour d'assises.

Accessoirement, Thompson se moque de l'American Dream. Las Vegas est le bon endroit pour tourner en dérision ce Rêve devenu planétaire. Hunter Thompson écrit sur une déception : en 1971, il comprend que la « libération » qu'il attendait était une illusion provisoire. Il voit que l'espoir né dans les années 60 est une blague, et que la révolution n'aura pas lieu. Il devine que le combat est perdu. Avec ce texte, il a inventé le punk. Quelques mois après *Las Vegas parano*, il cessait d'écrire.

Hunter S. Thompson, une vie

Né en 1937 ou 1939 (même sa date de naissance est floue) à Louisville, dans le Kentucky, Hunter S. Thompson a inventé le « nouveau journalisme » avec Tom Wolfe dans les années 60, en publiant des reportages déjantés et subjectifs dans *The Nation* sur les Hell's Angels (1965) ou dans *Rolling Stone* sur la campagne électorale de McGovern en 1972. Mais Tom Wolfe s'est mis à porter des costumes trois pièces blancs ridicules, alors que Thompson restait scotché au plafond et se comportait comme une rock star. Son retour sur le devant de la scène, il le doit à Terry Gilliam et Johnny Depp, qui ont réussi à adapter l'inadaptable *Las Vegas parano* en 1998, soit vingt-sept ans après sa publication.

Hunter S. Thompson est ainsi devenu l'écrivain vivant le plus culte sur terre (ex-aequo avec Hubert Selby Jr). Mais il s'en foutait : ce qui l'embêtait était bien plus grave. Il ne parvenait plus à écrire. Retiré à Woody Creek, dans le Colorado, il se réveillait tous les jours vers 3 heures de l'après-midi pour boire son Wild Turkey et tirer dans son jardin avec une de ses nombreuses armes à feu. Enfin, une nuit de 2005, il retourna sur sa tempe le Magnum 44.

Numéro 40 : « Bonjour minuit » de Jean Rhys (1939)

Le fan-club de Jean Rhys romancière anglaise s'est démocratisé avec la reparution dans les années 2000 de deux de ses plus beaux romans : *Quartet* (1929) et *Bonjour minuit* (1939). Si j'ai choisi de m'attarder sur ce dernier, c'est que sa lecture prend un sens nouveau au début d'un siècle qui sera dominé par les femmes. *Good morning, midnight* peut, en effet, être considéré comme le manifeste des oiseaux mazoutés.

« Oiseaux mazoutés » ? C'est ainsi que Pierre-Louis Rozynès (l'ex-patron de *Livres Hebdo*) surnommait les femmes de 40 ans, du moins celles qui n'ont pas eu de chance, et elles sont majoritaires. Leur premier mari les a plaquées, le deuxième les trompe, et les soupirants ne se bousculent plus au portillon. Traumatisées, parfois déjà flétries, certaines quadragénaires sentent qu'elles ont mangé leur pain blanc – les Abribus Aubade leur flanquent la saudade. Alors elles se mettent à boire, comme Sasha Jansen, l'héroïne de *Bonjour minuit*. Sasha traîne à Paris dans des hôtels miteux, chiale toute seule dans des restaurants, cherche un homme pour se venger sur lui du mal que lui ont fait les autres, rencontre un gigolo qui la croit riche parce qu'elle porte un vieux manteau de fourrure... Ils souffriront autant l'un que l'autre de ce malentendu. A partir d'un certain âge, plus personne ne tombe amoureux, à force de se méfier, de se protéger, de fuir la douleur. Alors, on se résigne à vieillir pour ne plus souffrir.

Certes, racontée comme ça, l'histoire donne sans doute envie de se pendre. Or, l'extraordinaire talent de Jean Rhys consiste à semer tant de fraîcheur, de finesse et de sobriété dans ses observations faussement futiles que le lecteur en sort ébloui et guilleret. Légèrement fatigué, parce que la vérité est fatigante comme une tournée des cafés de Montparnasse en octobre 1937, mais comblé. J. D. Salinger dit qu'un bon écrivain est celui à qui le lecteur a envie de téléphoner. Jean Rhys est donc un bon écrivain, car on aimerait laisser des messages énamourés sur son répondeur. Le problème est sa mort en 1979 ; il n'y a plus d'abonné au numéro que l'on pourrait demander. Sa boîte vocale sent le sapin.

Dans sa préface, Geneviève Brisac a raison de souligner que « Jean Rhys était beaucoup trop en avance sur son temps : c'était une femme des années 20 mais faite pour le XXIe siècle ». Ses livres ne rencontrèrent que peu d'échos de son vivant (comme ceux de Dorothy Parker ou Dawn Powell) car leur inquiétude joyeuse séduisait davantage les critiques littéraires (déjà tous dépressifs à l'époque) que le public (tout aussi con qu'aujourd'hui). Quelqu'un que les mots « pourriture sèche » font « rire comme une folle » risque de désorienter le plus grand nombre. Cette vagabonde qui a peur de rentrer se coucher dans sa petite chambre sent monter le désir invisible de la guerre. Sasha Jansen croit qu'elle craint la solitude ou la pauvreté alors que sa terreur est plus profonde : celle du cataclysme imminent.

Jean Rhys, une vie

Le prénom de Jean Rhys (1890-1979) se prononce « gin » car il s'agit d'une femme comme Jean Seberg (et contrairement à Jean d'Ormesson, Jean Anouilh, Jean Dutourd, Jean Genet et Jean Giono). Mais ce n'est pas fortuit : elle en buvait aussi pas mal. « Si j'étais un homme, disait-elle, je serais plus crédible. » Il est certain qu'en France, avec ce prénom, c'eût été plus clair pour tout le monde (de même qu'Evelyn Waugh aurait pu avoir la courtoisie d'être une femme). En plus ce n'était même pas son vrai nom : elle s'appelait Ella Gwendolyn Rees Williams. Dans les années 20, Jean Rhys fréquenta la bohème viennoise et parisienne, qui inspira la plupart de ses livres : *Quartet*, *Voyage dans les ténèbres*, *Les tigres sont plus beaux à voir*, *Quai des Grands-Augustins* et *Souriez, s'il vous plaît* (son autobiographie). C'était l'époque où Joyce croisait Modigliani à la Coupole : Montparnasse était fréquentable en ce temps-là. Comme dit Angelo Rinaldi : « Née au siècle dernier, malmenée par le nôtre, le prochain lui est acquis. » La balle est dans votre camp.

Numéro 39 : « Les Bienveillantes » de Jonathan Littell (2006)

Maximilian Aue se confesse. Cet officier SS vomit sans arrêt, il est constipé, il est amoureux de sa sœur, il est homosexuel et docteur en droit. *Les Bienveillantes* sont les mémoires fictifs d'un assassin industriel reconverti dans la dentelle de Calais. Très vite, le propos de ce gros roman apparaît dans toute sa lumière sombre : supprimer le flou, fabriquer un roman technique sur la Shoah, un « Seconde Guerre mode d'emploi », qui parviendrait à concilier le ton nihiliste du narrateur avec la trame mythique de l'*Orestie* d'Eschyle. « Prenez une autre catastrophe, plus récente, qui vous a fortement affecté, et faites la comparaison. Par exemple, si vous êtes français, considérez votre petite aventure algérienne, qui a tant traumatisé vos concitoyens. Vous y avez perdu 25 000 hommes en sept ans, en comptant les accidents : l'équivalent d'un peu moins d'un jour et treize heures de morts sur le front de l'Est ; ou bien alors de sept jours environ de morts juifs. » Max Aue, c'est Dark Vador qui passe aux aveux, avec l'humour macabre et les détails factuels que nous autorisent six décennies de distance. Littell écrit dans un style froidement halluciné : il n'arrive pas à croire que tout ce qu'il décrit soit avéré. Ce qui est nouveau dans ce roman n'est pas l'atroce vérité de ce qu'il raconte (Robert Merle avait déjà imaginé la vie du commandant du camp d'Auschwitz dans *La mort est mon métier* en 1952), mais le fait que cette vérité est une fiction narrée par un jeune Franco-Américain des années 2000, lequel se glisse dans la peau d'un « organisateur de mort » nazi. Il y a dans ce roman une double distance – historique et géographique – qui en fait paradoxalement la force. Littell montre une horreur qu'on croyait connaître mais il la regarde à chaque page comme si c'était de la science-fiction (avant *Les Bienveillantes*, il a publié un ouvrage de SF intitulé *Bad voltage* en 1989). Il est rare de ne pas pouvoir lâcher un roman dont on a pourtant appris la fin à l'école : « le lecteur est pris en otage », dira Julia Kristeva à son propos. La puissance du roman est là : nous contraindre à affronter, grâce aux artifices de l'imagination, la terrible réalité de notre passé, « la banalité du mal » chère à Hannah Arendt. Le talent de Littell n'a consisté qu'à poser un regard original sur une histoire que nous connaissions déjà (comme James Cameron réinventant la catastrophe du *Titanic)*. Un exemple : quand Littell explique qu'en temps de guerre on ne perd pas seulement le droit de vivre, mais aussi celui de ne pas tuer. Ou quand il passe des pages sidérantes à énumérer les titres de la hiérarchie militaire et de l'administration nazie. Il se dégage de cette litanie de termes allemands (dont l'énumération est de plus en plus ennuyeuse à lire) une sorte de loufoquerie tragique qui glace le sang : la Shoah, c'est un monceau de cadavres massacrés par une organisation de fonctionnaires aux titres ronflants. On regrette presque que le narrateur soit bisexuel, masochiste, matricide et incestueux : cette « originalité » ne va pas dans le sens de la thèse générale du livre (« Je suis un homme comme les autres, je suis un homme comme vous. Allons, puisque je vous dis que je suis comme vous ! » page 43). Il n'en reste pas moins que, même en le relisant quelques années après son Goncourt de 2006, *Les Bienveillantes* continue d'impressionner par sa construction, son souffle et sa précision pointilleuse sur la pratique de la « solution finale ». En prêtant sa voix à un monstre, il n'est pas impossible qu'un jeune surdoué ait réussi tout simplement le plus grand roman écrit à ce jour sur la Seconde Guerre mondiale. « On a beaucoup parlé, après la guerre, pour essayer d'expliquer ce qui s'était passé, de l'inhumain. Mais l'inhumain, excusez-moi, cela n'existe pas » (page 842). « Vous devez penser : Ah, cette histoire est enfin finie. Mais non, elle continue encore » (page 1303).

Jonathan Littell, une vie

Né en 1967 à New York, il est le fils du romancier d'espionnage Robert Littell. Il a passé son enfance en France (au lycée Fénelon). Après des études à l'université Yale, il s'est engagé durant sept ans à Action contre la Faim, en Bosnie, en Tchétchénie et en Afghanistan. Il est probable que les crimes dont il fut le témoin durant cette période ont inspiré l'écriture des *Bienveillantes*, roman paru en 2006 qui lui a demandé cinq années de travail. Un essai publié deux ans plus tard (*Le Sec et l'Humide)* semblait indiquer que le leader fasciste belge Léon Degrelle avait inspiré le personnage de Maximilian Aue au même titre que les bourreaux serbes, russes ou talibans. Jonathan Littell vit à Barcelone, il a deux enfants : une fille et un garçon. A part tout ce que je viens d'écrire, on ne sait à peu près rien de lui.

Numéro 38 : « Je m'en vais » de Jean Echenoz (1999)

Pourquoi aime-t-on un livre plutôt qu'un autre ? Le hasard. Il suffit d'être bien luné ce jour-là, qu'il fasse beau, que votre femme vienne d'accoucher, enfin rien de faramineux, quoi. On tombe alors sur un paragraphe séduisant suivi d'une remarque judicieuse puis d'une observation pleine de sagacité ; le reste suit. Dans *Je m'en vais* d'Echenoz, j'ai commencé par aimer le début, et puis, beaucoup plus loin, j'ai aimé la fin. Entre les deux, j'ai aussi apprécié de nombreux détails réjouissants : ainsi ce type qui en tue un autre en l'enfermant dans un camion frigorifique. La victime proteste : « C'est un procédé tellement banal, on tue les gens comme ça dans les téléfilms », et le tueur de rétorquer : « Ce n'est pas faux mais le téléfilm est un art comme un autre » avec un détachement très tarantinien.

Dans le débat passionnant qui enflamme le rez-de-chaussée de la brasserie Lipp à l'heure du gigot froid-flageolets (« autofiction contre imagination, moi ou pas moi ? », telle est la question), Echenoz met tout le monde d'accord. Son roman a beau être rédigé à la première personne, on doute fort qu'il soit autobiographique. L'histoire regorge d'invention mais on ne mettrait pas sa main au feu qu'elle fût à 100 % fictive. Echenoz dépasse ces controverses démodées (qui existaient déjà du temps de Jean-Jacques Rousseau), il rêve de la réalité, doute de l'imaginaire ; par son côté flou et décalé, il rappelle Patrick Modiano, mais un Modiano sans la nostalgie, un Modiano plus actuel, un Modiano... postmoderne.

Félix Ferrer quitte sa femme Suzanne à Paris, un dimanche de janvier, et se rend chez sa maîtresse, Laurence, une grande brune (les « grandes blondes », Echenoz a déjà donné en 1995). Six mois plus tard, il prend un avion pour Montréal, un bus pour Québec, et un bateau pour le pôle Nord. Il fuit sa vie de galeriste parisien à la recherche d'un trésor bloqué dans la banquise en 1957. Il va le trouver, on va le lui voler, il fera une crise cardiaque, il faut que je fasse gaffe sinon je vais raconter la fin.

Le maître mot pour décrire ce livre, c'est : ellipses. J'apprécie autant ce qu'il y a dans ce roman, que ce qui n'y est pas. Echenoz progresse par chapitres très courts, enlevés et amusants : il a mis neuf romans pour atteindre le sommet de son art. Ecrivain est un métier qui s'apprend, comme cordonnier ou plombier. Il alterne les flash-backs parisiens et l'aventure en Arctique, zappe entre postmodernisme glacé et laine polaire, entre humour noir et *Croc-Blanc*. L'antihéros décalé de tous ses livres est devenu un pauvre séducteur absurde, que rien n'émeut mais que tout dérange, plongé malgré lui dans un trafic d'antiquités boréales. Echenoz utilise une langue très précise pour décrire une existence incontrôlable. Il trouve le mot juste pour saisir l'insaisissable. Son narrateur est parti chercher un iceberg ? C'était celui de Hemingway.

Jean Echenoz, une vie

Né le 26 décembre 1947 à Orange, dans le Vaucluse. Vit aux Buttes-Chaumont. Raconte souvent dans ses ouvrages l'histoire de quelqu'un qui s'en va mais ne part pas complètement (*Je m'en vais*, prix Goncourt 1999, mais aussi *Un an* ou *Les Grandes Blondes*, prix Novembre 1995, dont certains personnages – Salvador, Béliard – ressuscitent huit ans plus tard dans *Au piano*). A également obtenu le prix Médicis en 1983 pour *Cherokee*. Jean Echenoz est un écrivain discret sans être une précieuse ridicule. En 2001, il a publié un émouvant hommage à son éditeur Jérôme Lindon qui aimait les virgules (*Jérôme Lindon*, Editions de Minuit). L'écrivain du second degré, l'équilibriste de la dérision permanente, prouvait qu'il était parfaitement capable de nous faire verser une larme quand il le voulait. Il a ensuite élaboré une exceptionnelle trilogie de biographies fictionnelles sur Maurice Ravel, Emil Zatopek et Nikola Tesla (*Ravel*, 2006 ; *Courir*, 2008 et *Des éclairs*, 2010). Je me demande ce qu'il écrit en ce moment. Cela fait aussi partie du talent de savoir se rendre désirable.

Numéro 37 : « Un homme » de Philip Roth (2006)

Cette sotie prétend brosser le portrait d'un homme ordinaire (un *Everyman*). Un homme normal, c'est quelqu'un qui a dû composer toute sa vie. Concilier les contraires. Gérer ses paradoxes. L'homme est une créature fragile, exposée à tous les tiraillements possibles : les seins onctueux, les fentes humides, les yeux langoureux, les dos cambrés, les fesses rebondies. Mais l'envie de jouir empêche-t-elle les hommes d'aimer… ? Ce roman cruel et laconique est de la veine que je préfère chez Philip Roth : la brièveté qui libère (celle de *Tromperie* et de *La bête qui meurt*). Ces romans courts, qui brillent par leur humilité, déplaisent aux exégètes du grand écrivain de Newark, qui préfèrent *La Tache* ou *Pastorale américaine*. Pourtant, c'est le même projet : Coleman Silk dans *La Tache* ou Levov dans *Pastorale* étaient aussi des everymen confrontés à une vie décevante. L'avantage quand Roth fait plus court, c'est l'efficacité, le rire, la force d'un coup de poing. Ses « gros » romans semblent plus dilués, il donne même parfois l'impression de meubler (surtout dans *Le Complot contre l'Amérique* et *Exit le fantôme*). A bientôt 80 ans, il ne peut plus se permettre de tourner autour du pot. Et certes, je l'admets volontiers : je suis un lecteur paresseux qui apprécie les livres de 152 pages. Je préfère un dessert plutôt qu'un copieux plat de résistance.

C'est dur d'être *Un homme*. Le livre commence par l'enterrement du héros, un publicitaire résigné qui aima surtout sa fille Nancy, trompa toutes ses femmes et fut terrassé par une longue maladie. Quel triste requiem… En exergue, Roth cite un poème déchirant de Keats (« La paralysie fait trembler sur le front un triste reste de cheveux gris… ») comme s'il voulait nous prévenir : la vie est une aventure exaltante qui finit mal, dans la solitude des hôpitaux. Voici *Un homme* qui voulait être artiste et ne fut que pubard à succès et peintre frustré : on en connaît. « Il n'y avait que des corps, nés pour vivre et mourir selon des limites fixées par d'autres corps nés et morts avant eux. » Le ton de Roth a gagné en gravité, en désespoir. Roth nous pond du Houellebecq ? Pas tout à fait. Car si la critique insista sur la morbidité de ce roman, moi, hop !, je m'inscris en faux. Evoquer la mort est le moyen que trouve Roth pour trousser son plus bel éloge de la vie. Dès le début, la seconde épouse d'*Un homme*, à son enterrement, soupire : « Je le revois tout le temps en train de nager dans la baie » et le ton est donné : PROFITEZ-EN LES GARS. « Il faut tenir bon et prendre la vie comme elle vient. » Vous sortez d'un quintuple pontage coronarien ? Tapez-vous l'infirmière ! Baisez, baisez tout le temps, le plus possible, c'est la seule chose que vous ne regretterez jamais ! (Déjà dans *La Tache*, le professeur Coleman Silk, 71 ans, se tapait une femme mariée de 34 ans.) Oublions les clichés : Philip Roth n'est pas un auteur juif névrosé du New Jersey mais un disciple de Hugh Hefner.

J'ai cherché longtemps ce qui faisait de Roth un écrivain supérieur à ses confrères, malgré tous ses défauts (goût exagéré du détail, complexité psychologique pénible, différents modes de narration). Pourquoi, alors que j'avais détesté *Le Théâtre de Sabbath*, ai-je dévoré avec autant de joie *Everyman* ? Ce n'est pas l'humour, à présent que tout le monde veut être comique. Ce n'est pas le réalisme, car la réalité ne suffit pas. Et puis j'ai trouvé : c'est l'intelligence. L'intelligence de Roth éclate à chaque page. A côté, c'est la bêtise qui fait tache.

Philip Roth, une vie

Cela fait longtemps que Philip Roth mérite le prix Nobel, il ne lui reste plus longtemps à attendre. Né en 1933 dans une famille aisée, il grandit dans le quartier juif de Newark. Dès *Goodbye, Columbus* en 1959, Philip Roth critique le mode de vie de la nouvelle bourgeoisie juive. Dans le prolongement de Bellow, il scandalise avec *Portnoy et son complexe* en 1969, dont le héros est un juif obsédé sexuel qui parle de sa mère à son psy. Puis il crée son alter ego, Nathan Zuckerman, dans *L'Ecrivain fantôme* en 1979, qu'on reverra dans *Zuckerman délivré* (1981), *La Leçon d'anatomie* (1983), *L'Orgie de Prague* (1985), *La Contrevie* (1986) ainsi que dans la trilogie *Pastorale américaine*/*J'ai épousé un communiste*/

La Tache. Entre-temps, il a évoqué la mort de son père dans *Patrimoine* (1991), le mentir-vrai dans *Opération Shylock* (1993) et recréé une sorte de vieux Portnoy dans *Le Théâtre de Sabbath* (1995). Qui est le plus grand écrivain américain vivant ? Pour pasticher ce qu'André Gide disait de Victor Hugo, on pourrait dire : Philip Roth, hélas !

Numéro 36 : « Les Jolies Choses » de Virginie Despentes (1998)

L'énergie de Virginie Despentes pulvérise tout sur son passage. D'où vient cette syntaxe qui donne au lecteur l'impression d'être essoré dans un lave-linge géant, ou galvanisé comme un cycliste italien ? Phrases sans verbe, ou le verbe au début, présent de l'indicatif. Appositions syncopées. Pas un mot superflu. Comme ça. Boum. Inutile d'en dire trop. Au lecteur de combler les espaces. Faut écrire comme on pense. Cash. Bon sang que m'arrive-t-il ? Virginie Despentes déteint sur mon style, d'habitude si sophistiqué. Dans *Les jolies choses*, les personnages ne portent pas de chaussures mais des « shoes ». En revanche, quand ils ont le cafard, ils appellent cela « le coup de bleu ». Quelques phrases pour donner un aperçu de ce que Despentes fait subir à notre langue sacrée : « Chaleur, et, quoi qu'elle porte, c'est toujours ça de trop » ; « Ça fait mal jusque dans les os, ne pas être celle qu'il te faut » ; « La plupart d'entre eux sont surlookés, décolorés piercés tatoués édentés cicatrisés haut-talonnés ». Littérature clip ? Je dirais plutôt : descendante de Djian, donc de Buk, donc de Fante. Eux jazzaient leur vocabulaire, Despentes rock'n'viole notre idiome national. Très peu de livres sont troussés avec une telle modernité originalité aujourd'huité (zut, voilà que la contagion me reprend). Despentes court tous les risques : avoir l'air d'une analphabète ou basculer dans le « fashion faux pas » ne lui fait pas peur. Elle écrit comme si elle n'avait rien à perdre, pour restituer son époque avec des mots contemporains : argot, verlan, franglais. Avec elle, le français reste une langue vivante.

La jeunesse déserte la lecture parce que celle-ci n'ose pas rivaliser avec le cinéma. Combien de fois faudra-t-il le répéter ? Un livre ne doit pas parler comme un livre. Virginie Despentes enchaîne les scènes visuelles, ses antihéroïnes n'ergotent pas, elles foncent. Pas de psychologie à la Mauriac : des actes gratuits (merci Gide et Camus) et des gestes payants (thank you Hemingway and Ellis). Dans *Les jolies choses*, il y a moins d'ultraviolence et de pornographie que dans ses romans précédents, mais toujours l'idée de faire un livre qui démode tous les films. Et qui puisse rivaliser avec une montagne russe.

Baise-moi, c'était son *Thelma et Louise* ; *Les Chiennes savantes*, son *Boogie Nights* ; *Les jolies choses* est sa version de *All about Eve* de Mankiewicz. Claudine veut devenir célèbre, mais sa sœur Pauline chante mieux qu'elle. Comme toutes les jumelles, elles ne se ressemblent pas, sauf physiquement. Claudine est ce qu'on appelle une pétasse. Peinturlurée, moulée dans des robes roses assorties à son vernis à ongles, elle n'aime qu'elle-même, donc couche avec tout le monde. Pauline est plus terne, effacée, amoureuse de Sébastien, qui croupit en prison. Elle fera les voix en concert, mais c'est Pauline qui tiendra la vedette dans les magazines. Malheureusement, les jolies choses dégénèrent toujours salement. Claudine est plus sensible qu'elle n'en a l'air. Elle se suicide et Pauline doit la remplacer. En lui prenant sa vie, elle devient pire qu'elle. Les pages qui décrivent sa métamorphose en Ophélie Winter valent toutes les transformations en loups-garous dans les films d'horreur à gros budgets.

Tiendra-t-elle longtemps sous les sunlights ? Et comment se dérouleront ses retrouvailles avec Sébastien ? Ne sera-t-il pas surpris de retrouver une poule de luxe à la place de sa fiancée soumise ? *Les jolies choses* est un roman sur la corruption par les paillettes et la perte de la pureté. Despentes appartient à la catégorie (nouvelle) des moralistes libertaires. Dans *Les jolies choses* elle refuse de choisir clairement entre la tendresse pour les midinettes arrivistes et la satire de leur fascination stupide pour le show-biz. Ce qui fait la spécificité (et l'intérêt) du courant contemporain de littérature dite « post-naturaliste » ou « trash » est qu'elle jouit en critiquant le plaisir. La télé, la pop music, les sex-symbols dans *Les jolies choses* sont montrés tels qu'ils sont : un miroir aux alouettes dans lequel une jeunesse au chômage voit son salut. Virginie Despentes a lu *Asphyxie* d'Ann Scott, autre descente dans l'enfer du rock. *Les jolies choses* est un titre mensonger : « La pourriture ambiante » eût été plus approprié (mais moins ironique). Despentes nous dit que nous vivons dans une société où tout le monde croit avoir toujours 20 ans, où personne n'aime personne (d'autre que soi), et où les filles sont obligées de mentir sans cesse. Elle parvient même à montrer un homme qui trompe sa femme... avec elle-même. Bref, on y comprend que « tout est devenu stupide, comme un monde rempli de fourmis ».

Virginie Despentes, une vie

Ancienne hôtesse de salons de massage née le 13 juin 1969 à Nancy, Virginie Despentes a l'impudence d'écrire des romans et de les adapter elle-même au cinéma, comme Emmanuel Carrère, Marc Dugain, Michel Houellebecq, Alexandre Jardin, Yann Moix, Vincent Ravalec... Ce fut le cas de *Baise-moi*, son premier roman publié en 1993, dont l'adaptation fut interdite aux moins de dix-huit ans en 2000, ainsi que de *Bye Bye Blondie*, roman publié en 2004, devenu un long-métrage en 2011. Elle est aussi l'auteur de *Teen spirit* en 2002 (titre emprunté à Nirvana pour un roman sur un adolescent). Ses livres suivants ont accentué son combat pour un féminisme classé X (*King Kong théorie*, 2006), ainsi qu'un militantisme lesbien confinant à l'hétérophobie (*Apocalypse bébé*, prix Renaudot 2010). J'ai choisi *Les jolies choses* (prix de Flore 1998) car je n'aime pas les romans engagés : ils perdent l'ambiguïté qui est à la source du romanesque. *Les jolies choses* a été porté à l'écran en

2001 par Gilles Paquet-Brenner avec Marion Cotillard dans le double rôle des jumelles détruites ; elle y chantait déjà, sept ans avant son Oscar pour *La Môme*.

Numéro 35 : « Sur la route »
de Jack Kerouac (1957)

On ne relit jamais un livre. Relire, c'est lire pour la première fois un livre qu'on a déjà lu. C'est énervant, parce qu'on aime bien se dire qu'on a lu beaucoup de livres. Quand on en finit un, on se dit : « A y est ! » On coche le titre sur sa liste mentale. « Celui-là, c'est fait. Au suivant ! » Eh bien non. Si l'on reprend le même roman des années plus tard, on s'aperçoit qu'on ne l'a jamais lu. On le redécouvre entièrement. Il a changé, comme nous. *Sur la route*, par exemple. Le chef-d'œuvre de Kerouac, fondateur de la beat generation. *On the road* est un des livres les plus importants du XXe siècle parce qu'il a transformé la vie de tous ses lecteurs. Et moins douloureusement que *Le Capital* de Karl Marx.

Sans Kerouac, pas de Bob Dylan, ni de mouvement hippie, ni de libération sexuelle… La première fois que j'ai lu cette virée insensée d'alcooliques drogués au cœur des Etats-Unis, j'étais un adolescent qui se prenait pour un aristocrate. Soudain un monde s'ouvrait à moi : la liberté, le vent, la poésie des kilomètres avalés sous les roues, le souffle d'une écriture lyrique et rythmée comme le bebop, l'envie de se bourrer la gueule et de tout plaquer en gueulant : « waoooouuuuhhhh ». Du jour au lendemain je suis devenu un beatnik (ce qui s'est traduit par un refus d'aller chez le coiffeur pendant au moins six mois). Aujourd'hui Gallimard a non seulement traduit la version intégrale de *Sur la route* et rassemblé tous les romans de la *Légende de Duluoz* – cette version beat de la *Recherche du temps perdu* – mais dans l'intervalle j'ai vieilli, même si j'ai toujours la même coupe de cheveux. Certains passages de *Sur la route* m'apparaissent dans toute leur naïveté : « Quelque part sur le chemin je savais qu'il y aurait des filles, des visions, tout, quoi ; quelque part sur le chemin on me tendrait la perle rare. » Cet enthousiasme innocent a été tellement copié qu'on a du mal à y adhérer encore au XXIe siècle... Il s'est passé des choses depuis 1957.

Peut-être ce livre est-il écrasé par sa légende : l'histoire de cette « prose spontanée » tapée à la machine, en 1951, sans paragraphes, en deux semaines et demie, sur un rouleau de télex de 35 mètres (lui-même une métaphore de la route), puis refusée par tous les éditeurs pendant six ans ; tout ce qu'on sait désormais sur l'influence de ce fou autodestructeur qu'était Neal Cassady (modèle du personnage de Dean Moriarty, « l'ange de feu »). Kerouac était beaucoup plus raisonnable que lui, il était le besogneux de la bande, le catho, le greffier, celui qui immortalisa les délires de ses potes. Celui qui prenait des notes pendant que les autres s'éclataient. Dans toutes les bandes de copains, il y a un vrai maboul qui en principe meurt jeune (par exemple le « Major » de la tribu de Vian, qui s'amusait à escalader les façades des immeubles pour entrer dans les surboums par la fenêtre, eh bien, un soir, le Major tomba de haut). Ce maboul est l'équivalent festif des muses pour les poètes de l'Antiquité. « Mais alors ils s'en allaient, dansant dans les rues comme des clochedingues, et je traînais derrière eux comme je l'ai fait toute ma vie derrière les gens qui m'intéressent, parce que les seules gens qui existent pour moi sont les déments, ceux qui ont la démence de vivre, la démence de discourir, la démence d'être sauvés, qui veulent jouir de tout dans un seul instant... »

Des détails m'avaient échappé : la construction en zigzag (San Francisco, La Nouvelle-Orléans, le Mexique), les partouzes, les bagarres, d'autres choses avaient été censurées par Viking Press en 1957 (l'homosexualité, les vrais noms des personnages, quelques scènes érotiques). En relisant ce torrent, j'ai surtout compris que Kerouac est... l'inventeur du rap ! *Sur la route* est un disque de hip-hop. Vous pouvez le réciter à haute voix, Eminem n'a rien inventé.

En conclusion, *Sur la route* tient la route. Ça reste le seul roman qu'on referme avec l'envie de tout envoyer promener. Je crois que je vais m'acheter un combi Volkswagen et me casser à San Sebastian sans réfléchir, en chantant Canned Heat : « I'm on the road again ». Kerouac est le pourfendeur de l'immobilité. C'est aussi un peintre de l'Amérique. Il semble dire au monde : ce pays est grand et sale, beau et malade ? Arpentons-le en long, en large et en travers pour en avoir le cœur net. « Et, devant moi, c'était l'immense panse sauvage et la masse brute de mon continent américain ; au loin, quelque part de l'autre côté, New York, sinistre, loufoque, vomissait son nuage de poussière et de vapeur brune. Il y a, dans l'Est, quelque chose de brun et de sacré ; mais la Californie est blanche comme la lessive sur la corde, et frivole – c'est du moins ce que je pensais alors. »

Jack Kerouac, une vie

Jean-Louis Kerouac, dit « Ti Jean », est né le 12 mars 1922 en Nouvelle-Angleterre, à Lowell, dans le Massachusetts, de parents québécois. A 4 ans, il perd son frère aîné. Il parle français jusqu'à l'âge de 11 ans, puis joue au football américain. Arrivé à New York à 17 ans, il découvre l'anglais, le bebop, le bourbon et les copains de Columbia University. Il admire surtout Neal Cassady, un génial dingue suicidaire qui improvise des tirades : « Je sais tout sur tout, combien de fois faudra-t-il vous le répéter ? » La vraie star c'est lui, mais comme ce taré gâche son talent, le timide Kerouac l'espionne, l'imite, se met au travail, et c'est lui qui est resté. Victoire de la littérature sur la vie ! Devenu idole des jeunes en 1957 avec *On the road*, il n'aura plus que douze années à vivre, où il épuisera les mêmes thèmes dans treize autres livres (parmi lesquels *Visions de Cody*, *Les Clochards célestes*, *Big Sur*, *Vanité de Duluoz*...). Il meurt alcoolique et détruit, réfugié chez sa mère en Floride, à 47 ans, deux mois après Woodstock.

Numéro 34 : « Les Locataires de l'été » de Charles Simmons (1998)

Charles Simmons est un perfectionniste qui écrit lentement (un roman tous les dix ans). Il prend son temps pour faire court. Le titre original des *Locataires de l'été* est *Salt water* (Eau salée) mais ce roman se boit comme un shot de vodka. Il raconte un premier amour façon Tourgueniev (l'auteur lui-même reconnaît s'en être inspiré) : celui du jeune Michael (15 ans) pour sa voisine de vacances, la photographe Zina Mertz (20 ans). Cette créature d'origine russe le surnomme Micha et lui fait découvrir la vodka (justement), les bisous sur les yeux, la jalousie et la mort.

Le coup de foudre a lieu durant l'été 1968, dans un paysage d'Edward Hopper (c'est-à-dire une publicité pour Ralph Lauren). La côte Est des Etats-Unis est un endroit aussi chic que déprimant, surtout que le papa de Michael est lui aussi fasciné par la belle Zina, son teint mat, ses dents blanches, son jeune âge. Ce trio infernal navigue allègrement vers la catastrophe devant la plage du cap Bone. Quand le père et le fils regardent la même nana, cela porte le même nom depuis deux mille cinq cents ans : une tragédie.

Tout le génie de Charles Simmons consiste à annoncer cette tragédie dès la première phrase : « C'est pendant l'été de 1968 que je tombai amoureux et que mon père se noya. » Dès cette brutale entrée en matière, nous sommes prévenus : encore une histoire d'amour qui finira mal. On tourne donc les pages avec crainte, avidité et admiration devant le brio de l'auteur. Combien d'années de souffrances faut-il à un écrivain pour produire autant de chagrin contenu ? Il faut avoir vécu (longtemps), travaillé (plus longtemps), observé les autres (encore plus longuement) avant de parvenir à toucher au but : charmer des êtres qu'on ne connaît pas en créant des êtres qui n'existent pas.

Les Locataires de l'été est le roman parfait qu'on a envie de lire et de relire et de rerelire et de rerererererelire comme *L'Attrape-Cœurs*, *Gatsby le Magnifique* ou *Bonjour tristesse*. Un roman simple et délicat, toujours en équilibre instable entre ellipse et lyrisme. « L'eau, le ciel, le sable. Multipliez cela par le jour et la nuit et cela ne fait toujours que six choses à regarder. » Certes, à force de lire des romans pessimistes, on va finir par ne plus croire au romantisme. Et alors ? C'est peut-être ainsi que l'on devient heureux – ou adulte. Que fait ce petit texte, banale histoire d'une désillusion estivale, chic et sans ambition révolutionnaire, dans un classement des cent livres du siècle ? J'ai remarqué que tous les gens à qui je l'offrais se confondaient en remerciements. *Les Locataires de l'été* est une lecture douce, feutrée, une trahison atrocement calme, une éducation sentimentale, brève et salée. Sa présence ici ne doit rien à la théorie littéraire : c'est juste l'occasion de rappeler que le but de la littérature, c'est aussi tout simplement d'écrire un bon livre.

Charles Simmons, une vie

Charles Simmons vit à New York. Il est né en 1924, ce qui lui fait 87 ans. On pourrait donc croire qu'il s'agit d'un vieil écrivain américain. Erreur ! Il n'y a qu'en France que les gens de 87 ans écrivent comme des gens de 87 ans. Charles Simmons est seulement un jeune homme de 20 ans ayant la particularité d'être né en 1924 et d'avoir obtenu le prix Faulkner en 1964 pour *Powdered Eggs* (confession sexuelle digne de *Portnoy* ou *Sexus*, introuvable en France, ce qui est une honte). Accessoirement, il fut critique littéraire pour la *New York Times Book Review* durant deux décennies, et il a un beau visage buriné, dont il parle dans un autre de ses livres : *Rides*.

Numéro 33 : « Le Lièvre de Vatanen » d'Arto Paasilinna (1975)

Arto Paasilinna est un écrivain célèbre bien que finlandais. Malheureusement pour moi, jusque récemment, je ne l'avais pas lu, donc à chaque fois qu'on me demandait : « Connaissez-vous Paasilinna ? », j'étais obligé de m'en sortir par des pirouettes fastidieuses du genre : « Je préfère Savitzkaya » ou « Non, merci, j'ai arrêté les biscottes suédoises au petit déjeuner ». Mais désormais tout va changer. Désormais je pourrai tenir tête aux fans du génial bûcheron finnois. Désormais je vais même en profiter pour vous convaincre de rejoindre la grande cohorte des paasilinnophiles. Car, désormais, j'ai lu *Le Lièvre de Vatanen*.

Ce livre, qui ne m'a pas attendu pour être un classique, démarre discrètement. Vatanen n'est pas le célèbre champion de rallye, mais un journaliste blasé et dépressif de Helsinki. Il heurte un lièvre avec sa voiture. Il s'arrête, cherche, retrouve le lièvre (qui ne lui a pas posé de lapin), puis disparaît dans la forêt. Son collègue photographe fiche le camp, car il s'en fout de Vatanen (sa femme aussi, d'ailleurs). Fable écologique ? Poésie néobeat ? Conte philosophique ?

Le Lièvre de Vatanen est surtout un hymne à l'évasion. C'est le *Sur la route* nordique. Vatanen est tout simplement un mec qui en a marre de sa vie et saisit le premier prétexte venu pour ne pas rentrer chez lui.

Le style de Paasilinna est aussi laconique que lapon. Il avance par petits paragraphes gelés, presque paresseux. Paasilinna contemple son personnage avec l'angoisse d'un lièvre devant un civet. C'est l'écriture minimum : on dirait que l'auteur a voulu disparaître autant que son héros. Publié à Helsinki en 1975, ce roman picaresque décrit un évanouissement, une évaporation qui étaient encore possibles à l'époque, puisque les Finlandais n'avaient pas encore inventé Nokia.

Plus on est particulier, plus on est général. Vatanen a beau être un reporter finlandais, il traverse la classique « midlife crisis » du quadragénaire qui veut tout plaquer. Dans sa fuite vers le Grand Nord pour sauver la vie du lièvre inconnu, il croise des gens, certains l'aident, d'autres appellent les flics (il se fait arrêter pour « possession d'animal sauvage »), beaucoup tentent d'assassiner le lièvre pour différentes raisons, aussi absurdes les unes que les autres (religieuses, commerciales ou par superstition). Il abat même un ours avant une fin à la Marcel Aymé. *Le Lièvre de Vatanen* aurait pu s'intituler « Easy Rabbit » (pour faire écho à *Easy rider*). C'est aussi l'histoire d'un impossible retour à la nature, comme *Into the wild* de Jon Krakauer vingt ans plus tard (1996). La principale différence étant l'humour permis par la fiction.

Arto Paasilinna, une vie

Né en Laponie finlandaise en 1942, Arto Paasilinna s'est lancé dans diverses branches professionnelles : il fut successivement bûcheron, ouvrier agricole, journaliste et poète. Il a fini par choisir le métier de romancier, qui faisait plus sérieux sur son curriculum vitae. Il est l'auteur d'une vingtaine de livres traduits dans le monde entier, dont *Le Lièvre de Vatanen*, *Le Meunier hurlant*, *La Cavale du géomètre*, *Le Fils du dieu de l'Orage* (j'aime bien ce titre qui évoque la série *Kung Fu*), *La Forêt des renards pendus* (celui-là fait plutôt penser au *Projet Blair Witch*), *Prisonniers du paradis* (hilarante variation autour de Robinson Crusoé, cette fois entouré sur son île d'une brochette de Suédoises en chaleur !), *La Douce Empoisonneuse* et *Petits suicides entre amis*. J'ignore si Arto Paasilinna figure sur la liste des nobélisables. Tout ce que je sais, c'est que, si les Suédois me demandaient mon avis, je leur conseillerais d'arrêter de couronner des écrivains lointains alors qu'ils ont cet incroyable énergumène tout près de chez eux, dans une cabane de rondins.

Numéro 32 : « La Vie de Patachon » de Pierre de Régnier (1930)

Contrairement à une idée fausse mais très répandue, les valeurs sex and drugs and rock'n'roll ne sont pas nées avec le rock, mais d'abord dans la littérature. Publié dans l'entre-deux-guerres, ce roman en est la preuve. C'est un petit livre blanc, d'un auteur méconnu, mort il y a longtemps. Quelques détails ont cependant attiré mon attention : le préfacier est Edouard Baer, l'édition est présentée par Alain Weill (ces deux hurluberlus sont des références en matière de bon goût) et il est publié dans la collection « Les Inattendus », officine spécialisée dans la redécouverte d'incunables saugrenus (par exemple *Pourquoi les hommes usent-ils de stupéfiants ?* de Léon Tolstoï). J'ai donc ouvert avec curiosité l'ouvrage intitulé *La Vie de Patachon* de Pierre de Régnier, fils du poète Henri de Régnier et petit-fils d'un autre poète : José-Maria de Heredia. Quand on descend de deux poètes, on risque d'être soi-même un poème, surtout si son vrai père est Pierre Louÿs (car Pierre de Régnier possédait un arbre généalogique à nombreuses branches et un ADN sacrément littéraire). Publié en 1930 chez Grasset,

La Vie de Patachon n'est pas seulement une expression du langage courant désignant mon existence quotidienne. C'est aussi une description hilarante du Paris des années folles : entre deux massacres, la Ville lumière fut l'endroit le plus amusant de la planète. Difficile à croire en cette ère de purification ethnique et d'ordre moral, mais c'est pourtant vrai : Paris a été une ville nyctalope, autrefois, où le champagne coulait à flots, où la drogue était légale et où la fête ne coûtait rien. Il faut imaginer ce que donnerait aujourd'hui un mélange de Moscou, Amsterdam et Bangkok. Ce n'est pas pour visiter le Louvre que les écrivains américains se précipitaient chez nous dans l'entre-deux-guerres mais pour fuir la prohibition du whisky et visiter nos maisons closes. Le héros du livre s'appelle Fifi-Biquet et Emma Patachon est le nom de son égérie – le patronyme Bovary étant déjà pris. Ce noctambule impénitent erre de boîtes de nuit en champs de courses, entre Deauville, Montmartre et la Côte basque. Il mélange tous les alcools, accumule les expériences diverses (opium, coco, dodo à plusieurs), se réveille à 7 heures du soir et se couche à 7 heures du matin. Il écrit aussi de jolis quatrains à la Toulet :

> « Sachez que dans les casinos
> Et avec la vie qu'on y mène
> On n'y voit pas Rose Nano
> Mais on y rencontre Germaine. »

A sa boutonnière, il arbore une botte de haricots verts nouveaux. Il ne couche qu'avec des filles qui couchent avec tout le monde. En dégustant chaque goutte de ce nectar festif, je me suis remémoré quelques nuits bostelliennes du meilleur aloi (Honoré Bostel était un fanatique de Pierre de Régnier), mais surtout j'ai pensé à quelques-uns de mes romans préférés : *Vercoquin et le plancton* de Boris Vian, *Monsieur Jadis ou l'école du soir* d'Antoine Blondin, *Tropique du Cancer* d'Henry Miller (tous postérieurs à 1930). A mes yeux ces références devraient achever de vous convaincre ; au cas où elles n'y suffiraient pas, je recopie aussi ce paragraphe charmant : « La vie est une chose tellement courte et tellement bizarre qu'il faut se hâter de la décrire dans ce qu'elle a de plus agréable (...) en laissant à l'avenir le soin mathématique, hasardeux ou fatal d'en chanter le souvenir ou d'en modeler les cendres. »

Pierre de Régnier, une vie

Pierre de Régnier n'est pas le fils d'Henri de Régnier mais de son ami Pierre Louÿs. Né en 1898, mort en 1943, Pierre de Régnier date d'un temps que les moins de 20 ans ne peuvent pas connaître, où les tests ADN n'existaient pas... Sa mère Marie de Heredia (fille du poète José-Maria du même nom) menait une double vie à la Jules et Jim avec ses deux meilleurs amis. En conséquence de quoi, Pierre (surnommé Tigre) fut un fêtard invétéré (voire invertébré) : gros buveur et amateur de femmes de petite vertu. Publié en 1930, *La Vie de Patachon* offre un tableau des nuits parisiennes dans les années folles. Mais il est aussi l'auteur de poèmes snobs qui évoquent le Barnabooth de Larbaud :

« Je suis un personnage étrange,
Réaliste et paradoxal,
J'aime les pyjamas oranges
L'amour, le chypre et les Pall-Mall. »

Ils furent rassemblés sous un titre modeste : *Erreurs de jeunesse* (1924). Un autre roman, *Colombine ou la grande semaine* (1929), n'est toujours pas réédité, et c'est bien dommage.

Numéro 31 : « Hygiène de l'assassin » d'Amélie Nothomb (1992)

A la Nothomberie, l'on ne vend que des intrigues faisandées, des rencontres livides et des sidas mentaux. Le fabuleux destin d'Amélie Nothomb, c'est d'être une anti-Amélie Poulain : quelqu'un qui ne cherche pas à rendre service autrement qu'en annonçant de mauvaises nouvelles à des inconnus. Un écrivain répète les mêmes mensonges tout au long de sa vie. Celui d'Amélie Nothomb est très simple : tout romancier est un diable qui se prend pour Dieu. Publié en 1992, son premier roman est composé de cinq dialogues avec le même personnage : Prétextat Tach, un octogénaire, prix Nobel de littérature, atteint d'un cancer en phase terminale. Quatre journalistes vont se faire successivement humilier et insulter par cet écrivain antipathique, obèse, chauve, raciste, mégalomane, misanthrope et misogyne (« les femmes c'est de la sale viande »). La violence brillante de ses propos rappelle la façon dont Nabokov mettait en boîte ses intervieweurs (entretiens rassemblés dans *Partis pris* chez 10/18), mais Nothomb s'est aussi inspirée du Costals des *Jeunes Filles* de Montherlant (elle aussi, c'est un de ses livres préférés). Puis une jeune femme prénommée Nina va retourner la situation à son avantage en révélant un secret du passé de Tach.

Dès son premier roman, Amélie Nothomb, alors âgée de 25 ans, mélange les ingrédients de son succès futur. Dans son fauteuil roulant, son personnage d'écrivain est fascinant d'arrogance, il se nourrit de tripes au petit déjeuner et boit du thé noir, c'est un graphomane puceau, une créature de zoo qui profère des inepties provocatrices pour choquer le bourgeois : « Je suis un tas de saindoux. » Aujourd'hui (2011) Amélie Nothomb a publié presque autant de romans que Prétextat Tach (19 contre 22). Elle a parlé de la boulimie comme de l'anorexie, de la beauté comme de la laideur, de l'enfance comme de la mort. Elle est devenue une figure baroque de la vie littéraire francophone, notamment en confiant à la presse des extravagances alimentaires analogues à celles de son premier personnage. Elle pourrait s'écrier comme Flaubert : Monsieur Tach, c'est moi.

Hygiène de l'assassin est de loin son meilleur roman, le plus mûr, le plus intelligent, le plus machiavélique. Nothomb y démontre une virtuosité, une érudition, une angoisse et une liberté rares. Ce premier roman est un cas unique : il annonce et résume l'ensemble de l'œuvre à venir. Les titres des romans de Tach semblent un pastiche de ceux que Nothomb écrira dans les deux décennies suivantes : « Apologétique de la dyspepsie », « La crucifixion sans peine », « Viols gratuits entre deux guerres », « Prière avec effraction », « Membranes », « Urbi et orbi », « Attentat à la laideur », « Crever sans adverbe », « La prose de l'épilation », « Sinistre total »... Après *Hygiène de l'assassin*, elle a publié tous les ans au mois d'août les livres que son premier personnage avait énumérés ! L'inverse de l'amnésie, c'est se souvenir du futur.

L'intrigue très huilée du dialogue final, avec ses retournements de situation, évoque *Le Limier* de Mankiewicz : c'est une machination, une guerre des nerfs entre le vieil auteur et la jeune visiteuse à propos d'un meurtre ancien, sorte de péché originel qui a entraîné la vocation littéraire de Tach. Le vieux ronchon est piégé par celle qu'il pensait écraser. La misogynie du propos surprend chez un auteur aussi précoce : les femmes doivent mourir dès la puberté, leur vie étant trop horrible ensuite. Nothomb est déchaînée dans ce premier livre : « si les hommes étaient des gentlemen, ils les tueraient le jour de leurs premières règles », « on se sent revitalisé quand on a étranglé une personne aimée », « personne ne fait aussi bien l'amour que les enfants ». Jamais Amélie Nothomb n'ira aussi loin que dans ce coup de maître inaugural, dont le héros, ersatz de Céline au début, devient carrément Marc Dutroux à la fin (autre Belge). La jeune Nothomb profite de cette construction savante pour dévoiler sa compréhension profonde de ce qu'est la littérature : « Modifier le regard, c'est ça, notre grand-œuvre » ; « Mes livres sont plus nocifs qu'une guerre, puisqu'ils donnent envie de crever, alors que la guerre, elle, donne envie de vivre » ;

Premier bilan après l'apocalypse

« Les écrivains sont obscènes ; s'ils ne l'étaient pas, ils seraient comptables, conducteurs de train, téléphonistes, ils seraient respectables » ; « Le sommet du raffinement, c'est de vendre des millions d'exemplaires et de ne pas être lu » ; « Ecrire sans jouir, c'est immoral (...) la seule excuse de l'écrivain, c'est sa jouissance. » Si les écrivains sont tous des assassins hygiéniques, alors Amélie Nothomb en est un.

Amélie Nothomb, une vie

Amélie Nothomb est née à Kobe (Japon) le 13 août 1967. Issue d'une illustre famille bruxelloise, elle est la fille d'un ambassadeur. Elle grandit donc en mangeant des rochers Ferrero et en buvant du champagne tiède. Alcoolique dès l'âge de trois ans, elle voyage trop : Chine, Etats-Unis, Laos, Belgique, d'où une solitude propice à l'inspiration littéraire. En 1992, *Hygiène de l'assassin* est une fracassante entrée en littérature, comme on n'en avait guère vu depuis *Bonjour tristesse* en 1954. Suivra tous les ans un court roman, tantôt intime et comique (*Stupeur et Tremblements*, Grand Prix du roman de l'Académie française en 1999, *Métaphysique des tubes* en 2000, *Biographie de la faim* en 2004, *Ni d'Eve ni d'Adam*, prix de Flore en 2007), tantôt bâclé ou scolaire (on ne les citera pas). Son œuvre autobiographique lui a heureusement permis d'échapper à l'écrasante malédiction du premier roman parfait.

Numéro 30 : « La Femme riche » de Patrick Besson (1993)

La différence entre les livres des autres et ceux de Patrick Besson est simple : ceux des autres, on les pose sur sa table de chevet en se disant « il faut absolument que je lise ça », alors que ceux de Besson, on les commence, on les continue et on les finit avant de pouvoir les poser sur sa table de chevet. Pourquoi ? C'est son esprit qui capte et retient l'attention. Il existe d'autres écrivains intelligents, d'autres auteurs drôles, d'autres romanciers cruels, mais aucun vivant n'a son mauvais esprit. Le mauvais esprit (« wit », disent les Anglais) est un mélange d'intellect, d'humour et d'agressivité. Il y en a toujours chez lui et pourtant Besson publie beaucoup ! Etant flemmard, je déteste les graphomanes : pas le temps de suivre. Mais je ne loupe jamais un livre de Besson, parce que j'ai toujours peur de rater la vanne du siècle. Les grands écrivains sont ceux qui nous forcent à les lire.

Besson est dispersé par crainte de l'ennui, comme Vian et Cocteau. La presse lui sert à muscler son style, tout en lui permettant de gagner sa vie en explorant son temps. Il écrit vite, c'est sans doute pourquoi on le lit vite. Sa production pléthorique (il écrit pour le pognon, c'est un mercenaire comme Dumas ou Balzac) fournit toujours des idées neuves, des paragraphes brillants, des aphorismes à scandale, des coups de théâtre, une chute inattendue. Jacques Brenner considérait Besson comme l'un de nos tout premiers stylistes et observateurs sociaux. C'est absolument exact. Il faut prendre au sérieux les écrivains qui écrivent.

Choisir un roman parmi sa production abondante fut un crève-cœur. Sa veine que je préfère est celle de la sotie insolente, du roman obscène faussement simple à la Simenon : *Haldred*, *L'Orgie échevelée*, *La Titanic*, *Un état d'esprit*, *Le Dîner de filles*, *1974*, *Come baby* et *La Femme riche.* Comme je fréquente un peu Besson depuis deux décennies, j'ai la mégalomanie de me demander si parfois il ne les écrit pas exprès pour moi ! On dirait des romans sur mesure : ils me vont tous comme un gant. Tous les ingrédients semblent réunis pour me faire plaisir : sexe, décadence, fiel, concision. *La Femme riche* (1993) est une étonnante satire de la bourgeoisie post-soixante-huitarde, qui tourne en dérision l'épouvantable comédie des relations entre hommes et femmes à la fin du XXe siècle. Ce polar, dont le tueur utilise une arme très originale, appartient à une catégorie inconnue : le thriller sexuellement parodique. Roman noir érotique ou plaisanterie déplacée ?

La Femme riche débute par un tour de force : un assassin est embauché par un commanditaire pour tuer une femme. On met plusieurs chapitres à comprendre que Michel, le banquier tueur qui doit éliminer Nathalie Forest, ne possède ni flingue, ni poignard, ni poison. (*Attention, spoiler* : ici je révèle un élément clé de l'intrigue !) La prouesse de Besson consiste à tenir assez longtemps (jusqu'à la page 75) sans révéler que Michel est séropositif (un hémophile contaminé lors d'une transfusion sanguine) et qu'il tue ses victimes en leur faisant l'amour sans préservatif. Quand il jouit, Besson écrit : « Je la tuai. » C'est le premier polar dont l'arme du crime est une bite en érection ; Agatha Christie aurait-elle apprécié cette entorse aux bonnes vieilles méthodes ? *La Femme riche* est un roman violemment romantique, sans doute une parodie d'*American psycho*, autre histoire de banquier meurtrier (sorti deux ans auparavant). Il contient des phrases qui pour moi sont devenues des proverbes : « un jeune corps, c'est un savon : il vous nettoie » ; « je ne suis pas une femme, je suis une femme riche » ; « la femme de vingt-cinq ans est angoissée parce qu'elle vient de comprendre qu'il va lui falloir cesser de s'amuser et commencer à être heureuse, ce qui est plus difficile » ; « cet air gentil et emprunté qu'ont les gens célèbres, comme s'ils s'excusaient en permanence d'être moins en forme que sur les photos » ; « toutes les filles veulent rencontrer l'amour et j'ai du mal à les persuader que ce n'est pas moi » ; « la nuit, Paris sent bon car tous les gens qui sentent mauvais sont rentrés dormir en banlieue ». J'arrête sinon je vais recopier tout le livre.

Contrairement à Bateman l'Américain, Michel, le serial killer français, est capable de tomber amoureux. On ne tue pas ceux qu'on aime, sinon c'est la fin du monde. Besson dit la même chose que Bataille mais avec davantage de cocasserie : certes, jouir et mourir c'est la même chose, mais pourquoi en faire un drame ? Besson n'est pas nihiliste : il est juste triste. En nous envoyant le sida, Dieu nous a offert la métaphore idéale pour exprimer ce que nous ressentions depuis Homère : la jouissance donne la vie et la mort. Pour écrire un bon roman, il ne suffit pas de raconter une histoire, même si elle est flambant neuve. Il faut raconter une histoire qui raconte autre chose.

Patrick Besson, une vie

Le talent rend fou. Avoir un don n'est pas un cadeau. Né en 1956, Patrick Besson est un des plus brillants écrivains français contemporains. Tout le monde le sait, y compris lui-même. Quand vous possédez ce talent entre les mains, il y a deux solutions : publier un livre tous les quinze ans comme Bernard Frank, ou publier quatre livres par an comme Georges Simenon. Le deuxième choix vous fera gagner en présence ce que vous perdrez en légende. Ce dilemme est-il réel ? Le futur démontrera que Patrick Besson a réussi à devenir culte sans disparaître. En mars 2011, dans *Le Point*, il écrit ceci : « Le mariage c'est être inséparables ; l'amour c'est être séparés. » On peut aussi y voir une maxime classique à la Chamfort, c'est surtout un résumé de *L'Insoutenable Légèreté de l'être* de Kundera. La littérature se faufile où bon lui semble. Sa seule chance de survie est de s'immiscer partout. Besson aura toute sa vie saupoudré son talent : les chroniques hebdomadaires constituèrent sa gymnastique matinale, les magazines (*Le Point*, *Le Figaro magazine*, *Marianne*, *Voici*, *L'Idiot International*...) furent ses salles de musculation. L'essentiel, il le réservait néanmoins à ses romans. De Besson, j'ai aimé les gros romans historiques documentés (*Julius et Isaac* sur Hollywood dans les années 50, *Les Frères de la consolation* sur le Paris des années 1830 ou *La Science du baiser* sur la Grèce antique), les romans doux-amers de hussard bleu (*La Paresseuse*, *Le Sexe fiable* ou *Accessible à certaine mélancolie*), les petits récits autobiographiques (*28, boulevard Aristide-Briand*, *Tour Jade* et *Come baby*), les pamphlets épidermiques (*Le Viol de Mike Tyson*). Mais, puisqu'il fallait choisir, j'ai choisi *La Femme riche.*

Numéro 29 : « Quand j'écris je T'aime » de W. H. Auden (1959)

Soyons francs : je ne connaissais pas W. H. Auden. Tout ce que je savais de lui, c'était ces quelques vers qui ont fait pleurer tous les spectateurs de *Quatre mariages et un enterrement* : « Funeral blues ».

> « He was my North, my South, my East and West,
> My working week and my Sunday rest,
> My noon, my midnight, my talk, my song ;
> I thought that love would last forever, I was wrong.
>
> The stars are not wanted now ; put out every one,
> Pack up the moon and dismantle the sun.
> Pour away the ocean and sweep up the wood ;
> For nothing now can ever come to any good. »

Le projet semble absurde : en 1959, un homme amoureux choisit d'écrire un livre entier sur un poème qu'il n'a pas été capable d'écrire. « Dans l'attente de ton arrivée, demain, je me prends à penser "Je T'aime" ; puis vient la pensée : "J'aimerais écrire un poème qui exprimerait exactement ce que je veux dire quand je pense ces mots." » L'amour a été souvent décortiqué par les romanciers. En général, ils s'aperçoivent qu'analyser les sentiments ne permet tout de même pas de les contrôler. A ma connaissance, les poètes n'ont pas cette habitude de tout disséquer ; ils cherchent plutôt à exprimer leur flamme, à se servir de la passion amoureuse comme d'une source d'inspiration pour employer des mots comme « tristesse », « fougue », « vent », « Aphrodite », « il pleure dans mon cœur », etc. Mais aujourd'hui, les chansons de variété ont récupéré ce fonds de commerce. La poésie du XXe siècle a été détruite par le symbolisme (puis le surréalisme) et remplacée par l'industrie du disque (laquelle est en train de disparaître à son tour).

En 1959, W. H. Auden a déjà compris tout ça. Au lieu d'écrire une ode romantique, il décide de tout livrer : ses doutes, sa culture, sa timidité face à l'enjeu. C'est la première fois qu'un poète propose au lecteur de lui montrer les coulisses de son art. Il se compare aux compositeurs, aux peintres. Il veut qu'on sache qu'il est incapable de « faire semblant ». Il voudrait être sûr que les mots « je T'aime » aient encore un sens en 1959. Que dirait-il en 2011 ? Est-il possible d'être encore romantique dans un siècle comme le nôtre ? Voici un petit livre où l'un des plus grands poètes du XXe siècle se pose la question, et y répond indirectement, en refusant d'écrire un poème larmoyant, et en exposant noir sur blanc les raisons de cet échec. OK, cela vous paraît peut-être une glose intello sur l'impuissance de W. H. Auden, mais c'est plus beau que ça. Parce qu'à la fin du livre on pleure. Donc le but est atteint : à la question posée plus haut, Auden répond oui, malgré tout, oui la poésie peut continuer, oui nos cœurs ont encore le droit de battre. « Donc, ce poème ne sera jamais écrit. Aucune importance. Demain Tu arriveras : si j'écrivais un roman dont nous serions tous deux des personnages, je sais exactement comment je T'accueillerais à la gare : l'adoration au fond de l'œil ; sur les lèvres, le badinage et la paillardise. » L'amour, c'est pourtant simple : il faut le faire, le ressentir, mais ne jamais le dire.

W. H. Auden, une vie

Déjà, W. H. avait un prénom de star : Wystan Hugh. Si tu t'appelles Wystan Hugh, t'as pas trop le choix : faut devenir poète. Tu vas quand même pas te retrouver G.O. au Club Med avec un badge marqué « Wystan Hugh » dessus. L'autre solution, pour pas que les gens perdent trop leur temps à essayer de prononcer ton prénom correctement, c'est frimer avec les initiales « W. H. » Né à York en 1907, W. H. Auden est mort à Vienne en 1973. Nos vies : deux dates. Avant ? Rien. Après ? On ne sait pas. Entre les deux, Wystan Hugh a baptisé (en toute modestie) vers 1930 un groupe de poètes « The Auden Group », dans lequel figuraient notamment Stephen Spender, Christopher Isherwood et Cecil Day-Lewis. Devenu citoyen américain en 1946, Auden revint régulièrement en Europe et fut professeur de poésie à Oxford. Ses livres les plus connus sont : *Lettres du Nouvel An* (1941), *For the time being* (1944), *The age of anxiety* (1947), *Nones* (1951), *Le Bouclier d'Achille* (1955), *Hommage à Clio* (1960).

Numéro 28 : « Solde » de Bernard Frank (1980)

« Ecrire pouvait être aussi le plus parfait moyen d'éviter les services militaires de l'existence » (*Solde*). L'œuvre de Bernard Frank est une digression, érudite et splendide autour de l'impossibilité d'écrire un roman au XXe siècle. *Géographie universelle* (1953) ? Un tour d'Europe pour oublier qu'il n'est pas Malraux. *Les Rats* (1953) ? Une virée au Pont-Royal pour se fâcher avec Sartre. *Israël* (1955) ? Un voyage à Tel-Aviv pour regretter de n'être pas Proust. *L'Illusion comique* (1955) ? Du sous-Sagan, un an après *Bonjour tristesse. Le Dernier des Mohicans* (1956) ? Un pamphlet anti-Jean Cau (le secrétaire de Sartre). *La Panoplie littéraire* (1958) ? Comment ne pas être Drieu. *Un siècle débordé* (1970) ? J'ai failli être Montaigne. *Solde* (1980) ? J'aurais pu être Flaubert.

Bon, c'est un peu plus tordu que ça : *Solde* nous parle de l'histoire d'amour impossible entre Emma Bovary et Bernard Frank. Le sujet de tous les livres de Bernard Frank, c'est : « je ne suis que Bernard Frank ». Les places étaient toutes prises, il est arrivé trop tard ou trop tôt ; trop jeune, entouré de vieux paternalistes, puis trop vieux, entouré de jeunes arrivistes. Bernard Frank a trop lu pour pouvoir raconter des histoires. Bernard Frank est trop intelligent pour avoir de la prétention. Bernard Frank préféra vivre que souffrir. Bernard Frank a écrit ces 400 pages pour nous répéter sans cesse ce qu'il aurait pu faire s'il avait travaillé. Un lecteur inattentif y verrait un gâchis monumental. Pourquoi ne pas avoir tenté sa chance ? Pourquoi toutes ces brillantes fuites ? Pourquoi n'avoir pas tenu les promesses de ses 20 ans ?

Bien sûr, Bernard Frank se trompait sur Bernard Frank. Il a cru qu'il boxait dans la catégorie des grands romanciers alors qu'il était un diariste de génie, un chroniqueur prodigieux, un autobiographe parfait. Il a voulu être Proust, Sartre ou Malraux et ne fut aucun des trois ? Tant mieux ! Il est aujourd'hui bien plus : il est Jules Renard, il est Valery Larbaud, il est Chateaubriand. Tel Hannibal, il a remporté la victoire en contournant l'obstacle – ratant sa vocation, il a involontairement réussi son œuvre. « Ce que je suis : à vingt ans, je l'étais déjà. L'homme d'un seul livre que, depuis un quart de siècle, je répète, je lustre, je détériore ou contredis. » Le XXe siècle est celui qui a donné ses lettres de noblesse à la digression et à l'improvisation. Il est interdit d'interdire : il n'y a pas que les femmes et les enfants qui se soient libérés, la littérature aussi.

Lire *Solde* procure le même plaisir que d'écouter un musicien faire un solo en concert. Son agilité d'esprit, sa manière de commencer une phrase sans trop savoir où elle va le conduire sont des marques de sa curiosité et de sa générosité. Bernard Frank est le contraire d'un flemmard : ça turbine sans cesse, il réfléchit trop, il y a trop de monde en lui. « Le chœur enfin qui est en moi. Le chœur qui jacasse et qui gronde comme une meute de chiens, comme un sabbat de sorcières. Horrible chœur qui me soulage pourtant, tant je crains le silence fou. » Pour être un bon romancier, il faut être un peu con. Cela, malheureusement, Frank en est incapable. « Croyez-vous que ce bruit m'amuse ? Un livre, même réussi, c'est une entreprise au bord de la faillite. »

Bernard Frank, une vie

Bernard-Benjamin Frank est né le 11 octobre 1929 à Neuilly-sur-Seine, à 8 h du matin et mort le 3 novembre 2006 dans un restaurant de la rue du Faubourg-Saint-Honoré, Paris 8e. Durant l'Occupation, il vit à Aurillac. A 20 ans, Sartre lui confie la rubrique littéraire de sa revue *Les Temps modernes* (Sartre était un grand détecteur de talents : il avait aussi confié une chronique à Boris Vian). Ensuite, Frank a publié dix livres : deux romans (*Les Rats*, *L'Illusion comique*), trois essais (*Israël*, *Le Dernier des Mohicans*, *La Panoplie littéraire*), trois feuilletons (*Géographie universelle*, *Un siècle débordé*, *Solde*) et deux recueils d'articles (*Mon siècle*, *En soixantaine*). Il a inventé les « hussards » dans un article mémorable aux *Temps modernes.* Il fut le meilleur ami de Françoise Sagan. Il écrivit au *Matin de Paris*, au *Monde*, au *Nouvel Observateur. Solde* a reçu le prix Nimier en 1981. Bernard Frank ne fut pas membre de l'Académie française.

Numéro 27 : « Nouvelles » de J. D. Salinger (1953)

« If you really want to hear about it... »

Si vous voulez vraiment que je vous dise à quoi je pensais quand je marchais dans la forêt de Cornish, New Hampshire, à la recherche de J. D. Salinger en mai 2007, alors sûrement la première chose c'est « mais bon sang qu'est-ce que je fous là », et toutes ces conneries à la Albert Camus, mais j'ai pas envie de raconter ça et tout.

(Après avoir traversé le pont couvert au-dessus de la rivière Connecticut, il fallait tourner à droite et rouler jusqu'au cimetière. Ensuite gravir à gauche des chemins de terre au milieu des sapins géants en sachant qu'au bout de cette route barrée de troncs d'arbres, en haut de la colline, derrière des clôtures aux panneaux « No trespassing », dans une ferme rouge, vivait l'écrivain le plus mystérieux, le plus secret du monde. Derrière moi la caméra de Jean-Marie Périer enregistrait ma quête vaine ; je savais bien que je me dégonflerais au bout du compte. D'abord parce que Salinger était un ancien militaire, peut-être armé... Mais surtout parce que jamais je n'aurais osé déranger l'auteur de mes nouvelles préférées. Je voulais seulement connaître l'homme qui se cachait derrière Seymour Glass – prononcer « see more glass » : voir plus de verre. Je voulais savoir si Salinger était heureux dans sa tour d'ivoire au fond des bois ; en vérité j'étais aimanté par mon contraire.)

On ne compare pas assez Jerome David Salinger à Albert Camus. Pourtant les deux auteurs sont nés à six ans d'écart (Camus en 1913, Salinger en 1919) et ont atteint chacun des sommets de popularité de leur vivant. *L'Attrape-Cœurs* (1951) est sorti neuf ans ans après *L'Étranger* (1942), ce qui fait de Holden Caulfield un petit frère de Meursault. En 1960, quand Camus meurt d'un accident de voiture, Salinger est déjà reclus à Cornish depuis sept ans. Embrasser un platane ou s'enfermer dans une forêt, le geste revient à peu près au même. Pourquoi Salinger n'a-t-il jamais eu le Nobel ? Parce que les jurés suédois savaient qu'il ne viendrait jamais le chercher ! Salinger est le Camus américain : disparus tous deux à 46 ans (comme Baudelaire et Musset), ils nous disent que la vie est absurde, qu'il faut se révolter afin de retrouver l'innocence perdue ; leurs narrateurs racontent leur errance dans une langue simple, orale, imagée : « if you really want to hear about it, maman est morte ».

La moitié des « Neuf nouvelles » (*Nine stories*) rassemblées deux ans après *L'Attrape-Cœurs* ont été écrites auparavant et publiées par le *New Yorker*. Leurs titres ont une étrangeté qui a influencé tous les nouvellistes des décennies suivantes. Avant de se suicider en 2008 à 46 ans, David Foster Wallace aurait-il écrit *Brefs Entretiens avec des hommes hideux* ou *Un truc soi-disant super auquel on ne me reprendra pas* si Salinger n'avait imaginé *Oncle déglingué au Connecticut*, *Pour Esmé avec amour et abjection*, *Un jour rêvé pour le poisson-banane* et *Juste avant la guerre avec les Esquimaux* ? Même les universitaires les plus poussiéreux reconnaissent l'incroyable talent de nouvelliste de J. D. Salinger. Ses histoires reliées entre elles par les personnages d'une même famille, ses détails elliptiques sur la guerre, ses malades mentaux dont on chuchote le nom dans les familles bourgeoises, ces êtres fragiles, dépressifs, décalés, la justesse de leurs dialogues enfantins, ont une force, un désespoir, une originalité qui font de *Nine Stories* un authentique chef-d'œuvre, sans doute plus émouvant encore que « L'attrapeur dans le seigle ». En exergue, Salinger cite un proverbe zen : « On connaît le bruit de deux mains qui applaudissent. Mais quel est le bruit d'une seule main qui applaudit ? » Dès le début de la première nouvelle (*Le poisson-banane*), il répond à la question. Une femme se met du vernis à ongles, le téléphone sonne, « elle se leva en agitant la main pour faire sécher ». La voilà, la seule main qui applaudit. Salinger pousse l'art de l'ellipse (après Hemingway et avant Carver) à son point de paroxysme. Le malaise de ses personnages n'est pas immédiatement compréhensible. Son iceberg à lui se nomme : World War II. Ainsi dans *En bas, sur le canot*, une mère tente de convaincre son fils de 4 ans, caché dans une barque, d'arrêter de disparaître sans arrêt. Petit à petit, on comprend qu'elle est la sœur de Seymour Glass (le héros du *Bananafish*), dont le suicide est la cause de ce dommage collatéral. Ne jamais dissiper le mystère, tel semble être le secret de Salinger. Au contraire l'approfondir. Laissez-les tous se creuser la tête pour comprendre ce qui ne va pas. Un écrivain peut faire rire, pleurer ou rêver, mais il n'est pas obligé de tout expliquer, il n'est pas là pour ça. Il peut même s'employer à compliquer notre existence.

Les deux derniers livres de Salinger sont des diptyques : *Franny et Zooey* (1961) et *Dressez haut la poutre maîtresse, charpentiers* suivi de *Seymour, une introduction* (1963). Ces quatre longues nouvelles approfondissent notre connaissance de la famille Glass. Tous ces textes épars peuvent donc être considérés comme un seul et même roman, qui tente d'expliquer, par divers éclairages, un événement fondateur : le suicide d'un survivant de la guerre (après une conversation charmante sur une plage de Floride avec une petite fille de six ans, Seymour Glass, 31 ans, remonte dans sa chambre d'hôtel et se tire une balle dans la tempe droite à la fin du *Jour rêvé pour le poisson-banane*). L'ambition de Salinger est immense : connaissez-vous beaucoup de romanciers capables de décrire le suicide d'un personnage en 1948 et de passer ensuite toute leur vie à inventer des flashbacks sur lui, ses frères et sœurs, sa femme, son enfance ? C'est comme si Salinger voulait tenter de savoir ce qui serait arrivé s'il était mort de sa dépression d'après guerre. Quatre livres seulement en douze ans, puis le silence de Mona Lisa... Dans la dédicace de *Franny et Zooey*, Salinger compare son « livre d'apparence mesquine » à un « haricot refroidi ».

Toute l'œuvre de Jerry Salinger peut être lue en une après-midi, mais il faut une vie entière pour la décrypter. Une phrase me semble résumer ce projet tentaculaire, que son frère Buddy trouve dans le carnet intime de Seymour Glass dans *Dressez haut la poutre...* : « Je suis un paranoïaque à l'envers : je soupçonne les autres de faire des complots pour me rendre heureux. »

J. D. Salinger, une vie

Né le 1er janvier 1919 à New York, il a souvent fait ses adieux. Après la publication de *L'Attrape-Cœurs* (1951) et des *Nouvelles* (1953), il disparaît. Salinger publie ensuite *Franny et Zooey* en 1961 et *Dressez haut la poutre maîtresse, charpentiers* en 1963. Il donne sa dernière nouvelle au *New Yorker* en juin 1965 : *Hapworth 16, 1924.* Encore un monologue de Seymour Glass, où, bien qu'âgé de 7 ans, il rédige une lettre à ses parents où il s'exprime comme un adulte... L'accueil fut très réservé : logorrhée incompréhensible, histoire sans aucune crédibilité (un petit garçon qui cite *Don Quichotte* et des ouvrages de yoga !). Vexé, Salinger cessa alors de publier : pour le public, il est devenu un fantôme à ce moment-là. Par la suite, ses biographes (Ian Hamilton, Paul Alexander, Joyce Maynard, sa fille Margaret) en ont fait un ermite psychopathe, un scientologue ou un bouddhiste obsessionnel, un névrosé mégalomane ne consommant que des « donuts » ou des lycéennes admiratives, quand ce n'était pas sa propre urine. Salinger est le premier écrivain de l'ère audiovisuelle à avoir compris que le corps et la biographie d'un auteur constituent un obstacle irrémédiable à sa compréhension. En disparaissant et en raréfiant ses publications, il nous obligeait à le lire et le relire comme un missel. Est-ce de l'orgueil démesuré, du marketing à l'envers, une allergie incurable aux critiques, ou tout simplement le syndrome post-traumatique d'un soldat ayant libéré des camps de concentration en Allemagne ? Sans doute tout cela mêlé avec un goût certain pour la solitude et la sécurité matérielle assurée par les droits mondiaux de son premier roman (l'un des 25 livres les plus vendus de toute l'édition américaine). Il a fini par quitter ce monde une seconde fois le 27 janvier 2010.

Numéro 26 : « Les Jeunes Filles » de Henry de Montherlant (1936)

La construction des *Jeunes Filles* est ultra-moderne. C'est un roman composite, une juxtaposition de fragments épars. Il commence par des lettres de lectrices éplorées à Pierre Costals, écrivain « à la réputation conquérante ». Viennent ensuite des listes de petites annonces matrimoniales pathétiques : des jeunes filles cherchent un mari (une le souhaite « ayant un genre américain »), des hommes veulent se caser avec des femmes jeunes et/ou fortunées. On devine le projet de Montherlant : tourner en ridicule l'amour hétérosexuel bourgeois et le mariage religieux à l'ancienne avec un cynisme implacable : « de la bouillie pour les chats ». Ce livre est paru en 1936. Il s'agit sans doute d'un des textes les plus misogynes jamais écrits. « Une des horreurs de la guerre, sur laquelle on n'attire pas assez l'attention, c'est que les femmes y soient épargnées. » « C'est une espèce de réflexe que j'ai avec les femmes, quand une auto nous frôle, de les pousser dessous. » Resituons les choses : la France est un pays massacré. Il n'y a plus d'hommes. Montherlant s'aperçoit qu'il est un athée homosexuel dans une société matriarcale catholique. *Les Jeunes Filles* est un défouloir. Le racisme anti-femmes de Costals est aussi une façon de dénoncer leur condition d'idiotes dépendantes des hommes. Rappelons une règle de base de la littérature : on peut lire un livre sans être d'accord avec ce qui est écrit dedans. Lire *Mein Kampf* ou *Bagatelles pour un massacre* (ouvrages contemporains des *Jeunes Filles* de Montherlant) ne signifie pas qu'on approuve leurs thèses. Costals dans un roman du XXIe siècle serait sûrement serial-killer.

Costals fiche un râteau à une groupie bigote (Thérèse), puis manipule une pauvre provinciale amoureuse qui le harcèle (Andrée). On a pitié d'Andrée qui souffre et redemande de la souffrance. Plus il est salaud avec elle, plus elle l'aime. Progressivement, *Les Jeunes Filles* se mue en pamphlet contre le sentiment amoureux. Pierre Costals est le Valmont du XXe siècle. C'est un séducteur méprisant, un goujat prétentieux tellement désagréable qu'il en devient immédiatement attachant, comme Lord Henry Wotton dans *Le Portrait de Dorian Gray*. Il se joue de la crédulité féminine, ment et ricane de ses soupirantes naïves, préfère une pute (Guiguite, 18 ans) et un fils bâtard à ses lectrices innocentes et folles de lui, qu'il couvre de sarcasmes avec sadisme. Est-il un monstre ? Non : un homme. « La femme est faite pour un homme, l'homme est fait pour la vie, et notamment pour toutes les femmes. »

Montherlant développe une intéressante théorie sur l'amour au masculin. Selon lui, aucun homme ne veut être aimé ; une femme qui aime un homme le dégoûte obligatoirement. « Etre aimé est un état qui ne convient qu'aux femmes, aux bêtes et aux enfants. » « L'idéal de l'amour est d'aimer sans qu'on vous le rende. » « Un homme qui est aimé est prisonnier. » Costals n'est pas un don Juan mais un trouillard qui fuit l'amour. *Les Jeunes Filles* n'est pas seulement un traité de pédéraste sur les jeunes filles en fleurs (parachevant le travail de Proust) et un roman épistolaire sur des bécasses en pâmoison devant un gay refoulé. C'est aussi un manifeste inconscient, un pamphlet contre la réciprocité en amour. « Etre aimé plus qu'on aime est une des croix de la vie. Parce que cela nous contraint soit à feindre un sentiment de retour qu'on n'éprouve pas, soit à faire souffrir par sa froideur et ses rebuts. » Cette aventure de deux planètes incapables de communiquer (les hommes viennent de Mars, les jeunes filles de Vénus !), si l'on y réfléchit, est sans doute à l'origine de la libération de la femme. En ridiculisant la condition féminine de l'entre-deux-guerres, Montherlant a contribué à l'éclosion de Simone de Beauvoir. C'est peut-être grâce à ce sale macho que les jeunes filles gouverneront bientôt le monde.

Henry de Montherlant, une vie

Henry de Montherlant (1895-1972) est un frimeur passionné de corrida et d'Antiquité romaine. Il aime l'athlétisme, les exploits physiques, les muscles et le soleil. Et les adolescents. Marqué par l'expérience de la guerre en 1918 (il fut blessé comme Céline et

Hemingway), il fera fausse route dans *Le Solstice de juin* (1941) en souhaitant une France nouvelle sous l'étendard de la croix gammée. Publié entre 1936 et 1939, le cycle des *Jeunes Filles* (*Les Jeunes Filles*, *Pitié pour les femmes*, *Le Démon du bien* et *Les Lépreuses*) rencontra un succès immense. Le théâtre de Montherlant semble grandiloquent et désuet aujourd'hui mais eut son importance après guerre : *La ville dont le prince est un enfant*, *La Reine morte* ou *Le Maître de Santiago* sont des classiques. Elu en 1960 à l'Académie française, il se suicide douze ans plus tard, à l'âge de 76 ans, le jour de mon anniversaire (21 septembre), en avalant une capsule de cyanure, suivie d'une balle dans la bouche, puisque deux précautions valent mieux qu'une.

Numéro 25 : « L'Ecume des jours » de Boris Vian (1947)

La lecture de Boris Vian est-elle réservée aux adolescents attardés ? Boris Vian lui-même n'a pas pu vivre plus de trente-neuf ans. Arrêter de le lire après cet âge serait peut-être une preuve de courtoisie. Le problème s'est posé de son vivant. Sartre l'avait embauché aux *Temps modernes* mais se lassa vite : il préférait sa femme Michelle. Les éditions Gallimard, n'arrivant pas à vendre *L'Ecume des jours* qu'elles avaient publié en 1947, refusèrent les romans suivants. Le milieu littéraire parisien ne l'a pas compris. Trop de pitreries, trop de dispersion, pas assez de dépression. Boris Vian a eu le tort de dire que son œuvre était « une projection de la réalité en atmosphère biaise et chauffée sur un plan de référence irrégulièrement ondulé et présentant de la distorsion ». Il s'est mis à dos tous ceux que Rabelais appelait les « agélastes » (les allergiques à la rigolade). Il a commis la grave erreur d'organiser des surprises-parties, de jouer de la trompette, de chanter des chansons comiques, de mixer les 78 tours en discothèque : il ne se prenait pas suffisamment au sérieux pour que les autres le fassent. La France est un pays où l'on punit les écrivains qui s'amusent. On les aime quand ils nous font rire, mais on les déteste quand ils rient.

L'Automne à Pékin ne parle ni d'automne, ni de Pékin : c'est du Nouveau Roman. *L'Herbe rouge* est la première autofiction, bien avant Doubrovsky. *J'irai cracher sur vos tombes*, c'est du James Baldwin... six ans avant le premier James Baldwin. Et puis il y a *L'Ecume des jours*, écrit en trois mois, juste après la guerre. Son meilleur livre, de loin. Si l'on se dispute aujourd'hui sur lui, c'est parce qu'il a écrit ce roman indiscutable à 26 ans. Lire *L'Ecume des jours* permet de rajeunir. C'est une lotion cosmétique, un élixir de jouvence. Il est vrai qu'on le découvre différemment selon les âges. Lire *L'Ecume des jours* à 14 ans peut être considéré comme un rite d'initiation, de même que découvrir *L'Attrape-Cœurs*. A 40 ans, cet anti-conte de fées émeut différemment ; c'est sa naïveté feinte, son innocence trompeuse qui impressionnent. On en vient même à soupçonner son auteur d'avoir été cynique en transformant sa dyspnée cardiaque personnelle en nénuphar pulmonaire de Chloé (baptisée ainsi en hommage à une composition de Duke Ellington). Plus on avance dans la vie, plus ce texte devient une madeleine. Quand je le relirai à 60, 70, 80, 90 ans, il me permettra d'en avoir 14 de nouveau. Certains auteurs vieillissent vite, d'autres nous en empêchent.

Je voudrais insister sur le sérieux de Vian puisqu'il a négligé de le faire lui-même. Le sinistre André Breton a dit de *L'Ecume des jours* que c'était un « chef-d'œuvre d'enjouement et de poésie ». Ce n'est pas sans importance. Rappelons que le même tyran énonça, en 1924, dans le premier *Manifeste du surréalisme* qu'« un genre inférieur tel que le roman » ne pouvait être fécondé que par le « merveilleux ». La démarche de Vian donne raison à Breton et tort à Sartre qui opposait roman et poésie (le roman seul capable d'affronter le monde, la poésie comme volonté de lui échapper) : Boris Vian est l'homme qui, au XXe siècle, a fusionné les deux. Prenons au hasard une phrase de *L'Ecume des jours* : « Les souris de la cuisine aimaient danser au son des chocs des rayons de soleil sur les robinets, et couraient après les petites boules que formaient les rayons en achevant de se pulvériser sur le sol, comme des jets de mercure jaune. » Prose ludique de plaisantin centralien ? Beauté de la synesthésie baudelairienne ? Humour absurde digne de Lewis Carroll ? Déconnades de potache neuneu ? Rien de tout cela : cette phrase décrit simplement des rayons de soleil qui se reflètent sur un évier, et des animaux qui jouent avec la lumière réfléchie au sol. Tout le monde a déjà vu un chat essayer d'attraper une tache de lumière renvoyée par une fenêtre, mais Vian en fait une scène de danse et y ajoute la métaphore chimique du « mercure jaune ». Son surréalisme est aussi un hyperréalisme. Pas étonnant que ses rares peintures rappellent celles de Salvador Dalí ou Yves Tanguy. Dans sa célèbre préface à *L'Ecume*, il dévoilait pourtant son mode d'emploi : « cette histoire est entièrement vraie puisque je l'ai imaginée d'un bout à l'autre » – on pense au « mensonge qui dit la vérité » de Cocteau. Vian est un romancier réaliste bien qu'irréel et un poète engagé politiquement parce que détaché humoristiquement. C'est un écrivain très littéraire, qui déconne mais ne plaisante pas.

Ceux qui pensent qu'on ne doit pas lire Vian après 25 ans vont devoir aussi prévenir tous leurs amis d'éviter les excréments de Rabelais, les farces lourdes de Molière, les « hénaurmités » de Jarry, les niaiseries d'Andersen, les puérilités de Grimm, les sortilèges amoureux genre *Tristan et Yseult* ou Shakespeare, les néologismes de Queneau, les absurdités d'Ionesco, les nouvelles infantiles de Marcel Aymé, l'argot vulgaire de Céline, les blagues scatologiques de San-Antonio et les calembours mélancoliques de Blondin. Déjà que c'est pénible d'être vieux, je trouve que ce ne serait pas très gentil d'obliger les personnes âgées à ne lire que du Richard Millet.

Boris Vian, une vie

Boris Vian est né en 1920 à Ville-d'Avray et mort en 1959 d'un arrêt cardiaque durant une projection de l'adaptation de *J'irai cracher sur vos tombes* au cinéma Le Marbeuf. Durant sa courte existence, cet ingénieur de l'Ecole centrale a trouvé le temps de fabriquer beaucoup de choses : romans (*Vercoquin et le plancton* en 1946, *L'Écume des jours* en 1947 – seul livre digne de figurer dans mes deux inventaires –, *L'Automne à Pékin* en 1947, *L'Herbe rouge* en 1950 et *L'Arrache-Cœurs* en 1953), chansons (*La Complainte du progrès*, *J'suis snob* et *Je bois* sont mes favorites), polars sous le pseudonyme de Vernon Sullivan (*J'irai cracher sur vos tombes* fit scandale en 1946), traductions (*Le Monde des non-A* d'A. E. Van Vogt en 1953). Il a aussi joué de la trompette, écrit beaucoup d'articles de presse, des poèmes, des scénarios et des pièces de théâtre. Sa reconnaissance et son succès furent posthumes. Raymond Queneau ne s'était pas trompé en déclarant à sa mort : « Et maintenant Boris Vian va devenir Boris Vian. »

Numéro 24 : « Brèves de comptoir » de Jean-Marie Gourio (depuis 1987)

Jean-Marie Gourio a inventé une forme nouvelle. Connaissez-vous beaucoup d'écrivains qui ont inventé une forme nouvelle ? Au XXe siècle, il y a Breton, Céline, Joyce, Faulkner, et c'est à peu près tout ; on en a vite fait le tour. Les autres se sont contentés de décliner, dans tous les sens du terme. Il est très rare d'avoir la chance de créer un genre. Il faut se trouver au bon endroit, au bon moment, et suivre son instinct. Un soir de 1985, Gourio se trouvait dans un bar, rue des Trois-Portes, au moment où un client vaguement bourré assena à son pote : « Une plante carnivore peut pas être végétarienne, enfin, je crois. » Il a suivi son instinct en dégainant son carnet jaune et son stylo-bille, afin de graver la sentence dans le marbre. Les *Brèves de comptoir* étaient nées. « Cette petite phrase, avec son balancement curieux de petite phrase et sa folie douce, m'avait frappé. »

Gourio avait compris qu'il est inutile de travailler : il suffit de recopier ce que disent les gens. « La vie c'est court et pourtant une heure c'est long. » Seule la réalité a du génie ; le boulot de l'écrivain est de savoir l'espionner correctement. Les *Brèves de comptoir* ne sont pas des apophtegmes, ni des maximes, pas même des aphorismes. Ce sont des billevesées impromptues, des fariboles philosophiques, des sautes d'humeur, des sentences poétiques, des bribes comiques, des « poussières anisées » : « Un monde en mots, un autre dessin des choses » (dixit le scribe).

« Quand Jésus reviendra, ce sera conférence de presse sur conférence de presse. »

« À la naissance le nain est normal, c'est en grandissant qu'il rapetisse. »

Gourio est l'anti-Pascal Quignard : il aime sortir de ses livres, fréquenter ses semblables, et surtout il ne se prend pas pour un artiste. Il a tort, car ce qu'il a découvert l'est extrêmement (artistique) : l'ivresse, c'est la liberté. Sa littérature de comptoir est plus profonde, plus originale, plus surprenante, donc infiniment plus respectable que la littérature de salon (celle qui a des articles dans les suppléments littéraires, celle qui a des prix provisoires, celle qui disparaîtra). Comme l'a démontré Alexandre Lacroix dans un bel essai (*Se noyer dans l'alcool ?* paru aux PUF en 2001), tous les grands génies étaient alcooliques : Baudelaire, Rimbaud, Fitzgerald, Kerouac, Lowry, Bukowski, Blondin, Debord. L'alcool est une usine à littérature. Je suis prêt à parier que les « longueurs de sobriété » seront vite oubliées alors qu'on étudiera encore les *Brèves de comptoir* en 3002. On cherchera à comprendre pourquoi certaines phrases apparaissaient en gros sur la page alors que d'autres choisissaient une typo plus discrète – l'idée étant simplement de retranscrire le volume, le son, l'intention du convive. Car les brèves de comptoir sont les calligrammes du pauvre. A la fin du coffret, on apprend que dans toutes ces phrases, Gourio cherchait son père alcoolo, mort quand il avait 6 ans. « La meilleure façon d'emporter les gens avec soi, c'est de se souvenir de leurs mots. » Il avait trouvé un moyen de vaincre le temps et la mort, et ce moyen c'était son petit carnet jaune.

Jean-Marie Gourio, une vie

« C'est un surdoué tellement il est con. » De 1985 à 2000, Jean-Marie Gourio a passé quinze ans à noter scrupuleusement les propos éphémères de camarades de beuverie. A force de répéter qu'il n'était que le greffier des bars, il a réussi à faire oublier qu'il était un grand auteur (*Merci Bernard* et *Palace* avec Jean-Michel Ribes, ainsi que *Chut !*, roman d'amour entre une jeune bibliothécaire et un appelé du contingent qui obtint le prix Vialatte en 1998). Or le fait de saisir ce qui se dit dans un troquet n'est pas donné à tout le monde. Il faut savoir se servir de son oreille, rester aux aguets malgré les boissons absorbées, et mémoriser les tirades les plus futiles comme si c'était du Platon. Parce que c'est du Platon. Gourio croit se moquer de nouveaux Bouvard et Pécuchet mais il se trompe : il tend l'oreille aux Socrates de son temps. L'intégrale des *Brèves de comptoir* est un événement littéraire de plus haute ampleur. Attention : à consommer avec modération, L'ABUS DE VÉRITÉ EST DANGEREUX POUR LA SANTÉ. « Des extraterrestres, nous on en est si ça se trouve. » « Il est mort hier. – Eh ben… c'était pas son jour. »

Numéro 23 : « Chroniques de La Montagne » d'Alexandre Vialatte (1952-1971)

Alexandre Vialatte est un des trois grands stylistes du XXe siècle (les deux autres sont Larbaud et Blondin). Empereur de la digression, roi de l'aphorisme mélancolique et du paragraphe étincelant, il est surtout l'inventeur du parasitisme littéraire, qui consiste, comme on sait, à se considérer comme un passager clandestin dans les journaux, chargé de fourguer de la métaphysique en contrebande dans des endroits *a priori* non prévus pour l'héberger. Vialatte fut un modèle pour beaucoup de squatteurs littéraires : Bernard Frank, Kléber Haedens, Renaud Matignon, Antoine Blondin, Angelo Rinaldi, et peut-être même Louis Skorecki, ex-critique de cinéma à *Libération*, dont nous vous recommandons aussi le best of (*Les violons ont toujours raison*, PUF).

Son génie fut de concilier la liberté de ton (parler principalement de ce qui lui passait par la tête et très accessoirement de l'actualité) avec l'exigence formelle (soigner les formules, l'humour, le brio, toujours surprendre, et surtout ne jamais tomber dans le journalisme). C'est quoi la littérature ? Faire plaisir à son cerveau. On oublie trop souvent que, si le chroniqueur s'amuse en écrivant, il y a de fortes probabilités que le lecteur en fasse autant en le lisant.

Comment parler de Vialatte ? Il suffit de le lire à haute voix. En ouvrant les *Chroniques de La Montagne* au hasard, nous sommes plongés au beau milieu de « l'éternel combat de la tristesse et de la gaieté » (comme l'écrit joliment Charles Dantzig dans sa préface). Vialatte sourit trop souvent pour être heureux : c'est louche, quelque chose ne va pas. « La vie terrestre n'est que sergents et difficultés. » « Une vieille boîte à sardines, dans un terrain vague, à minuit, reste quand même un miroir de la lune. » « Le beau est souvent une habitude de l'œil. » « L'homme est un animal à chapeau mou, qui attend l'autobus 27, au coin de la rue de la Glacière. »

Vialatte est quelqu'un qui attend la phrase d'après. Le lire, c'est écrire autrement. Ses 888 chroniques indémodables servent de boussole. Il y a les observations cocasses : « Que seraient devenus les hommes s'ils n'avaient pas eu de mère ? L'humanité se composerait d'orphelins. » Les déclarations de principe : « Il n'y a que les fleurs et la grammaire. » Les verdicts macabres : « L'homme ne se pend pas assez souvent au cours de sa brève existence. » Mais surtout il y a ces fines notations de poésie ordinaire qui font tout le sel de la littérature classique (les jeunes diraient : « à l'ancienne ») : « Le marron d'Inde, au Luxembourg, tombe avec un bruit sec, rebondit sur le sol comme sur un tambour de basque, s'échappe de sa cosse plus brillant qu'un bijou et roule en travers de l'allée jusqu'au pied de la statue de Marguerite de Navarre, où l'humidité le ternira. »

Il n'est pas impossible que *Chroniques de La Montagne* soit le plus beau livre de toute ma bibliothèque. Vialatte fait partie de ces très rares auteurs à qui l'on a simplement envie de dire merci. Merci pour mon bonheur, comme un con, en écrivant ceci, un peu bourré, quarante ans après votre mort. Vous qui vous disiez « écrivain notoirement méconnu » et terminiez toutes vos chroniques par la formule « Et c'est ainsi qu'Allah est grand », permettez-moi de conclure sur une pirouette méritée : Et c'est ainsi qu'Alexandre est Grand.

Alexandre Vialatte, une vie

L'équation gagnante du XXe siècle était simple mais pas facile à trouver : (Kafka + Fargue) x (Pascal + Alphonse Allais) = Alexandre Vialatte, l'homme à côté duquel Marcel Proust fait figure de vieille chochotte en l'an 2011. Né avec le siècle (en 1901), Vialatte a publié des romans inspirés d'Alain-Fournier (*Battling le ténébreux* en 1928, *Les Fruits du Congo* en 1951) et des poèmes à la Larbaud (au début du XXe siècle, on continuait de croire en l'utilité de la poésie). Il fut le premier traducteur de Kafka, qu'il considérait (à juste titre) comme un grand humoriste. Mais son principal chantier débute en 1952 : jusqu'à sa mort, en 1971, il donnera une chronique hebdomadaire à un journal de

Clermont-Ferrand, *La Montagne.* L'intégrale de ces chroniques constitue sans nul doute son chef-d'œuvre. Comme Jules Renard avec son *Journal* posthume, ces textes lus par les happy few de son vivant et redécouverts par la masse après sa mort constituent son passeport pour l'éternité.

Numéro 22 : « Virgin Suicides » de Jeffrey Eugenides (1993)

D'abord, c'est traduit par Marc Cholodenko. On ne parle plus beaucoup de Marc Cholodenko alors qu'il écrit très bien : *Cent chants à l'adresse de ses frères* (1975) et *2 Odes* (1981) sont du Rimbaud porno. Il est certain que la traduction de Cholodenko a sublimé *Virgin Suicides*, le premier roman de Jeffrey Eugenides, dont Sofia Coppola a tiré un beau film éthéré et immatériel – imaginez un remake de *Diabolo menthe* filmé par David Lynch.

Eugenides a imaginé cinq sœurs (il bat Tchekhov sur le score sans appel de 5 à 3) : Cecilia, Therese, Bonnie, Lux et Mary Lisbon. Ensuite, il est tombé amoureux de ses personnages, comme il se doit chez tout romancier qui se respecte. Il faut dire qu'elles sont belles, blondes et dépressives (trois constantes chez la femme moderne, en particulier américaine). Elles se suicident à tour de rôle, en se tailladant les poignets dans la baignoire, en se pendant à une poutre, en avalant des somnifères, en s'empalant sur la clôture, et autres distractions (comme dirait Noguez).

Pourtant, malgré l'horreur de ces gestes, l'ambiance demeure bizarrement sereine, car la tragédie est racontée vingt ans après par de jeunes voisins épris et nostalgiques. Comme si la mort avait transfiguré les sœurs Lisbon, vierges éternellement adolescentes, les empêchant de devenir des ménagères de plus de 50 ans. Seule la mort rend immortel.

L'originalité des *Vierges suicidées* repose sur un équilibre étrange entre ce morbide fait divers et l'extrême douceur de la narration. Il plane sur cette ville (une banlieue de Detroit dans les années 70) une atmosphère délétère et rêveuse. Jeffrey Eugenides écrit au ralenti, derrière le flou artistique de ses larmes. Les parents Lisbon semblent assommés, impuissants. Ils croyaient tout bien faire (éducation familiale, école obligatoire, ennui profond : toutes ces balivernes que la société impose aux enfants pour les réduire en esclavage) et soudain leurs filles découvrent un moyen d'échapper à leur emprise. Comme le susurrait Brigitte Bardot à Serge Gainsbourg dans sa chanson *Bonnie and Clyde* : « La seule solution, c'était mourir. »

Certes, tout ceci n'est pas d'une franche gaieté, mais la lecture des *Vierges suicidées* ne traumatise pas plus que celle de *Pluie* de Kirsty Gunn ou des *Locataires de l'été* de Charles Simmons. Souvent les auteurs américains aiment faire surgir des cadavres dans des endroits apparemment idylliques, juste pour voir l'effet que la mort provoque : soudain le temps s'arrête, les maisons se vident, les voitures se garent, les gens se demandent s'ils font bien de vivre une vie sur pilotage automatique. Même éphémère, le doute est un sport salutaire. C'est Descartes qui débarque sur le parking d'un centre commercial dans une banlieue du Michigan. C'est le *Discours de la méthode* chez Starbucks. Faire table rase d'un coup d'éponge sur un plateau en plastique couvert de ketchup. La mort est ce panneau « Exit » rouge qui clignote au-dessus de nos têtes.

Jeffrey Eugenides, une vie

Il est normal de devenir une pointure quand on est né à Grosse-Pointe dans le Michigan. Venu au monde en 1960, Jeffrey Eugenides vit à Princeton. Il est passé par Brown University, puis Stanford, où il a appris le « creative writing » (technique qui ne doit pas être une entourloupe si l'on en juge par la quantité de bons écrivains qu'elle produit en Amérique depuis trente ans). En 1989, il a publié sa première nouvelle dans *The Gettysburg Review : Capricious Gardens* (« Les Jardins capricieux », texte qui fut salué par Richard Ford à l'époque). *Les Vierges suicidées* est son premier roman. Le deuxième, *Middlesex* (dont le héros est un hermaphrodite), a reçu le prix Pulitzer en 2003. On pourrait le comparer à une sorte de Salinger trash mais espérons que cela ne lui donnera pas la mauvaise idée d'aller se planquer dans une cabane pendant les cinquante prochaines années sans rien publier.

Numéro 21 : « Women » de Charles Bukowski (1978)

Le Bukowski que j'aime est un grand poète. Sans doute le plus délicat, le plus sensible, le plus subtil des écrivains américains de la seconde moitié du XXe siècle. C'est qu'avant de devenir le « vieux dégueulasse », Charles a beaucoup souffert : né en Allemagne en 1920, il fut un enfant battu, puis boutonneux, puis postier, magasinier, employé de bureau, alcoolique rejeté par les femmes, bref une grosse merde puante, et ne publia son premier roman qu'à 50 ans.

D'où sa violence entrecoupée de bouffées d'humanité, sa limpidité tranchante, l'humour implacable de ses dialogues, sa mégalomanie sans cesse compensée par une cruauté intégrale envers lui-même, toutes choses qui font de lui un modèle de style pour tous les artistes de la planète. Oui, lecteur ébahi, en vérité je te le dis : Bukowski a inventé le je-m'en-foutisme intransigeant.

A la fin de sa vie, alors qu'il s'était mis à ressembler physiquement à Louis-Ferdinand Céline – sa plus grande idole avec John Fante –, Bukowski déclara : « Si j'écris à partir de quoi que ce soit, c'est de deux choses. L'une, c'est le dégoût. Et l'autre, c'est la joie. » Il me semble que ces deux moteurs restent d'actualité et pourront continuer de fonctionner pendant des siècles, même si, dans cette déclaration à l'emporte-pièce, Bukowski oublie ses autres sources d'inspiration : la peur de la solitude, la certitude de la mort, la tristesse du sexe, l'absurdité de l'univers, l'impossibilité de l'amour, le mensonge de l'alcool, l'utilité de la folie, la tendresse de la destruction, les courses de chevaux, la réalité de la réalité.

Tous les livres de Charles Bukowski sont autobiographiques, car il ne parlait que de ce qu'il connaissait. Ils racontent la vie vaine et majestueuse de son double, Hank Chinaski. De *Women* – son chef-d'œuvre – aux *Souvenirs d'un pas grand-chose*, en passant par *Le Postier* – son expérience au tri postal –, *Hollywood* – récit haut en couleur de l'adaptation au cinéma de *Barfly*, par Barbet Schroeder –, *Je t'aime, Albert*, *Le Ragoût du septuagénaire*, et la plupart de ses *Contes de la folie ordinaire*, on suit le périple du même narrateur noyé dans le matérialisme de l'Amérique contemporaine, c'est-à-dire dans le monde d'après la fin de l'Histoire. Dans son journal posthume – *Le capitaine est parti déjeuner et les marins se sont emparés du bateau*, traduit par Gérard Guégan en 1999 –, le vieux singe note : « Le capitalisme a survécu au communisme. Il ne lui reste plus qu'à se dévorer lui-même. » On ne saurait mieux résumer la situation actuelle.

J'ignore s'il faut juger une œuvre à son influence. Le plus important, à mon avis, reste l'émotion amoureuse que *Women* provoque : un frisson de tendresse caché sous un déluge de Jack Daniel's. *Women* c'est le *Sexus* des seventies. Hank Chinaski (le Zuckerman de Buk) alterne le sexe et la haine, le sexe et la boisson, le sexe et la vie. Il est burlesque, irrespectueux, macho et avide de femmes : Lydia, Mercedes, Dee Dee, Joanna, Katherine la Texane... Ce livre est une sublime déclaration d'amour. Le reste est secondaire. Le reste c'est ceci :

« Je veux baiser avec toi. A cause de ton visage.

— Qu'est-ce qu'il a, mon visage ?

— Il est magnifique. Je veux détruire ton visage avec mon con.

— C'est l'inverse qui risque de se passer. »

Des centaines de dialogues de cul, de baises frénétiques, de dragues démentes. Ne jamais oublier pourquoi on lit : pour vivre. Je n'aurais probablement pas écrit une ligne de ma vie si Charles Bukowski n'avait pas existé. La plupart des jeunes auteurs contemporains le copient éhontément, mais ce n'est pas très grave – certains sont convaincus qu'ils copient Philippe Djian ou Bret Easton Ellis car ils ne connaissent pas l'original. « "Tous ces cheveux sont vraiment à toi ?" je lui ai demandé. (...) Elle tenait une orange dans sa main et la lançait en l'air. L'orange tourbillonnait dans le soleil matinal. »

Buk a inventé le phrasé que vous lirez durant les cent prochaines années : une écriture amorale, brute sans être sèche, une suite de petits faits réels qui vous plongent dans un état de jubilation tragique. « Je ne croyais en aucun dieu. J'aimais baiser. La nature ne m'intéressait pas. Je ne votais jamais. J'aimais les guerres. L'espace intersidéral me rasait. Le base-ball me rasait. L'histoire me rasait. Les zoos me rasaient. » Ce qui est nouveau dans *Women*, c'est le contraste. Charles Bukowski est capable, dans le même paragraphe, d'énoncer une provocation violente, puis une déclaration d'amour échevelée ; chez lui, les descriptions de débauche et de bagarres préfigurent souvent des accès de poésie sentimentale. Buk est un punk romantique ; il crée du lyrisme avec la saloperie – ce que Baudelaire appelait faire de l'or avec la boue. Sa littérature vous saute à la gorge MÊME QUAND IL N'ABUSE PAS DES LETTRES CAPITALES. Il a su déceler la beauté qui se cache derrière l'effrayante condition de l'homme moderne. Sa qualité de romancier provient directement de son expérience de poète. Il ne se sert pas de son imagination : il scrute la vie la plus quotidienne au microscope. Il pleure quand il retrouve des bas filés sous son lit. Il raconte des histoires de types debout en caleçon dans une maison banale, qui allument la télé, boivent un coup, prennent un bain, s'engueulent avec leur femme, donnent à manger à leur chat et ne se tuent pas. Il raconte l'histoire de tous ces êtres qui continuent de vivre en n'attendant plus rien.

Charles Bukowski, une vie

« Les cicatrices, le nez d'alcoolo, la bouche de singe, les yeux réduits à la taille de fentes, sans oublier le sourire béat et ridicule qui a de la chance sans comprendre pourquoi. » Cet autoportrait dans

Women (1978) décrit l'écrivain d'âge mûr qui est mort à San Pedro, en Californie, en 1994. Auparavant Charles Bukowski fut un enfant allemand. Né à Andernach en 1920, il émigre aux Etats-Unis à l'âge de 3 ans. Son premier texte, publié en 1969 par le poète beat Lawrence Ferlinghetti à San Francisco, s'intitule *Journal d'un vieux dégueulasse*. Suivront *Le Postier* (1971), *Contes de la folie ordinaire* (1976), *Women* (1978), *Je t'aime, Albert* (1983), *Hollywood* (1989). Sur sa tombe est inscrite cette épitaphe : « DON'T TRY ». Beaucoup lui ont désobéi.

Numéro 20 : « Rose poussière » de Jean-Jacques Schuhl (1972)

Je me suis souvent demandé comment Jean-Jacques Schuhl avait fait pour écrire *Rose poussière*. Je le voyais souvent, au Café Varenne ou chez lui, quand nous étions voisins dans le 7ᵉ, mais je n'ai jamais osé lui demander s'il l'avait écrit vite, ou lentement, ou défoncé, ou en voyage, ou en suant sang et eau durant dix ans. Et un jour, j'ai décidé de croire sur parole ce qu'il affirme dans le préambule de *Rose poussière* : « J'aimerais un jour parvenir à la morne platitude distante des catalogues de la Manufacture française d'armes et cycles de Saint-Etienne, du Comptoir commercial d'outillage, du Manuel de synthèse ostéologique de MM. Müller, Allgöwer, Willeneger, ou des vitrines du magasin de pompes funèbres Borniol (ces beaux poncifs). En attendant, loin du compte, j'ai recopié des rouleaux de télex hippiques, *France-Soir* (avec toutes ses éditions), des paroles de chansons anglaises connues, des dialogues d'anciens films célèbres, des prospectus pharmaceutiques, des publicités de mode, lambeaux sur lesquels, furtivement, s'écrit le temps mieux que dans les œuvres. Le reste, hélas, est de moi ; probablement. »

Rose poussière est un des textes les plus bizarres du XXe siècle. Il a influencé de manière souterraine un grand nombre d'auteurs, et presque défini une génération qu'on pourrait baptiser « pré-punk ». Certes, à l'origine, *Rose poussière* est le nom d'une poudre de maquillage Guerlain, mais c'est aussi un collage pop et snob publié en 1972 par la collection poétique « Le Chemin » chez Gallimard. Jean-Jacques Schuhl, ami d'Eustache et Fassbinder, y expose son panthéon underground : de Zouzou la twisteuse à Frankenstein le dandy. C'est à la fois hermétique et chic, glamour et expérimental. Le lecteur n'est pas là pour tout comprendre : lire peut être une activité de voyeur extérieur, on peut être infiniment séduit, voire érotisé, par ce qui nous échappe. On feuillette ce petit livre violet avec l'énervement fasciné d'un plouc qui se fait refuser l'entrée de chez Castel, alors que les Rolling Stones viennent d'y entrer devant lui, et que le portier, nommé Jean-Jacques Schuhl, lui signifie « désolé, ô toi le plus remplaçable de tous les êtres, ce livre est une soirée privée ». Dans un entretien de 2002, Schuhl a repris la formule de Flaubert pour expliquer son projet : « Je voulais faire un objet littéraire qui ne reposerait sur rien. Quelque chose comme Raymond Roussel + *France-Soir*. » Je m'aperçois qu'il y a beaucoup de « cut-ups » dans mon top 100 : je dois aimer les œuvres incomplètes, les puzzles, les inachevés, la discontinuité (le pseudo-journal de Cobain, *Solde* de Frank, *Un jeune homme chic* de Pacadis...). Bizarrement, je n'ai pas retenu Burroughs... mais je suis injuste et cossard, il faut accepter cette triste réalité.

J'avais recopié une phrase de *Rose poussière* en exergue de *Vacances dans le coma* en 1994 : « Il se recoiffe, met ou enlève sa veste ou son écharpe ainsi qu'on lance une fleur dans une tombe encore entrouverte. » *Rose poussière* a servi à ma génération de manuel de savoir-vivre, de bible dandy, de talisman, de code secret, de mot de passe entre initiés. J'ai eu très peur d'être déçu par les livres suivants de Schuhl mais ce ne fut pas le cas, même si la magie du premier reste inimitable. Je pense que l'auteur lui-même ne sait pas très bien ce qui s'est produit quand il pratiquait cette retranscription de signaux hétéroclites – s'il s'en souvient. Certains de ses assemblages semblent des définitions de l'élégance apocalyptique : « Quelques attitudes. Accompagné de : minces filles taciturnes et arquées. (...) Club Princesse, 1966 : il boit, il se tait, il vole en fragiles éclats. » Rimbaud écrivait avec cette arrogance juvénile. On peut aussi penser à des Esseintes, le donneur de leçons de *A rebours* de Huysmans. Mais ici la poésie est plus ancrée dans le décor contemporain : le livre s'achève sur une liste de palaces (Hotel Hilton, Tokyo ; Hotel Carlton, Cannes...). C'est à la fois vrai et irréel, c'est un rêve et c'est la réalité. Une hyper-réalité déformée par le prisme du rock, du luxe et de la nuit, et une écriture qui serait l'équivalent littéraire d'un tableau de Rauschenberg. « On l'a abîmé. Il fait voir cet abîme. »

Jean-Jacques Schuhl, une vie

Né à Marseille en 1941, Jean-Jacques Schuhl ne semble pas avoir fait grand-chose durant ses trente premières années. La publication par Georges Lambrichs de *Rose poussière* en 1972 en a fait un écrivain culte. Quatre ans après, il publiait *Télex n° 1* dans la même collection. Puis silence total pendant encore vingt-quatre années. Et paf : *Ingrid Caven*, un livre consacré à sa compagne, égérie et chanteuse allemande, obtenait le prix Goncourt en l'an 2000. Encore dix ans de discrétion, et un dernier texte, envoûtant, entre une hanche détraquée dont les radios rappellent Francis Bacon et des conversations avec le restaurateur chinois Davé, paraissait chez Gallimard : *Entrée des fantômes* (2010). Avec Schuhl, il faut savoir être patient. Ses livres se méritent, sa compagnie est un luxe. Jean-Jacques Schuhl est un objet rare.

Numéro 19 : « Des bleus à l'âme » de Françoise Sagan (1972)

Restons en 1972. La même année que *Rose poussière*, le secret des *Bleus à l'âme* est dévoilé au bas de la page 132 : « Et cette âme, si nous n'y prenons pas garde, nous la retrouverons un jour devant nous, essoufflée, demandant grâce et pleine de bleus... Et ces bleus, sans doute, nous ne les aurons pas volés. » Toute sa vie Sagan a raconté la vie de gens qui n'arrivaient pas à aimer. *Des bleus à l'âme* est particulièrement déchirant. C'est un roman savamment construit, alternant une fiction (Sébastien et Eléonore van Milhem, les deux aristocrates de *Château en Suède*, sont devenus, dix ans après, des prostitués mondains vivotant à Paris) avec une confession autobiographique où l'auteur disserte autour du roman qu'elle a du mal à écrire, de son vague à l'âme, de ses angoisses. En fait, Sagan reprend dans *Des bleus à l'âme* le dispositif de Gide publiant simultanément *Les Faux-monnayeurs* et le *Journal des Faux-Monnayeurs*, mais cette fois les deux – le roman et son « making of » – sont intriqués dans le même livre. J'ai imité grossièrement ce système dans *Windows on the world* en 2003 ; plus récemment, Laurent Binet a emprunté cette construction en « work in progress » – en français « les coulisses de l'exploit » – dans son roman *HHhH*.

Ensorcelant de bout en bout, *Des bleus à l'âme* prouve que Françoise Sagan était une romancière beaucoup plus inventive que ce que véhiculait son image déformée de fêtarde tropézienne. *Des bleus à l'âme*, c'est sa *Fêlure* à elle : le commentaire de son écriture par une star littéraire en pleine dépression. Elle regarde ses personnages avec la cruauté d'un chat qui joue avec une souris blessée. Se doute-t-elle, tournant en dérision ce couple d'étrangers fauchés qui squattent chez des riches, que c'est ainsi qu'elle finira sa vie, avenue Foch, entretenue par son amie Ingrid ? Chaque fois que je lis *Des bleus à l'âme*, une chose me frappe immédiatement : au début, on s'intéresse bien plus à la parole de Sagan qu'aux simagrées de ses héros. Tout ce qu'elle dit sur son roman en cours de fabrication sonne plus juste, plus vrai, plus touchant que ce qu'elle fait vivre à Sébastien et Eléonore (sorties en boîte, vacances dans le Midi, conversations écervelées...). En voulant nous dévoiler les coulisses de son art, Sagan neutralise son roman. Cela ne signifie pas que la confession intime soit le genre le plus fort, mais qu'il est difficile de la mêler à la fiction. Cinq ans avant l'invention de ce néologisme par Serge Doubrovsky, Sagan démontre l'impossibilité de l'« autofiction », puisqu'en tournant ses pages le lecteur préfère toujours la partie « auto » à la partie « fiction » ! La partie « auto » est une merveille de délicatesse : « Je savais que ce peuplier durerait plus que moi, que ce foin, en revanche, serait fané avant moi ; je savais que l'on m'attendait à la maison et aussi que j'aurais pu rester facilement une heure sous cet arbre. Je savais que toute hâte de ma part serait aussi imbécile que toute lenteur. (...) Mais ces moments de bonheur, d'adhésion à la vie, si on se les rappelle bien, finissent par faire une sorte de couverture, de patchwork réconfortant qu'on pose sur le corps nu, efflanqué, tremblotant de notre solitude. » La partie « fiction » nous épate moins : « Mais où habitent-ils ? Nous voilà en août, ou presque. Ils ne peuvent plus être rue de Fleurus, ni sur la Côte d'Azur – c'est fini. Deauville, peut-être ? » On sent la présence de Sagan derrière chaque geste de Sébastien et Eléonore, comme une tutrice capricieuse, un Alfred Hitchcock qui refuserait de n'apparaître que cinq secondes dans son film. C'est Benjamin Constant qui se lasserait d'Adolphe. Elle boit du whisky sans eau et rate son chapitre, mais réussit l'un des romans les plus originaux de la deuxième moitié du siècle : à la fin, dans une scène pirandellienne, l'auteur reçoit ses personnages dans sa maison normande, fusionnant alors rêve et réalité, dans un joyeux maelström nonchalant et triste qui ressemble à la vie. C'est beau comme un nuage au-dessus de la mer. Sagan écrit comme une enfant dessinant une fleur, avec son doigt sur une fenêtre couverte de buée. « On devrait faire, comme pour les Indiens, des réserves pour les cœurs purs. »

Françoise Sagan, une vie

Née en 1935 à Cajarc dans le Lot, François Sagan est morte soixante-neuf ans plus tard à Equemauville dans le Calvados. Durant l'été 1953, elle a écrit l'histoire de Cécile, une adolescente intrépide qui se prenait pour Valmont afin d'empêcher son père de se remarier. L'année suivante, *Bonjour tristesse* sera un immense succès mondial. (Les Français l'ont même classé à la 41e place de *Dernier inventaire avant liquidation.*) La jeune Françoise Quoirez s'est choisi pour pseudonyme un nom trouvé dans *Albertine disparue* : du coup, on l'a souvent comparée à Proust alors que son vrai modèle est Colette. *Un certain sourire* (1956, love story foireuse entre une jeune femme et un vieux marié) confirme son talent précoce et sa liberté de ton. Victime d'un grave accident de voiture à Milly-la-Forêt l'année suivante, elle restera légendaire toute sa vie. Ses œuvres les plus réussies sont : *Aimez-vous Brahms ?* (1959), *La Chamade* (1965), *Des bleus à l'âme* (1972), *Avec mon meilleur souvenir* (1984). Avec une légère préférence pour *Des bleus à l'âme*, livre ivre où l'armure se fendille comme un verre de cristal.

Numéro 18 : « Maudit manège » de Philippe Djian (1986)

Difficile d'exprimer ce qui s'est passé dans ma vie quand j'ai lu Djian pour la première fois. Le roman s'intitulait *Maudit manège*, l'auteur était précédé d'une réputation sulfureuse (obscène et caché au Pays basque), j'ai entrouvert le livre et ma vie a changé. L'histoire démarre dans une cuisine. Le héros se nomme Zorg, il est écrivain, il épluche des patates et son copain Henri, 62 ans, tente de lui démontrer la supériorité de la poésie sur le roman. « Le plus terrible, c'est qu'il avait raison, mais j'avais toujours refusé de l'admettre. Je pouvais écrire des romans ou des paquets de nouvelles, mais j'étais incapable d'aligner un seul poème valable, c'était un terrain que je ne sentais pas très bien. J'éprouvais une admiration sans bornes pour ces types qui trouvaient le moyen de vous descendre en quelques phrases, qui vous coupaient la respiration, l'ennui c'est qu'ils étaient tous à moitié cinglés. Une des questions que je me posais était de savoir si la poésie rendait fou ou si c'était l'inverse qui se produisait. Enfin ce que je voyais, c'était qu'un écrivain pouvait encore préparer le repas du soir, tandis qu'un poète, c'était tout juste bon à glisser les pieds sous la table. » Tout y était : un ton désabusé, un humour digne de Bukowski, le vocabulaire de Salinger (« ces types qui trouvaient le moyen de vous descendre en quelques phrases »), l'usage « cool » de l'imparfait, le contraste entre la vie ordinaire et la passion pour l'écriture, la chute rigolote puis tragique (Zorg fait un infarctus à la page suivante), l'idée qu'une cuisine où deux mecs parlent de poésie peut devenir une aventure mythique. J'ai compris, bien après, que Djian s'était inspiré de John Fante et Raymond Carver, ce qui n'a aucune importance. *Maudit manège* est une date essentielle dans la littérature française. Philippe Djian est l'importateur du réalisme quotidien et de la liberté post-« beat » (Brautigan, Selby, Thompson...) que les Américains ont façonnés entre les années 30 et 60 : il a joué un rôle crucial de transmission au-dessus de l'Atlantique. Si l'on prend le cas de Charles Bukowski, il s'agit d'un fils d'Allemand qui fut influencé par Céline et Dostoïevski. Djian n'a fait que ramener sur le continent européen le style du « loser magnifique » : Djian c'est Raskolnikov et Bardamu qui montent dans un cargo de nuit quittant le port de New York pour rentrer chez eux en buvant des verres de bourbon avec Hank Chinaski et Seymour Glass. La littérature est un mille-feuille : on ne va pas s'amuser à décortiquer chaque couche du gâteau au moment de s'empiffrer.

Tout ceci, je l'ignorais en lisant *Maudit manège*. En revanche, je savais que c'était la suite de *37°2 le matin*, roman adapté au cinéma par

Jean-Jacques Beineix avec Béatrice Dalle dans le rôle d'une folle ravageuse prénommée Betty, qui se suicidait à la fin. *Maudit manège* raconte la vie d'un quadragénaire en deuil qui tombe malade et qui cache les cendres de sa bien-aimée au fond d'une valise. Pourtant c'est un roman très drôle. Jusqu'alors je n'avais rien lu de semblable. Je lisais Balzac, Flaubert, Zola, et des romans de science-fiction. Si je suis devenu un auteur fasciné par l'interdit, la zone, l'underground et les filles dangereuses, c'est la faute à Philippe Djian. *Maudit manège* m'a appris à ne plus craindre la banalité. C'est un roman sans spectacle. Un antihéros fauché fait à bouffer, va à l'hôpital, sort de l'hôpital, attend un chèque de son éditeur, passe au garage chercher sa voiture pourrie. Certes, il y aura Gloria, la fille d'Henri (blonde, 22 ans), qui les rendra dingos tous les deux. Mais Djian décrit une vie qui ressemble à la vraie, où chaque journée est une suite de petits problèmes matériels à régler : une fuite d'eau, une bagnole en panne, une facture à payer... Il est le premier à montrer les stations-service la nuit, les ivresses dans des jardinets pavillonnaires, les disputes qui dégénèrent en prophéties grotesques : « Oui, mais vous savez, la vie est comme un torrent. Parfois c'est le calme, parfois c'est la chute. » Il nous dit que cette vie à la con est la seule vérité et que celui qui réussit à s'en dépêtrer est un sage. Qui nous parle ainsi, en France, à part Jean-Paul Dubois et lui ?

Philippe Djian est le parrain de ma génération : Houellebecq, Ravalec, Despentes, Nicolas Rey et votre serviteur se prosternent à ses pieds en signe de gratitude. Sans son truchement, nous n'aurions probablement pas franchi le pas, la littérature était trop intimidante. Houellebecq serait toujours responsable de l'informatique à l'Assemblée nationale, Ravalec serait mort d'une overdose, Despentes serait mariée à un médecin nancéen, Rey élèverait ses huit enfants à Vernon dans l'Eure, et moi je serais milliardaire comme mon frère.

Philippe Djian, une vie

Né à Paris en 1949, Philippe Djian a quitté souvent la capitale pour s'installer ailleurs avec sa femme peintre : Bordeaux, Boston, Florence, Biarritz. La légende dit qu'il a écrit son premier livre quand il était gardien de péage mais j'ai du mal à le croire : c'est un métier où il est difficile de se concentrer, même la nuit. Il y a plusieurs périodes dans l'œuvre de Djian comme dans celle de Picasso. La première période, publiée chez Bernard Barrault, va de *Bleu comme l'enfer* (1983) à *Lent dehors* (1991). C'est celle que je préfère : rustre, poétique, sexy. La deuxième période commence avec son entrée chez Gallimard : de *Sotos* (1993) à *Impuretés* (2005). Son style semble s'assagir mais il conserve un regard tranchant sur la paternité, le couple, les dégâts du temps... Il a publié ensuite un feuilleton en six « saisons » : *Doggy Bag* chez Julliard (2005-2008). Philippe Djian est un romancier très productif car il boit moins que dans ses livres, sauf quand je l'emmène danser au café Le Madrid, déguisé en pirate des Caraïbes.

Numéro 17 : « Petit déjeuner chez Tiffany » de Truman Capote (1958)

Ce roman exquis, ou plutôt cette longue nouvelle, commence par un coup de téléphone. Un barman appelle le narrateur, qui vient tout de suite lui rendre visite sur Lexington Avenue. L'aubergiste a reçu une sculpture africaine qui ressemble à une amie commune, dont ils n'ont pas de nouvelles depuis des années.

« Vous qui savez des tas de choses, où est-elle ?

— Morte. Ou dans un asile de fous. Ou mariée. (...) De toute façon elle est partie.

— Oui, fit-il en ouvrant la porte. Partie tout simplement. »

En quelques mots de dialogue insipide, une légende est née. Quelques années plus tôt, Miss Holiday Golightly, dite Holly, était la voisine du héros dans un immeuble de la 70ᵉ Rue. A quoi reconnaît-on un écrivain en Amérique ? C'est le seul citadin qui s'intéresse à sa voisine du dessous ! Holly était blonde et des dizaines d'hommes défilaient chez elle. Pour l'adaptation au cinéma, Truman Capote voulait Marilyn Monroe ; maintenant, pour toujours, Holly arbore le visage d'Audrey Hepburn.

Pourtant le personnage du roman est une pute « vulgaire et exhibitionniste », une « voyageuse de commerce » entourée d'alcooliques, complice d'un trafic de stupéfiants, et pas du tout une petite biche effarouchée ! Elle a 18 ans quand il la rencontre pour la première fois et elle lui dit : « Bien sûr que je suis lesbienne ! On l'est toutes un petit peu. Et puis après ? Ça n'a jamais découragé un homme. » Blake Edwards a coupé cette réplique dans le film. Autre repartie qui a sauté au montage : « Je n'ai eu que onze amants. Je ne parle pas bien entendu de ce qui est arrivé avant mes treize ans. Parce qu'après tout, ça, ça ne compte pas. » Vous imaginez Audrey Hepburn dire ces mots ? Le narrateur la croise au « 21 » ou chez P. J. Clarke's, ce restaurant de hamburgers où j'ai déjeuné avec Luigi d'Urso pour la dernière fois. Elle est toujours entourée d'un harem de vieux friqués qui la tripotent, et lui donnent des dollars pour l'emmener aux toilettes (Capote ne précise pas ce qu'elle leur fait là-dedans mais cette scène n'est pas dans le film non plus !).

Comme Blake Edwards vient de mourir, on peut le dire avec le maximum de lâcheté : le film *Diamants sur canapé* était absolument charmant mais c'est tout de même un acte de haute trahison. Il a transformé une satire qui pourrait s'intituler « Déchéance d'une escort girl » en comédie romantique morale. Le roman ne finit pas par un baiser sous la pluie, même s'il y a aussi une histoire de chat perdu. Capote voulait décrire une provinciale écervelée, une arriviste vénale, une pauvre cynique détruite par son cynisme. La sottise hilarante de Holly masque une douleur profonde : son frère Fred meurt à la guerre pendant le livre, l'action se déroule en 1943, en fait elle se nomme Lulamae Barnes et elle est mariée depuis l'âge de 14 ans à un vétérinaire du Texas. Capote décrit une société dissolue, de jeunes étourdis qui dansent pour oublier que leur pays bombarde l'Europe et le Japon. En une série de soirées superficielles, Capote tourne en dérision tous les mensonges de la Grande Ville. Le roman influencera autant Jay McInerney que *Gossip girl*. Par moments, *Breakfast at Tiffany's* semble un pastiche d'une nouvelle de Fitzgerald : quand elle se plaint des types saouls qui lui mordent l'épaule, Holly Golightly (nom de famille signifiant « va avec légèreté ») évoque la « flapper » du *Pirate de haute mer*, un de mes personnages préférés du grand Scott, une ravissante pétasse dénommée Ardita Farnam qui criait sur son yacht : « J'en ai assez de tous ces jeunes idiots qui passent leurs heures de loisirs à me courir après d'un bout à l'autre du pays ! »

Peu importe après tout que les spectateurs du film se soient trompés sur son compte. Je suis sûr que Holly Golightly a existé, qu'elle existe encore. Nous avons tous rencontré des jolies filles dont la tête ne tourne que si l'on déverse des cadeaux à leurs pieds. Truman Capote l'a peut-être imaginée, ou bien peut-être était-ce lui, cette menteuse qui fuyait ses origines fermières dans les mondanités, qui sait ? J'adore ce que Holly dit sur Tiffany's : dès qu'elle a le cafard, elle prend un taxi et se rend dans le magasin. Tiffany's est son Lexomil. « On a l'impression que rien de très mauvais ne pourrait vous atteindre là, avec tous ces vendeurs aimables et si bien habillés. Et cette merveilleuse odeur d'argenterie et de sacs en crocodile. » Chaque fois que je descends la 5e Avenue à New York, ou même la rue de la Paix à Paris, et que je passe devant la vitrine scintillante de cet antidépresseur de luxe, je songe à cette créature imaginaire qui « brillait comme une enfant de verre ». Holly est inoubliable, et le plus insupportable chez elle, c'est qu'on n'arrive jamais à la détester. Créer un aussi beau personnage de femme devrait être le rêve de tout romancier.

Truman Capote, une vie

Comme Holly Golightly, ce n'est pas son vrai nom : Truman Capote s'appelait Truman Streckfus Persons. « Mon nom est Persons ! » « Capote » est le nom de son beau-père cubain. Né en 1924 à La Nouvelle-Orléans (qui est la plus belle ville des Etats-Unis), il est mort soixante ans après à Los Angeles. *La Harpe d'herbes* (1951) raconte son enfance en Alabama chez ses cousines. Mais c'est grâce à une romance entre un apprenti-écrivain homo et sa voisine du dessous lesbienne et nymphomane épatée par le strass qu'il deviendra célèbre en 1958 : *Petit déjeuner chez Tiffany* (le film de Blake Edwards est sorti trois ans plus tard). Pour se faire pardonner ce succès d'apparence futile, il écrit ensuite *De sang-froid* sur un quadruple meurtre dans le Kansas (1966). C'est prétendument le premier roman de non-fiction (même si Stendhal et Flaubert s'étaient inspirés de faits divers bien avant lui). Il donne un bal masqué noir et blanc au Plaza de New York le 28 novembre 1966 auquel j'aurais bien aimé être invité, même si je n'avais qu'un an et deux mois. Puis il sombre dans l'alcool et la cocaïne et meurt d'une overdose de médicaments, ce qui donne moins envie de l'imiter.

Numéro 16 : « Ivre du vin perdu » de Gabriel Matzneff (1981)

Dandy monastique, voluptueux ascétique, libertin orthodoxe... Toute sa vie, le principal talent de Matzneff ne fut pas de survivre à ses contradicteurs mais à ses contradictions internes. Attirons-nous d'entrée l'opprobre général en abordant de front ce que la morale (et son corollaire la police) lui reproche : une œuvre supposément autobiographique qui fait l'éloge des jeunes filles de « moins de seize ans ». Selon moi, les choses sont très simples : il faut séparer l'art de la loi. Tant qu'on ne me prouvera pas que Matzneff est Marc Dutroux, alors qu'on lui flanque la paix comme à Nabokov, Balthus ou Serge Gainsbourg (rappelons l'âge de Melody Nelson dans sa plus belle chanson : « Quatorze automnes et quinze étés »). Faut-il rappeler l'existence de Thomas Mann, André Gide, Ronsard et Montherlant, génies tous fascinés par la beauté de l'adolescence ? L'art doit rester libre, que diable ! Si l'art respecte la loi, il ne raconte plus rien d'intéressant. Il y a une saine différence entre un lecteur et un flic. Un écrivain a le devoir de désobéir aux règles, et son lecteur n'est pas obligé de le dénoncer au commissariat. Par ailleurs, qu'on ne s'y trompe pas : les cent auteurs cités dans ce livre ont tous treize ans. Un romancier est toujours un enfant qui joue. Simplement la plupart couchent avec des personnes plus âgées qu'eux.

Ivre du vin perdu commence par une lettre adressée à Nil, écrivain de 43 ans, par une lycéenne qui s'écrie : « J'ai dix-sept ans demain, la mort ! » Si ce n'est pas là tendre, tel le Christ, des verges pour se faire battre... Ce roman romantique évoque la passion et le désamour de l'été 72 (quand Tatiana a cessé d'aimer l'auteur) : il est la suite de *Isaïe réjouis-toi* (1974). C'est un roman sur l'échec d'un amour. Il est entièrement tourné vers le passé ; c'est l'histoire d'une vie dans laquelle une sale gamine a fait de merveilleux dégâts. Relisant les lettres enflammées de son ex (« J'aime mon amour pour toi, qui est la seule belle chose que je possède, j'aime ta langue pomme d'api, ton sexe sucre d'orge, tes yeux d'azur, tes cils d'or fin, ta tendresse timide, j'aime ta gaîté et ta mélancolie, tes lèvres ouvertes dans le plaisir (...) Nil, je vous aime à la folie, vous êtes mon île au trésor »), le héros soupire : « Comme nous nous aimions, Seigneur ! » Ce soupir est une splendeur qui fend le cœur. Matzneff est-il un épouvantable libertin dégoûtant ou un incurable amoureux torturé par des bébés ? Les deux, mon capitaine. Et c'est ce qui le rend incapable de vieillesse.

J'aime que toute l'action se passe dans quelques pâtés de maisons proches de mon domicile ; Matzneff a choisi de situer son roman dans le quartier de l'Odéon, où se croisent figures historiques et personnages de fiction (Athos rue Férou, Porthos rue du Vieux-Colombier, Aramis rue Servandoni, Casanova rue de Tournon, et n'oublions jamais que c'est à l'angle de la rue Férou et de la rue de Vaugirard que Madame de La Fayette a écrit *La Princesse de Clèves*), mais surtout Nil réside dans un grenier au sixième étage d'un immeuble de la rue Monsieur-le-Prince... où j'ai vécu de 7 à 12 ans ; sa fiancée perdue est élève du lycée Montaigne... où j'ai étudié de la sixième à la seconde. Bref, je ne suis pas objectif. Mais je ne suis pas là pour l'être. Matzneff apprécie les coutumes bizarroïdes de mon quartier d'enfance (dîner à la Closerie ou chez Lipp), et ses lieux de culte (l'église Saint-Sulpice, l'hôtel Taranne, le lycée Fénelon, les cinémas Cluny et Bonaparte, le jardin du Luxembourg). Dès que les passions amoureuses virent au vaudeville, son héros fiche le camp à Manille sodomiser des enfants ou en Suisse perdre quelques kilos.

Matzneff distille une nostalgie proustienne : lire *Ivre du vin perdu* donne accès à un continent englouti. Il flâne dans Paris tel Léon-Paul Fargue mais ses digressions snobinardes, son « name-dropping » parfois irritant, ne cachent pas l'essentiel : la passion (ah, Sarah, Karin, Laure...). « Il faisait de la philo avec l'une, du français avec l'autre, du latin avec une troisième, l'amour avec toutes. » Nil Kolytcheff est son alter ego sentimental, certes sexuellement dispersé, mais sincèrement amoureux d'Angiolina et nostalgique de Véronique, à s'en briser le cœur. *Ivre du vin perdu* n'est pas seulement le journal d'un Barbe-Bleue pour lycéennes mais le ressouvenir d'un mariage d'amour fichu en l'air par le temps et... un moniteur de ski ! On y croise aussi Dulaurier, le vieux libidineux (personnage récurrent de tous les romans de Matzneff) et Rodin le banquier pédéraste, misogyne et cynique (mais très drôle), qui photographie des garçonnets vénaux, et nous rappelle ce que furent les affres des homos avant la révolution sexuelle (laquelle, disons les choses franchement, libéra surtout les gays). Dans son article du *Point* du 2 novembre 1981, Pascal Bruckner a bien résumé le paradoxe de Nil Kolytcheff : c'est « un inconstant qui rêve du couple ». Au moment où il dit « je t'aime », il le pense. Mais il y a tellement de moments dans une journée... *a fortiori* une vie ! L'amour est cette chose qui donne envie aux pessimistes d'être optimistes et aux optimistes d'être pessimistes. « Pour persévérer à vivre libre, on doit se résoudre à faire beaucoup pleurer les autres ; mais faire couler les larmes d'autrui n'a jamais empêché personne de pleurnicher sur soi. »

J'ai choisi *Ivre du vin perdu* mais j'aurais pu aussi bien sélectionner ici n'importe quel tome du journal intime de Gabriel Matzneff. Gisement inépuisable d'inspiration pour tous mes romans, le journal de Matzneff est une des pièces maîtresses de ma bibliothèque. Il m'a appris à vivre, à lire et à écrire. Sans le journal de Matzneff, je n'aurais pas connu Byron, Casanova, Dumas, Schopenhauer, Sénèque ou Pétrone. Publier son journal de son vivant lui a coûté très cher mais il faut que cet homme sache qu'il a appris la liberté, la joie de vivre, le bonheur et la poésie à des dizaines de milliers de lecteurs et lectrices depuis quatre décennies. Tatiana, Francesca, Vanessa, Marie-Elisabeth sont devenues des icônes, transfigurées par son style vif et limpide. Mais ce sont surtout des muses : chaque livre de Matzneff est l'histoire d'une fille et de ses ravages (passion, jouissance, plaintes des parents, M.S.T., scènes de ménage, tromperies, lettres enflammées, rupture, haine, nostalgie de la passion, remords, scandale de l'indifférence). Matzneff a tout sacrifié à l'art et à l'amour. Aucun écrivain français vivant n'a autant de courage et de cohérence. Les contradictions évoquées plus haut (diététique mais dépravé, infernal mais céleste, romantique mais libertin, janséniste mais épicurien) l'aident à oublier la mort. Il a compris qu'écrire est le seul moyen de rendre l'amour éternel. « Elle a déchiré mes photos ? Elle a jeté mes livres à la poubelle ? Elle vit avec un autre type ? Nous ne nous reverrons plus jamais ? Soit, mais ce qu'ensemble nous avons vécu continue de vivre, et de briller comme un soleil » (*Calamity Gab*, 2004).

Gabriel Matzneff, une vie

Il faut se souvenir que Matzneff n'a pas toujours été pauvre et boycotté : il fut même un temps où les gens importants n'avaient pas honte de lui serrer la main en public. Par exemple, Dominique Noguez le qualifie de « trésor vivant ». Né en 1936 à Neuilly-sur-Seine dans une famille d'émigrés russes, Gabriel

Matzneff est l'auteur de quarante livres qui font honneur à la langue française. Cet écrivain nombriliste, qui aimerait tenir son âge secret (75 ans), fut pourtant éditorialiste à *Combat* puis au *Monde*. Il a soutenu dans *Combat* les dissidents soviétiques à un moment (1963) où personne ne se bousculait pour dénoncer le goulag. Il est l'un des premiers intellectuels français à s'être engagé pour le combat du peuple palestinien (dans *Le Carnet arabe*, 1971). Il est surtout romancier (*Isaïe réjouis-toi* et *Ivre du vin perdu* figurent parmi les plus beaux romans d'amour du XXe siècle). Il tient son journal intime depuis l'âge de 17 ans. Il est également poète (*Super Flumina Babylonis*). Dès 1965, il résumait son œuvre à venir : « D'ordinaire, nous ne sommes ni heureux ni malheureux : nous existons, voilà tout. Et puis, il y a les minutes de bonheur, où nous écrasons les mots avec des baisers, et qui brillent dans la grisaille comme des escarboucles dans la nuit. »

Numéro 15 : « Autoportrait » d'Edouard Levé (2005)

L'idée de ce livre est tout bonnement géniale. Aujourd'hui, je suis fatigué comme un marathonien au kilomètre 41. Le soleil inonde la rue de Varenne. Edouard Levé brosse son *Autoportrait* en additionnant des phrases pertinentes sans lien apparent entre elles.

Mon visage ressemble à un tsunami. On devrait toujours écrire ainsi : comme on zappe. Tiens j'écoute *I say a little prayer* d'Aretha Franklin en comprenant les paroles pour la première fois. Beaucoup d'écrivains actuels utilisent ce procédé accumulatif (Valérie Mréjen, Nicolas Pages, Sophie Calle, Grégoire Bouillier...) qui vient de l'art contemporain. « Je dis une petite prière pour toi. Pour toujours tu resteras dans mon cœur et je t'aimerai. » Ce procédé littéraire est emprunté à Joe Brainard (l'Américain dont Perec s'est inspiré pour écrire *Je me souviens*). Je suis triste comme le musée Rodin sous la pluie. Quand Chloë tousse, c'est moi qui tombe malade. C'est un principe captivant, on attend la phrase suivante avec curiosité. Le ciel change de couleur. C'est la grève. Tout à l'heure il a grêlé en plein soleil. Dieu fait vraiment n'importe quoi ; Dieu est peut-être drogué ? Je vais maintenant citer des phrases disparates d'Edouard Levé, par ordre d'arrivée dans son texte. « J'oublie ce qui me déplaît. J'ai peut-être parlé sans le savoir avec quelqu'un qui a tué quelqu'un. Je vais regarder dans les impasses. Ce qu'il y a au bout de la vie ne me fait pas peur. » La littérature a essayé beaucoup de trucs au XXe siècle mais celui-là me semble passionnant, révolutionnaire. Le divorce provoque une euphorie coupable et un soulagement honteux. « La fin d'un voyage me laisse le même goût triste que la fin d'un roman. » Cette trouvaille est peut-être la plus importante dans le roman français depuis le Nouveau Roman. « Je me demande si, en vieillissant, je deviendrai réactionnaire. » C'est un moyen de sortir du débat sur la construction, la narration, raconter une histoire, et toutes ces sornettes : en accumulant les notations intimes, Levé dessine son autoportrait comme Ballard a peint le XXe siècle. « J'ai vécu 384 875 heures. »

Edouard Levé sera un jour étudié dans les écoles comme l'initiateur d'un genre nouveau. On peut tomber amoureux brusquement comme on chute dans un escalier. « J'utilise souvent le mot souvent. » Sami Frey devrait monter ce texte sur une scène, sans vélo. Les livres doivent trouver des formes nouvelles pour justifier leur existence dans un monde gouverné par l'image. J'écoute beaucoup Bob Dylan depuis que je vis seul. Edouard Levé a l'intelligence de garder la plus belle phrase pour la fin : « Le plus beau jour de ma vie est peut-être passé. »

Edouard Levé, une vie

Je ne connaissais pas Edouard Levé quand il publia son *Autoportrait* chez POL en 2005. Toute personne qui ouvre ce livre comprendra immédiatement son originalité : chaque phrase est unique, personnelle, non liée à la précédente, et cependant l'ensemble est un miroir. C'est une installation d'art contemporain drolatique et intime. C'est surtout l'un des textes les plus novateurs publiés dans les années zéro. Si *Paludes* est le premier livre du XXe siècle, l'*Autoportrait* de Levé est peut-être le *Paludes* du XXIe. Peintre et photographe, Edouard Levé a déposé chez son éditeur en 2007 un autre livre, intitulé *Suicide*, qui évoquait celui d'un ami s'étant donné la mort vingt ans plus tôt. Dix jours après, il l'imitait. Il faut se méfier de ce qu'on écrit. Colette avait raison de dire que « tout ce qu'on écrit finit par devenir vrai ».

Numéro 14 : « La Chambre bleue » de Georges Simenon (1964)

Je dois faire un aveu : je n'avais aucune envie de lire Simenon. J'avais peu d'attirance pour un romancier capable d'affirmer qu'« un personnage de roman, c'est n'importe qui dans la rue ». J'avais trop entendu parler de sa prose ordinaire, grise, urbaine et plate. J'avais en tête le mépris de Paulhan : « le Balzac des pauvres d'esprit ». J'étais hanté par le visage mou de Jean Richard en noir et blanc dans la télé de mes grands-parents. La pipe pleine de bave de Jean Richard a dû dégoûter pas mal de gens de lire Simenon. Et puis je ne suis pas d'accord avec Simenon quand il dit que « la vie de chaque homme est un roman ». Non, il n'y a pas six milliards de romans passionnants sur cette terre. Des tas d'hommes ont des vies non romanesques. Le roman peut raconter n'importe quelle vie, mais il doit la rendre intéressante : tout le monde peut devenir un roman, mais il existe très peu de bons romanciers. Ce sont des alchimistes. Là où je me trompais, c'est que Simenon est un des plus grands.

Durant toute mon adolescence, j'ai préféré dévorer le Simenon marrant : Frédéric Dard. J'ai évité Simenon parce que je confondais tout : Maigret, Léo Malet, Nestor Burma, Hector Malot, l'inspecteur Derrick, tous dans un même panier sinistre, illustré en noir et blanc par Jacques Tardi. J'étais un mécréant et me voici béni. Je viens d'emporter en vacances le volume 12 des œuvres complètes de Georges Simenon chez Omnibus. Ce gros volume contient plusieurs Maigret mais aussi des romans autonomes parus entre 1963 et 1965, c'est-à-dire juste avant ma naissance. Et au milieu de ce fleuve coule une rivière intitulée : *La Chambre bleue* (1964). Quand Simenon bâcle ce texte en quelques semaines (comme à son habitude), il a 61 ans, il est richissime et mondialement célèbre. Dès les premières lignes, on voit que son style n'a rien de grisâtre : voici la tache noire d'un sexe de fille « d'où sourdait un filet de sperme », puis le rose d'une serviette de bain, et le bleu de la chambre d'hôtel. Où est passé le fumeur de pipe glauque ? Rarement a-t-on vu un adultère aussi multicolore depuis *Madame Bovary*.

C'est l'été. Le 2 août est un jour parfait pour tromper son mari. Très vite, le futur se superpose au présent : les questions du juge d'instruction interrompent les copulations de la chambre bleue. Simenon nous montre un 2 août en train d'avoir lieu mais aussi ses conséquences (une enquête policière, un procès aux assises). Nous ne savons pas encore ce qui va arriver à Tony et Andrée que déjà l'action du 2 août est décortiquée par des magistrats. Le présent est du futur passé. L'avenir est le lieu où l'action sera finie.

Ce que vous n'avez pas encore vécu aujourd'hui sera bientôt arrivé hier. Quelqu'un va mourir mais on ignore encore lequel. L'écriture regorge de sensations simples, comme chez Colette (en 1924, quand Simenon travailla sous sa direction au *Matin*, elle le tança : « Écrivez simple, surtout pas de littérature ! ») : un amour concret de la vie irrigue la progression de l'intrigue. L'enquête n'est qu'un prétexte pour rendre les couleurs, les odeurs, les bruits, la lumière. Capote critiquait ainsi Kerouac : « Il n'écrit pas, il tape à la machine. » Simenon tape à la machine mais de temps en temps il relève la tête pour boire son litre de vin rouge, manger son camembert, regarder dans sa mémoire ou son cœur. Le miracle c'est son calme et sa volonté. Cette certitude en lui est surtout une preuve de curiosité insatiable et de labeur cérébral. Quant à son style, une suite de gestes et d'observations, le même exercice que Hemingway. « Il pleut » : quel iceberg !

Finalement j'ai bien fait d'attendre longtemps avant de lire Simenon : avec ses 200 livres, j'ai du bonheur sur la planche jusqu'à ma mort. Je sais enfin pourquoi Gide le considérait en 1939 comme « le plus grand peut-être et le plus vraiment romancier que nous ayons eu en littérature française aujourd'hui » : son secret se nomme sobriété.

Georges Simenon, une vie

Un Belge mort en Suisse, c'est avant tout un type qui a réussi. Georges Simenon est né à Liège en 1903 mais mort à Lausanne en 1989. Entre les deux, il collectionna 25 000 pages et 10 000 femmes. Romancier besogneux (192 romans, à raison d'un chapitre par jour, et 155 nouvelles), Simenon est aussi un artiste virtuose : *Le Coup de lune* (1933), *Les Fiançailles de M. Hire* (1933), *Quartier nègre* (1935), *La Vérité sur bébé Donge* (1942), *L'Aîné des Ferchaux* (1945), *Trois chambres à Manhattan* (1946), *Lettre à mon juge* (1947), *La neige était sale* (1948), *Les Fantômes du chapelier* (1949), *En cas de malheur* (1956), *La Chambre bleue* (1964), *Le Petit Saint* (1965), *Le Chat* (1967)... En dix ans, dans les années 20, il passe de journaliste fauché à romancier millionnaire qui couche avec Joséphine Baker (la Beyoncé de l'époque), destin qui fait fantasmer tous les écrivains en herbe parce qu'ils oublient un détail : au XXe siècle, personne n'a autant bossé que Georges Simenon... jusqu'au suicide de sa fille (comme celle de Marlon Brando).

Numéro 13 : « Nicolas Pages » de Guillaume Dustan (1999)

Guillaume Dustan était-il le dernier auteur français subversif ? Il a fait exprès de choquer pour tester les limites de sa liberté. Il expérimenta la crudité pour pouvoir la raconter après. Il fut le cobaye de notre génération. Le rôle des écrivains est de faire tout ce qui est interdit, surtout quand tout est permis. Dustan n'était pas dangereux mais presque aussi paranoïaque que Sollers : il voyait des complots partout, chez les vieux, les parents, les hétéros, les éditeurs. « J'ai décrit la névrose de l'Occident » ; « Attention. Je ne suis pas Renaud Camus. Je suis pire. »

Suffit-il d'être malade, défoncé, provocateur et mégalomane pour être un génie divin ? Non. Dustan calculait ses clowneries. Cet ancien élève de l'ENA savait que la provocation est une arme dans notre société fatiguée, et le scandale un outil de travail pour changer le monde. Et la littérature dans tout ça ? Un moteur, un carburant, une source d'énergie.

Dans un système qui tolère toutes les critiques, il faut maximiser le bruit pour réveiller les consciences. Il faut bousculer la syntaxe, mélanger l'anglais (langue dominante) et le français (langue résistante), énumérer la liste de ses amis, recopier son entretien avec Bret-Easton-Ellis-le-plus-grand-auteur-de-la-planète, rêver de coucher avec Bill Clinton en chemise hawaiienne, risquer une infamie sur « les juifs de gauche » en se croyant excusable parce qu'on est juif soi-même. Il faut être sale. Il faut être ambigu. Il faut être encombrant.

Nicolas Pages est un patchwork. Grand roman d'amour homosexuel, chronique d'un râteau annoncé, compilation d'articles refusés, collage de romans inachevés, ce fourre-tout contient aussi le carnet d'une grand-mère morte (pour bien montrer à quel point les mœurs ont changé en seulement deux générations), un projet de sitcom, son contrat avec son éditeur, ainsi que son propre « making of ». C'est un livre en direct – un livre live – qui s'écrit sous nos yeux, « en temps réel » ; un puzzle TTBM (très très bien monté), comme un plan de dissertation à l'ENA : la pratique, puis la théorie. D'abord comment je souffre, ensuite pourquoi.

Guillaume (32 ans) se prend une veste avec Nicolas (27 ans), alors il décide de raconter tous les détails, sa dépression à Tahiti, sa fuite en backrooms, la frénésie de la house music, la solution chimique aux cœurs brisés, transformant son chagrin en œuvre « pour ne pas devenir fou ». Encore des histoires de pédés ? Pas du tout. On peut lire Guillaume Dustan sans être gay, de même que l'on peut lire

Toni Morrison sans être noir, Jean d'Ormesson sans être académicien et Bernard Frank sans être tastevin... Dustan le dit carrément page 70 : « Les hétéros feraient bien de s'intéresser à ce que nous sommes en train d'inventer. » Par exemple, pourquoi n'y aurait-il que les homos qui feraient l'amour chaque soir avec des gens différents ? Hein ? Hein ?

Dustan synthétise habilement les quatre courants les plus modernes de la littérature contemporaine : le nouveau réalisme (Houellebecq/Ravalec/Despentes), l'autofiction (Donner/Angot/Doubrovsky), l'écriture « dandy rock » expérimentale (Schuhl/Pacadis/Adrien), la littérature « homo porno » (Renaud Camus/Hervé Guibert/Vincent Borel). N'ayant rien à perdre, il prend tous les risques : les noms propres sont tous réels (avec un index à la fin pour bien dénoncer tous ses amis) ; il se dit favorable à l'euthanasie, à l'eugénisme, au sexe sans capote comme Cyril Collard ou Erik Rémès ; le résultat n'est pas toujours réussi : il y a des longueurs (si l'on ose dire).

Mais on ne peut nier qu'il se passe quelque chose dans ces pages radicalement exhibitionnistes. Une libération du corps, une tentative de mutation du récit, un projet de révolution de la société. Que dit Dustan, avec sa maladresse puérile et son narcissisme exaspérant ? Que nous continuons de vivre dans une société où il y a des oppresseurs et des opprimés, des bourreaux et des victimes, des bourgeois engoncés dans leurs certitudes et jaloux de la nouveauté. Que « la contre-culture est en passe de devenir la culture dominante », mais qu'il reste d'innombrables obstacles à la remise en cause d'un « ordre établi théocratique, autoritaire, patriarcal et paternaliste, sexiste, classiste, raciste et homophobe ». Qu'il y a, peut-être, un espoir : « J'avais imaginé qu'en 2100 le monde serait libre. »

Avec son impudeur totale, son enthousiasme naïf, son nombrilisme prétentieux et vulnérable à la fois, Dustan nous irrite mais on le suit. Il attise notre voyeurisme. Il nous drague/drogue à notre insu. Il est faible, crâneur, violent, fragile, mi-tête à claques, mi-fleur bleue : humain. « Les gens vont m'aimer parce qu'ils vont être dans ma tête. »

Guillaume Dustan, une vie

La vie de Guillaume Dustan est avant tout l'histoire d'un salutaire pétage de plombs : né William Baranès en 1965, il accomplit de brillantes études (hypokhâgne et khâgne au lycée Henri-IV, puis Sciences-Po et l'ENA), entame alors une carrière de magistrat snob, puis soudain, apprenant qu'il est séropositif, plaque tout, change de nom, se rase la tête, publie une « trilogie autopornobiographique » chez POL (*Dans ma chambre* en 1996, *Je sors ce soir* en 1997 et *Plus fort que moi* en 1998) et crée le « Rayon gay » aux éditions Balland. J'aimais Guillaume Dustan parce qu'il énervait tout le monde. Il était tellement symbolique de son époque que Tristan Garcia en a fait le héros de son roman *La Meilleure Part des hommes* en 2008. Ce qui a permis à Dustan d'obtenir une seconde fois le prix de Flore, à titre posthume. Encore plus fort que Romain

Gary ! Ses trois premiers romans sont denses et forts, ce qui ne l'a pas empêché de dynamiter sa carrière avec *Nicolas Pages* (Balland) qui méritait son premier prix de Flore en 1999. Après tout, Jean-Jacques Schuhl a obtenu le Goncourt un an après avec la même idée que Dustan : faire un roman qui porte le vrai nom de la personne qu'on aime (*Ingrid Caven*, 2000). Ensuite *Génie divin* (« bordel-monstre-partout », toujours auto-édité chez Balland, 2001), allait encore plus loin dans le collage impudique. C'était la théorie de sa pratique sexuelle, narcotique, politique et philosophique. C'était aussi un fourre-tout bâclé ; et alors ? Kerouac aussi bâclait. La trithérapie a ensuite fatigué Dustan, qui a quitté Paris pour Douai. J'ai eu l'honneur de publier ses deux derniers livres chez Flammarion : *Dernier roman* (2004) et *Premier essai* (2005). Il est mort cette année-là, à 39 ans, comme Boris Vian. Sur sa tombe au cimetière du Montparnasse, on peut lire : « J'ai toujours été pour tout être. »

Numéro 12 : « Chéri » et « Le Blé en herbe » de Colette (1920 et 1923)

Le Blé en herbe (1923) est l'œuvre la plus célèbre de Colette grâce à Pascal Sevran qui la cite dans *Il venait d'avoir 18 ans* de Dalida. Merveille des merveilles, *Le Blé en herbe* est un roman d'une lumineuse délicatesse, une indémodable aquarelle des émois adolescents, dont le style respire la langueur de l'été, la fraîcheur du vent breton, le pouvoir des fleurs et la fragilité des amours balnéaires. « L'art de Colette, disait Jean Cocteau (qui s'y connaissait en poésie), économise le sel, évite la graisse, use de poivre et d'ail et ne craint pas de faire mordre à même un de ces petits piments rouges qui emportent la bouche. » En effet, il y a quatre-vingts ans, l'histoire du *Blé en herbe* avait de quoi choquer le bourgeois : Philippe est un garçon de 16 ans qui flirte avec la jeune Vinca (une petite blonde de 15 ans aux « yeux couleur de pluie printanière »), mais se verra déniaisé par Mme Dalleray (la Mrs Dalloway française ?), laquelle a vingt ans de plus que lui.

Quand on pense aux scandales causés par l'affaire Polanski, qu'auraient pu dire les contemporains de

Madame Colette, qui couchait avec le fils de son mari Bertrand de Jouvenel ?! Bien avant Woody Allen, la sulfureuse strip-teaseuse bisexuelle de la Goncourt Academy avait compris que le meilleur moyen de ne pas se lasser de son conjoint est de le remplacer par sa progéniture.

Cette liaison lui inspira ce chef-d'œuvre aérien, sensuel et mélodieux. *Le Blé en herbe* atteint un niveau de perfection inégalé dans la prose française. « Vinca rougit, réclama pour elle seule la honte d'aimer, le tourment du corps et de l'âme, et quitta les Ombres vaines, pour rejoindre Philippe sur un chemin où ils cachaient leur trace et où ils sentaient qu'ils pouvaient périr de porter un butin trop lourd, trop riche et trop tôt conquis. » Sans *Le Blé en herbe*, pas de *Bonjour tristesse* ! Sans Colette, pas de cougars ! Par sa vie et son génie, Colette libéra les femmes bien avant Simone de Beauvoir. Tout semble facile en la lisant. Vivre est une suite de baisers et de chants d'oiseaux. Vivre, c'est manger, boire, aimer, jouir puis pleurer en caressant des chats. Colette a inventé un genre nouveau : l'hédonisme angoissé. « Il découvrait (...) le monde des émotions qu'on nomme, à la légère, physiques. » Ces « émotions qu'on nomme, à la légère, physiques », Colette n'a cessé, jusqu'à sa mort, de crier leur importance.

Trois ans plus tôt, elle racontait déjà l'histoire d'un amour avec un garçon plus jeune, dans *Chéri*. L'adaptation ratée de ce roman par Stephen Frears ne doit pas nous dégoûter de relire le texte original.

Ne serait-ce que pour y retrouver la métaphore de la sole. Le héros de ce roman, Frédéric, jeune bellâtre longiligne – tiens tiens – compare ses yeux à ce poisson plat : « Tiens, ici, le coin qui est près du nez, c'est la tête de la sole. Et puis ça remonte en haut, c'est le dos de la sole, tandis qu'en dessous ça continue plus droit : le ventre de la sole. Et puis le coin de l'œil bien allongé vers la tempe, c'est la queue de la sole. » N'est-ce pas charmant ? En général on évite de dire aux gens qu'ils ont un regard de poisson frit, mais comparer l'amande d'un œil à une sole devient, grâce au regard caressant de Colette, une image sensuelle.

Lisant ce roman doux et triste, je me suis rendu compte que les métaphores étaient tout ce que je préférais dans la littérature. Finalement, nous ne lisons que pour voir, et l'on a tort d'opposer si souvent le livre et le cinéma. Les romans sont des films, une suite de « choses vues » collées bout à bout. C'est souvent tout ce que je retiens, lorsque je referme un roman. Un exemple célèbre est le début de *L'Ecume des jours* où Boris Vian décrit un garçon qui se coiffe : « Son peigne d'ambre divisa la masse soyeuse en longs filets orange pareils aux sillons que le gai laboureur trace à l'aide d'une fourchette dans de la confiture d'abricots. » Encore une métaphore alimentaire ? C'est que comparer un personnage à de la bouffe reste le meilleur moyen de le rendre appétissant. Cela rappelle la Lolita de Nabokov et « sa bouche aussi rouge qu'un sucre d'orge sucé », qui elle-même évoque la petite Cissy Caffrey dans *Ulysse* de Joyce, et « ses lèvres purpurines comme la cerise mûre ». Qui a dit que comparaison n'est pas raison ? C'est peut-être vrai, mais l'art est déraisonnable, et je n'admire rien plus que ces trouvailles saugrenues qui nous font regarder les êtres autrement. Colette, c'est l'Arcimboldo de la littérature : elle voit des fruits partout ! Dans un roman de 2010, *Je suis très à cheval sur les principes*, l'Américain David Sedaris décrit ainsi sa vieille voisine : « Toute l'attention se portait sur ses lunettes rafistolées au sparadrap, et sur sa mâchoire inférieure, légèrement proéminente, comme un tiroir n'ayant pas été complètement refermé. »

Entre la sole de Colette et le tiroir de Sedaris, un siècle s'est écoulé, l'humour a évolué et l'on a certes moins envie de manger cette voisine que de dévorer Lolita. Pourtant on voit bien que les visages humains restent le terrain de jeux préféré des écrivains. Un romancier est un portraitiste. Il n'imprime pas seulement des phrases mais observe les détails qui définissent des gens. Les mots deviennent des photos. Le plus fort à ce sport, c'est Balzac, au début de *La Fille aux yeux d'or*, parce qu'avec lui les visages deviennent une ville. « A force de s'intéresser à tout, le Parisien finit par ne s'intéresser à rien. Aucun sentiment ne dominant sur sa face usée par le frottement, elle devient grise comme le plâtre des maisons qui a reçu toute espèce de poussière et de fumée. » Le but de tout écrivain digne de ce nom devrait être de voir dans un visage une sole, de la confiture, un bonbon, un fruit, un tiroir ou une maison.

Colette, une vie

Colette (1873-1954) fut « la femme la plus libre du monde » selon Pierre Mac Orlan. Sidonie-Gabrielle Colette : romancière, autobiographe, critique, éditrice et showgirl, fille de Sido, femme de Willy, puis d'Henry de Jouvenel et de Maurice Goudeket, et mère de Bel-Gazou. Son œuvre représente plus de quarante volumes : quarante volumes pour répéter toujours la même chose (« L'amour n'est pas un sentiment honorable »). Entre 1900 et 1904, la série des Claudine en fera le nègre de son premier mari (*Claudine à l'école*, *Claudine à Paris*, *Claudine en ménage*, *Claudine s'en va*). Puis elle prendra son envol en 1905 avec *Sept Dialogues de bêtes*, premier livre signé Colette. Les romans les plus sensibles du XXe siècle coulent ensuite de sa source : *L'Ingénue libertine* (1909), *La Vagabonde* (un des premiers romans sur le divorce, 1910), *L'Entrave* (1913), *Chéri* (1920), *Le Blé en herbe* (1923), *La Fin de Chéri* (1926), *La Naissance du jour* (1928)... Elle compare toujours les êtres à des animaux, et les animaux à des plantes. Lire Colette donne faim. Ecrire comme elle est impossible. Aujourd'hui la boutique la plus « fashion » de Paris porte toujours son nom !

Numéro 11 : « La Peau » de Curzio Malaparte (1949)

Je vis dans un monde en guerre mais je n'en souffre pas. Je ne sens pas la violence parce que j'ai grandi dans un pays protégé, durant une époque pacifiée. Je n'y comprends rien. La guerre, je l'ai vue dans des films, et à la télévision : crépitement ridicule, lumières traçantes dans la nuit, bombardements téléguidés. En Yougoslavie : charniers, épurations ethniques ; des peuplades mitoyennes se massacraient de manière systématique sur des pelouses vertes avant de s'enterrer dans des forêts noires. Il paraît que la même chose est arrivée chez moi peu de temps avant ma naissance. En Irak, il a fallu plusieurs débarquements américains pour licencier un dictateur moustachu. Comme en France en 1944. En Palestine, des chars tirent sur de jeunes lanceurs de cailloux. On grandit en regardant ces images qui ne veulent rien dire. Et aujourd'hui, la Libye.

Je passe mon temps à me demander à quoi sert la littérature dans ce siècle nouveau. Je sais bien que c'est idiot : l'art est inutile, et à chaque fois qu'il a prétendu le contraire, il s'est alourdi. Romans manichéens, peintures politiques, théâtre pompier, poésie communiste... Tant pis, courons le risque. Ma théorie (empruntée à Kundera dans *L'Art du roman)* est que la littérature sert peut-être à exprimer ce qui est inexprimable ailleurs. « La raison d'être du roman est de dire ce que seul un roman peut dire. » Je suis à peu près certain que ce n'est pas du tout ce qu'a voulu dire Kundera, mais tant pis : personnellement j'en tire la conclusion que le roman doit essayer de décrire ce que les images ne montrent pas. Exemples : le Onze Septembre, un tsunami japonais, la guerre en Libye. Malaparte a choisi la guerre en Italie.

La guerre est une suite de destins, un empilement de corps, un amoncellement de désastres particuliers. Comment s'en emparer ? Les romanciers répondent : en l'humanisant (ainsi Stendhal avec la bataille de Waterloo dans *La Chartreuse de Parme*). La guerre est une abstraction, sinon elle ne serait pas possible. Dès que les soldats deviennent des gens, ils fraternisent. Comment tuer un semblable s'il a des angoisses, des enfants, une maison, un prénom ? Le roman est le contraire de la guerre puisqu'il s'intéresse à l'ennemi au lieu de le détruire. Le langage des militaires cherche à annihiler la réalité : par exemple, on dira « dommages collatéraux » au lieu de « huit enfants brûlés devant leur mère ». Le rôle du roman est d'écrire « huit enfants brûlés devant leur mère », et si possible de décliner leur identité, la couleur de leurs cheveux, et comment réagit la mère – est-elle prostrée, hystérique, larmoyante ou silencieuse ? La bombe est-elle entrée par la fenêtre d'un hôpital ou tombée sur le toit d'une maison ? Quel temps faisait-il ce jour-là : ciel bleu, nuageux, chaud, froid ? Et le bruit : quel bruit fait un missile balistique ? Ça siffle ou ça rugit ? Le son est-il sourd ou strident ? Est-ce qu'on l'entend par-dessus les cris des enfants ? Et l'odeur du feu : cochon cramé, méchoui d'ossements, cloques purulentes sur la peau, cratères d'organes violacés qui sentent la merde ? Bref. Vous voyez où je veux en venir : Malaparte a réussi là où Hemingway avait échoué. Dans *L'Adieu aux armes*, *Le soleil se lève aussi* et *Pour qui sonne le glas*, un Américain avait essayé de montrer la guerre en Italie, en France et en Espagne. Mais sa théorie de l'iceberg l'a conduit à rester trop en dehors de l'horreur. On ne peut pas montrer la guerre en restant élégant. On ne peut pas écrire un roman de guerre sans se salir les mains. Malaparte le savait (dans *La Peau*, il évoque un Hemingway décadent, au Select de Montparnasse, en 1925). C'est pourquoi ce héros choisit de ne pas être héroïque.

La Peau de Malaparte est un tableau gothique, du Goya, du Jérôme Bosch (il y a même les naines de Vélasquez !), du Brueghel, du Francis Bacon. Malaparte exprime le point de vue des vaincus qui font semblant d'être libérés. Le peuple napolitain dans *La Peau*, c'est le Normand de juin 44 ou le Libyen en 2011. Si je veux comprendre ce qui se passe aujourd'hui, je dois lire un roman de 1949 qui se déroule à Naples en automne 1943. *La Peau* est un roman autobiographique, rabelaisien, surréaliste, absurde, grandiloquent. C'est ainsi qu'il se rend supportable. Car ce qu'il raconte est insoutenable, ignoble, dégueulasse (les enfants qui enfoncent des clous dans la tête des soldats allemands, la scène de la vierge doigtée par des bidasses américains, etc.). Si un auteur décrivait à peu près fidèlement la guerre, le lecteur devrait vomir à chaque page. Curzio Malaparte veut nous terrifier mais il veut aussi que nous le lisions jusqu'au bout. C'est pourquoi il joue les perdants. Un romancier de guerre, c'est souvent un winner qui se travestit en loser. S'il était un vrai perdant, il ne serait plus là pour écrire son roman ! Hitchcock dit à Truffaut : « Innocent dans un monde coupable ». Malaparte dit : « Coupable dans un monde aussi coupable que moi ». Il choisit délibérément de se situer par-delà le bien et le mal.

« Naples est un Pompéi qui n'a jamais été enseveli. » Malaparte veut peindre un nouveau cataclysme : l'Amérique. L'Amérique est pire que le Vésuve ! Dans *Kaputt* (et dans sa guerre), Malaparte a lutté contre les Allemands. Mussolini l'a jeté en prison, il n'a plus rien à prouver, ça va, niveau politiquement correct il est imbattable. Il a son brevet de résistant antifasciste (même s'il ressent le besoin de l'afficher encore en préambule de *La Peau*). Il peut donc se permettre de contester l'Empire du Bien. Imaginez que vous avez libéré votre pays aux côtés de l'armée américaine. Vous décidez d'écrire un roman pour raconter cette aventure extraordinaire. Et au lieu de décrire votre gentillesse et votre héroïsme, vous commencez par montrer le libérateur comme un voyou colonisateur qui corrompt tout sur son passage. Et vous vous moquez de votre pays, vous montrez l'Italie dévastée, en haillons : un pays de voleurs, de putes et de mendiants. *La Peau* n'est pas un crachat dans la soupe mais un Pompéi d'ingratitude ! Et ce n'est pas tout : Malaparte critique Malaparte. Dénoncer la saloperie est plus courageux quand on en fait partie. Non aux narrateurs purs ! *La Peau* est un roman impur comme la guerre. Il n'y a pas de guerres propres ; il n'y a pas de romans propres. « C'est une honte de gagner la guerre », dit la dernière phrase du livre.

Le parti pris de *La Peau* est de constater que dans une guerre tout le monde est mort depuis le départ, qu'une guerre n'est qu'une lutte entre morts. La guerre est comme la vie : une horde de cadavres en sursis. La guerre accélère la vie, la réveille (d'où les nombreuses scènes de sexe, de prostitution). « On croit lutter et souffrir pour son âme, mais en réalité on lutte et on souffre pour sa peau, rien que pour sa peau. » La peau ne peut protéger nos os. La peau est ce qui nous sépare de l'extérieur mais aussi notre point de contact avec le réel. Nos corps sont entourés de peau « flasque, qui pend au bout des doigts comme un gant trop large ».

J'ai lu *La Peau* à l'âge de 16 ans parce qu'un camarade de lycée me l'avait conseillé. Je venais de découvrir le *Voyage au bout de la nuit* et il m'avait dit que c'était la même chose en mieux parce que Malaparte parlait de la Seconde Guerre mondiale, plus proche de nous. Cette lecture me transforma.

Pour la première fois de ma vie, un roman me faisait respirer le parfum des morts que l'Europe me cachait. Les profs d'Histoire évitaient la question de la lâcheté française, de la défaite française. A la télévision, tout était beau et propre : les nazis avaient perdu, les Américains nous avaient libérés. Les bons avaient liquidé les méchants. Mais mon peuple à moi était dans les deux camps et mon grand-père ne me le disait pas. Les deux grands tabous de ma jeunesse : les Français ne sont pas gentils, et les Américains non plus. Un autre tabou en train de tomber (grâce à Günter Grass et W. G. Sebald) : les Allemands aussi ont souffert. Il y a plus de scoops dans les livres que dans la presse.

Depuis cette lecture, je suis persuadé que les romans doivent dire la vérité, même si elle est apocalyptique. La beauté est juste une manière de dire la vérité. « Les destructions peuvent être belles » (Kundera, *La Plaisanterie*). La guerre est séduisante : oh là là, on a le droit d'écrire une chose pareille ? Oui, c'est même un devoir. Et aussi : la mort est magnifique, l'horreur est glamour, les attentats sont sexy, la torture est érotique, la pornographie est romantique, le roman est amoral, et rien n'est plus captivant qu'un tsunami.

« Il n'y a pas de bonté, dit Jack, il n'y a pas de miséricorde dans cette merveilleuse nature.

— C'est une nature méchante, dis-je, elle nous hait, elle est notre ennemie. Elle hait les hommes.

— Elle aime nous voir souffrir, dit Jack à voix basse.

— Elle nous fixe avec des yeux froids, pleins de haine et de mépris.

— Devant cette nature, dit Jack, je me sens coupable, honteux, misérable. Ce n'est pas une nature chrétienne. Elle hait les hommes parce qu'ils souffrent.

— Elle est jalouse des souffrances des hommes, dis-je. » (Malaparte, *La Peau*, 1949.)

Ce que j'aime dans les romans : on ouvre un livre sur la Seconde Guerre mondiale et il vous parle d'une catastrophe naturelle datant du 11 mars 2011. Les romans ne sont pas là pour clarifier les choses mais pour les compliquer. Ce que nous voyons est moins vrai que ce que nous lisons. Les grands romans détiennent le mensonge qui éclairera nos existences. La vérité est planquée quelque part, dans une fiction. Mais laquelle ? Elle m'échappe comme une jolie femme. Je la cherche sans cesse, je la lis parfois, un jour j'essaierai de l'écrire.

Curzio Malaparte, une vie

Un jour Malaparte rencontre Benito Mussolini. Celui-ci lui pose une colle : « Alors mon cher, dites-moi, qu'auriez-vous fait si vous vous étiez appelé Bonaparte ? » Réponse du Toscan : « J'aurais perdu à Austerlitz et gagné à Waterloo. » Malaparte est un pseudonyme (« Bonaparte a mal fini, Malaparte finira bien »). Le vrai nom de Malaparte est Kurt-Erich Suckert (1898-1957). Son père était allemand (comme celui de Bukowski). Malaparte est le

Hemingway italien, le Céline transalpin. Lui aussi fut blessé durant la Première Guerre. Fasciste jusqu'en 1933, résistant ambigu par la suite, il se fit construire la plus belle maison du monde à Capri (celle où Godard tourna *Le Mépris*). Il était vantard, mythomane, frimeur, narcissique, bref : un artiste normal. Ses meilleurs romans sont *Kaputt* (1943) et *La Peau* (1949). Il est aussi l'auteur de *Technique du coup d'Etat*, essai d'actualité en 1931 autant qu'en 2011 en Tunisie, en Egypte, en Libye, en Jordanie, en Algérie... (complétez vous-même la liste).

Numéro 10 : « La Fêlure » de Francis Scott Fitzgerald (1936)

Ils ne sont pas nombreux, les livres qu'on peut relire tous les ans en vingt minutes, et qu'on a ensuite envie de serrer très fort contre son cœur jusqu'à les broyer. *The Crack-Up* est de ceux-là. Ce sont trois articles commandés par la revue *Esquire* (et publiés en février, mars et avril 1936). C'est à ma connaissance la première fois au monde qu'un homme brisé par l'alcool avoue publiquement, dans un magazine, son intoxication, sa dépression et son incapacité à écrire. C'est une lettre d'adieu absolument désespérée, et cependant d'une dignité qui force le respect. Sa parution fit scandale : les Américains furent choqués d'être confrontés avec une telle impudeur à la décadence de leur icône des années folles.

Comment échapper à sa légende ? De leur vivant, Scott et Zelda Fitzgerald trimballaient déjà un fardeau de clichés : enfants du jazz, buveurs de gin, danseurs excentriques, amants scandaleux, ils avaient taylorisé les rôles (lui, le fêtard bourré, et elle, la flapper flippée). Leur mort n'a fait qu'empirer la situation. Fitzgerald ne peut aujourd'hui être décrit autrement qu'en enfant gâté de la génération perdue ou comme symbole du chagrin en smoking.

Mais Francis Scott Fitzgerald fut d'abord un grand auteur comique, comme tous les grands auteurs tout court. Il possédait un sens de la provoc dandy qui me ravit : « J'avais des invités en croisière et c'était tellement drôle qu'il a fallu que je coule le yacht pour qu'ils rentrent chez eux. » Son œuvre entière – nouvelles et romans – est une satire légère de la haute bourgeoisie américaine, de ses mariages arrivistes et de son lucre ostentatoire. C'est Tchekhov réécrit par Saint-Simon. Et c'est en étudiant son humour qu'on découvre le vrai visage de Fitzgerald, celui d'un révolté. « Je suis essentiellement marxiste », nota-t-il dans les *Notebooks* retrouvés après sa mort. Fitzgerald, ancêtre de Che Guevara ? Derrière tout caricaturiste infiltré se cache un dangereux terroriste. *Tendre est la nuit*, c'est du Buñuel, du Ferreri, du Mocky. Gatsby est un voyou qui se moque des milliardaires. Aujourd'hui, Fitzgerald publierait « Un diamant gros comme le World Trade Center ».

« Le chapeau du prestidigitateur était vide. » La dépression économique de 1929 entraîna chez Scott une autre dépression, nerveuse celle-là. *La Fêlure* est le récit de son naufrage. Son auteur avait tout prévu de sa vie future. Il comprend que dans sa jeunesse il rédigeait son propre avenir quand il riait des gens ruinés. Le malheur est prévisible, ce qui ne l'empêche pas d'arriver. L'incipit est célèbre : « Of course all life is a process of breaking down » (« Toute vie est bien entendu un processus de démolition »). *La Fêlure* raconte pourquoi et comment le grand écrivain du New York des années 20 se retrouve pauvre et démoli à Hollywood, deux décennies plus tard : « Et tout d'un coup, sans m'y attendre, j'allai mieux. – Et aussitôt que j'en eus vent, je me fêlai comme une vieille assiette. » La destruction s'est faite en quatre étapes : permettez-nous de vous proposer LA FÊLURE MODE D'EMPLOI.

1) Flambez, vivez au-dessus de vos moyens (dilapidant l'argent sans penser au lendemain) ;

2) Buvez jusqu'à tomber par terre tous les soirs (« tous les actes de ma vie, me brosser les dents le matin et avoir des amis à dîner le soir, me demandaient maintenant un effort ») ;

3) Utilisez vos frustrations de jeunesse comme source d'inspiration (votre exclusion du Triangle Club de Princeton, votre râteau avec Ginevra King, la conquête difficile de Zelda Sayre) : vous les verrez revenir dans votre figure vingt ans plus tard avec une ultime violence ;

4) Travaillez dans le cinéma : « Déjà en 1930, j'avais eu l'intuition que le cinéma parlant rendrait même le romancier qui se vendait le mieux aussi archaïque que le cinéma muet. »

On prend Fitzgerald pour un auteur gentiment poétique, ou élégamment classique, alors que, comme tous les génies, il n'a cessé d'innover et de bousculer l'ordre établi. Fitzgerald et Joyce, même combat ! Les deux buveurs se sont d'ailleurs rencontrés au début des années 20 à Paris. Les grands écrivains sont toujours d'avant-garde. Mais cette agitation avait un prix. Le déconneur était fragile : l'un des chapitres de *La Fêlure* s'intitule *Handle with care.*

C'est la formule qu'on inscrit sur les cartons de vaisselle (fêlée ou non) lors des déménagements : « A manier avec précaution. » Fitzgerald voulait intituler ses carnets « Diary of a literary failure » (« Journal d'une faillite littéraire »). C'est le seul point sur lequel il manquait de lucidité. Sa destruction personnelle a au contraire contribué à ce que son art lui survive.

Francis Scott Fitzgerald, une vie

Francis Scott Fitzgerald est né à Saint Paul (Minnesota) le 24 septembre 1896, et mort à Hollywood (Californie) le 21 décembre 1940. Entre les deux, il a connu la gloire et la déchéance. Gloire : *This Side of Paradise*, paru chez Scribner's le 26 mars 1920, et, huit jours plus tard, le 3 avril, mariage avec Zelda Sayre à la cathédrale de New York. Bonheur des nouvelles publiées partout, et des voyages en Europe. Naissance de sa fille le 26 octobre 1921. Joie de publier *Gatsby le Magnifique* le 10 avril 1925.

A partir de là, déchéance : l'alcoolisme, la folie de Zelda, les séjours en Suisse, les scénarios refusés. *Tendre est la nuit*, qui paraît le 12 avril 1934, se fait l'écho de la tragédie en cours. Le roman est un bide. Fitzgerald sombre dans la dépression. Il tente d'écrire *Le Dernier Nabab*, et *La Fêlure* sera son *De profundis*. Le secret de son écriture étincelante ? Il suffisait de contempler le rêve américain, puis de le vivre, le perdre, le regretter, le détester, y renoncer.

Numéro 9 : « Les Choses » de Georges Perec (1965)

Cinquante ans plus tard, *Les Choses* font mentir leur sous-titre : il ne s'agit pas d'une « histoire des années soixante » mais d'une « histoire des années 60-70-80-90-00-10 ». C'est triste à dire, mais le livre le plus branché de 2011 a été écrit en 1965. A l'époque, Georges Perec n'avait pas encore sa coupe afro à la Jackson Five, ni son bouc façon George Michael. Il n'avait pas encore énuméré ses souvenirs, ni tenté d'épuiser la place Saint-Sulpice, ni rédigé un roman sans la lettre « e ». C'était un inconnu de 29 ans qui fut révélé par le prix Renaudot (en ce temps-là, le prix Renaudot révélait des inconnus).

Les Choses décrit la vie morne d'un couple prisonnier des objets. Jérôme et Sylvie rêvent d'un bel appartement, font des sondages auprès des consommatrices (aujourd'hui on les appellerait des « ménagères de moins de 50 ans »), s'ennuient dans leur univers aseptisé sans comprendre pourquoi. Ils ne veulent pas être mais avoir : « Ils vivaient dans un monde étrange et chatoyant, l'univers miroitant de la civilisation mercantile, les prisons de l'abondance, les pièges fascinants du bonheur. » *Les Choses* est tout simplement la version romanesque de la désopilante chanson de Boris Vian, *La Complainte du progrès* :

> « Ah, Gudule, viens m'embrasser
> Et je te donnerai
> Un Frigidaire
> Un joli scooter
> Un atomixer
> Et du Dunlopillo
> Une cuisinière
> Avec un four en verre
> Des tas de couverts
> Et des pelles à gâteau ! »

La société a-t-elle changé depuis ? Non. Les « Choses » n'ont fait qu'empirer. Le monde est dirigé par quelques marques. *Les Choses* était un livre prophétique, trois ans avant mai 68. Perec croyait décrire son époque alors qu'il annonçait notre mode de vie jusqu'à la fin du monde. Nous sommes tous comme Jérôme et Sylvie. Nous voulons une belle bagnole qui fait vroum-vroum, une maison de campagne qui fait cui-cui, une super-chaîne hi-fi qui fait poum-tchak, un téléphone portable qui fait drelin-drelin.

Saurons-nous échapper aux choses ? Il m'est arrivé d'évoquer la guerre entre l'écrit et l'image ; il est évident qu'une autre guerre est déclarée entre l'homme et les machines. Dans le premier *Terminator* (1984), le grand film de James Cameron avec Arnold Schwarzenegger, les machines prenaient le pouvoir. Vous vous souvenez ? Un ordinateur géant nommé Skynet asservissait les êtres humains et lançait les vilains Terminators à leurs trousses pour les exterminer. Savez-vous quelle était la date de leur victoire dans le film ? Le 29 août 1997. Il y a quatorze ans. Plutôt flippant, non ? Aujourd'hui Facebook dévoile notre vie privée, le livre numérique veut remplacer le livre papier, les centrales nucléaires menacent d'exploser, Google privatise la mémoire du monde. Perec avait raison de se méfier des choses : elles voulaient notre place, et elles l'ont obtenue.

Georges Perec, une vie

Ecrivain barbichu et inventif né à Paris en 1936 et mort à Ivry en 1982, à l'âge de 45 ans. Après un premier roman dont l'influence augmente chaque jour depuis quarante-cinq ans (*Les Choses*, 1965), Georges Perec affronte des contraintes libératrices (il entre à l'Oulipo en 1967) : *La Disparition* (1969, roman sans la lettre « e »), *Les Revenentes* (1972, texte où la seule voyelle est « e »), *Tentative d'épuisement d'un lieu parisien* (1975, liste de ce qu'il voit du Café de la mairie, place Saint-Sulpice), *La Vie mode d'emploi* (1978, prix Médicis, sous-titré « romans », il aurait pu s'intituler « Tentative d'épuisement d'un immeuble imaginaire du 17ᵉ arrondissement de Paris »). Un autre de mes romans préférés de Perec est *W ou le souvenir d'enfance* qui entrecroise deux récits : une recherche de souvenirs disparus (son enfance orpheline) et une sorte de compétition sportive fasciste. Perec est l'écrivain le plus éclectique de son siècle : il ne s'est jamais répété.

Numéro 8 : « Plateforme »
de Michel Houellebecq (2001)

A chaque fois que je lis (ou relis) Houellebecq, il se dégage un confortable sentiment de retrouvailles. J'adore retrouver sa sagacité froide, sa provocation calme, son écriture blasée, son désespoir comique, son ambition célinienne, son réalisme scientiste, son existentialisme laconique, entrecoupé de points-virgules. Le premier paragraphe de *Plateforme* contient tout Houellebecq : « Mon père est mort il y a un an. Je ne crois pas à cette théorie selon laquelle on devient *réellement adulte* à la mort de ses parents ; on ne devient jamais *réellement adulte.* » Allusion évidente à l'incipit de *L'Etranger* de Camus (« Aujourd'hui maman est morte »), où Houellebecq glisse une de ces observations sociologiques dont il a le secret, et que *Plateforme* cherchera à démontrer durant 400 pages. Tous ceux qui pensent que Houellebecq ne soigne pas son style sont des gens qui n'ont lu ni Jean de La Ville de Mirmont ni Joseph Conrad (deux de ses influences). Au contraire, peu d'écrivains contemporains ont les moyens de placer la barre aussi haut sur le plan littéraire sans devenir hermétiques ou pompeux. Houellebecq possède la nonchalance des auteurs vraiment sûrs d'eux. Il se fiche de ce que vous allez penser, et c'est ce qui va vous plaire : son je-m'en-foutisme est sa seule idéologie.

Plateforme raconte l'histoire d'un homme prénommé Michel qui saute des putes en Thaïlande et rencontre par chance Valérie, laquelle ne va exister que pour lui donner du plaisir, notamment à Cuba. Satire du tourisme sexuel ? Version X des Aventuriers de Koh-Lanta ? L'anti-*The Beach* d'Alex Garland ? Encore un essai antimondialisation ? Pas du tout : Houellebecq nous donne là son premier roman d'amour. Comme tous les nihilistes, son humour noir cache un cœur pur, aux illusions perdues. *Plateforme* est un livre romantique ; la preuve en est qu'il contient beaucoup de morts (comme tous les romans de Houellebecq et, plus généralement, toutes les vies humaines). Michel est un Roquentin réac, un Bardamu obsédé, le même loser que dans *les Particules élémentaires* et *Lanzarote.* Il aime Julien Lepers et les body-body, abhorre le *Guide du routard* et les talibans. Ses accès de xénophobie, comme son éloge de la prostitution, ont déclenché le même scandale flemmard que d'habitude, puisque la presse a confondu le narrateur avec l'auteur. Peu importe (elle n'a d'ailleurs pas complètement tort : Houellebecq n'est pas fanatique du fanatisme, et ne crache pas sur une fellation tarifée dans un pays exotique). « Je n'étais pas heureux, mais j'estimais le bonheur et je continuais à y aspirer. » C'est l'histoire d'un corps qui consomme d'autres corps, mais ressent tout de même, un jour, un sentiment (Cioran définit l'amour comme l'affection « qui survit à un instant de bave »). Ce roman est peut-être une des dernières tentatives occidentales pour croire en l'amour entre les êtres disséminés, sur fond d'échangisme et de misère sexuelle.

Ce livre désopilant et sinistre place à mon sens Michel Houellebecq loin, très loin au-dessus des autres écrivains français vivants. Il est ailleurs, inimitable, et cependant « au milieu du monde ». Le roman illustre cette fameuse « folie de l'art » dont parle Henry James et pourtant il s'achève sur un attentat islamiste dans une boîte de nuit, idée malheureusement prophétique. Un an après la publication de ce roman, le 12 octobre 2002, à Bali, un van explosait devant le Sari Club de Kuta Beach, tuant 202 personnes, essentiellement des touristes australiens et britanniques. La description imaginée par Houellebecq un an plus tôt est saisissante de réalisme : « La bombe avait explosé au milieu du Crazy Lips, le bar le plus important, en pleine heure d'affluence (...) devant l'entrée du bar une danseuse rampait sur le sol, toujours vêtue de son bikini blanc, les bras sectionnés à la hauteur du coude. » L'antihéros perd dans cet attentat l'amour de sa vie.

La raison pour laquelle j'ai choisi *Plateforme* plutôt que les excellents romans de science-fiction de Michel Houellebecq sur le clonage humain (*Les Particules élémentaires* et *La Possibilité d'une île*), c'est qu'il a le charme et la vérité d'une série B. De toute l'œuvre de Houellebecq, c'est le livre le plus amusant : « J'avalai une gorgée de bière et soutins son regard sans gêne : est-ce que cette fille était au moins capable de s'occuper *correctement* d'une bite ? » Mais c'est aussi son roman le plus sombre : nul hasard s'il est sorti l'année du Onze Septembre (quelques jours avant les attaques). *Plateforme*, ce sont les *Pensées* de Pascal travesties en épisode de SAS. Le paragraphe qui explique le titre est superbe : « Un jour, à l'âge de douze ans, j'étais monté au sommet d'un pylône électrique en haute montagne. Pendant toute l'ascension, je n'avais pas regardé à mes pieds. Arrivé en haut, sur la plateforme, il m'avait paru compliqué et dangereux de redescendre. Les chaînes de montagnes s'étendaient à perte de vue, couronnées de neiges éternelles. Il aurait été beaucoup plus simple de rester sur place, ou de sauter. » Ce lieu terrifiant d'immobilité où le narrateur se trouve bloqué par le vertige, ce promontoire d'acier où l'homme n'ose plus faire un mouvement, comme un chat sur une branche d'arbre, paralysé par l'ivresse des cimes, tétanisé par la tentation de mourir, galvanisé par l'infini de l'univers qui l'entoure et le désir de rester vivant tout en assumant l'inutilité ridicule de son destin : cette plateforme est la métaphore de l'humaine condition, bien plus que celle des particules quantiques en 1998. Je me doute que ce souvenir est autobiographique. C'est aussi ce qui me touche dans ce livre. Cette plateforme est son Rosebud. Et cette vertigineuse impuissance est la nôtre. Nous sommes tous atrocement prisonniers de la plateforme où nous sommes montés sans être capables d'en redescendre.

Michel Houellebecq, une vie

Né en 1958 à la Réunion et résidant en Irlande, Michel Houellebecq est l'auteur le plus important de sa génération (c'est-à-dire celui qui fait oublier celle d'avant et influence celle d'après). Ingénieur agronome comme Alain Robbe-Grillet, il a commencé par publier des poèmes et une biographie de Lovecraft. Mais ce sont ses deux premiers romans qui ont bouleversé la scène littéraire française : *Extension du domaine de la lutte* (1994) et *Les Particules élémentaires* (1998). Depuis, il a fait du cinéma porno sur Canal +, un disque de rap mou (*Présence humaine*) avec tournée de concerts bruitistes à la clé et quatre autres romans, de plus en plus tragicomiques, deux à propos du tourisme sexuel : *Lanzarote* (2000) et *Plateforme* (2001), un sur le clonage : *La Possibilité d'une île* (2005) et un sur la nouvelle France, la mort de l'art et la paternité : *La Carte et le Territoire* (2010). Michel Houellebecq est admirable, et c'est pourquoi je l'admire.

Numéro 7 : « L'Attrape-Cœurs » de J. D. Salinger (1951)

L'Attrape-Cœurs est le roman que j'ai lu le plus souvent. J'ai tout essayé pour tenter d'en percer le mystère : souligner des pages entières, apprendre par cœur certaines phrases, le lire en version originale, ou en alternant les traductions (celle de Sébastien Japrisot, celle d'Annie Saumont), et même suivre à New York l'itinéraire de son héros. *L'Attrape-Cœurs* est impossible à disséquer : pire que des hiéroglyphes. Ce texte ne vieillit pas. Normal, puisque c'est l'histoire d'un adolescent qui refuse de grandir. Le narrateur, Holden Caulfield, 16 ans, puceau de 1,86 m, a gagné. Viré de son collège trois jours avant Noël, il continuera éternellement d'errer dans Manhattan sans rentrer chez lui (sauf en cachette, pour offrir un 78 tours cassé à sa petite sœur Phoebe).

Comment écrit-on un chef-d'œuvre ? C'est toujours le même problème : pas la moindre idée. Personne ne sait, ni les historiens, ni les professeurs, ni les critiques, et surtout pas l'auteur. Un chef-d'œuvre, c'est une invention extraordinaire qui ne marche qu'une seule fois. *L'Attrape-Cœurs* est un premier roman, un accident, un artefact qui sert à provoquer une émotion unique, que seul peut provoquer *L'Attrape-Cœurs.* Inutile de chercher la même sensation dans d'autres livres. A peu près dix mille écrivains s'y sont essayés (aux Etats-Unis, tous les ans douze pastiches) : aucun n'a réussi à retrouver la formule magique. Moi, j'ai trouvé le truc : pour ressentir à nouveau cette douce amertume, cette humanité, cette grâce et cette drôlerie légère, il suffit de relire *L'Attrape-Cœurs.* C'est comme une drogue, sauf qu'avec la drogue c'est la première prise qui est toujours la meilleure. Là, l'effet reste intact à chaque lecture. Inusable, je vous dis. Un vrai miracle.

Bon, on peut quand même essayer d'énumérer quelques ingrédients célèbres. La première phrase : « Si vous voulez vraiment que je vous dise, alors sûrement la première chose que vous allez demander c'est où je suis né, et à quoi ça a ressemblé, ma saloperie d'enfance, et ce que faisaient mes parents avant de m'avoir, et toutes ces conneries à la David Copperfield, mais j'ai pas envie de raconter ça et tout. » Dès l'incipit, on a le ton râleur d'un jeune narrateur qui fronce les sourcils et apostrophe le lecteur dans un style complice, oral et sans prétention, on a la révolte contre les classiques (désolé, monsieur Dickens, c'est tombé sur vous), et le thème central du roman : l'insatisfaction adolescente. Le tout avec cette ironie tendre, indémodable. On est entraîné, pris par la main.

The Catcher in the rye fut publié juste après la guerre (1951), où son auteur fut engagé et traumatisé par le débarquement en Normandie, la libération de

Paris et des camps de concentration, d'où une aversion pour les adultes et la société. Littéralement, ce titre signifie « L'attrapeur dans le seigle », et désigne la vocation de Holden, trouvée dans une chanson. Il aimerait attraper des enfants dans un champ de seigle au bord d'une falaise, pour les empêcher de tomber dans le vide. Ce garçon est un peu siphonné parce que son petit frère est mort d'une leucémie, d'ailleurs il s'adresse à nous depuis le lit d'hôpital où on l'a envoyé pour se reposer après sa fugue. La cocasserie du style « ado attardé » était à l'époque d'une immense originalité : huit ans plus tard, en France, la même feinte innocence a donné *Zazie dans le métro* de Queneau. Salinger triture le langage, utilise l'argot et les interjections familières (genre « goddam » ou « boy ») pour faire passer sa colère et sa sincérité. Il ne cesse d'entrecouper son récit très linéaire – un mec qui se balade, rien de nouveau, de Homère à Jauffret en passant par Cervantès et Joyce, c'est toujours la même promenade – d'observations poétiques inattendues, mais toujours précises. Exemple : « Il lisait l'*Atlantic Monthly*, et y avait plein de médicaments et ça sentait les gouttes Vicks pour le nez. De quoi vous donner la déprime. » Ou : « Hey dites donc, vous avez vu les canards près de Central Park South ? Le petit lac ? Vous savez pas par hasard où ils vont ces canards, quand le lac est complètement gelé ? »

Au fil de ses errances dans des taxis, des hôtels pourris, des bars enfumés, au musée d'Histoire naturelle, au théâtre, à la patinoire, au zoo, au Radio City Music Hall, à Grand Central Station ou à Central Park, Holden croisera des paumés comme lui : une blonde de Seattle, puis une copine de son frère aîné (parti « se prostituer », c'est-à-dire entamer une carrière de scénariste à Hollywood comme Fitzgerald), puis une pute débutante qu'il n'osera pas toucher, puis deux bonnes sœurs à qui il donnera dix dollars, puis Sally Hayes, une jolie petite bourgeoise qu'il embrasse sur la bouche avant de l'insulter, puis Phoebe (sa petite sœur de 10 ans, déjà mentionnée plus haut, essayez de suivre please). Il y a aussi Jane Gallagher, dont Holden est amoureux, mais qui sort avec un con. Notre héros pense beaucoup à la mort, au suicide, s'imagine qu'il a une balle dans le ventre, ou qu'il va attraper une pneumonie. Il fume, boit, râle sans arrêt mais tout ce qu'il dit sonne juste. Il découvre la liberté, donc la solitude. Seuls les enfants trouvent grâce à ses yeux. Il déprime, puis reprend espoir en regardant le manteau bleu de Phoebe, qui tourne sur un manège, sous la pluie. Plus les heures passent, et plus le charme devient mélancolique, d'une nostalgie déchirante. L'escapade va prendre fin, il va falloir revenir dans le droit chemin... devenir un homme. C'est une histoire qui parle de la pureté impossible, du dégoût de vivre, et de l'amour qui vous sauve.

Salinger a mis dix ans à écrire ce court roman (commencé en 1941, publié durant l'été 1951). Beaucoup d'intellectuels détestent la naïveté de Salinger : ce sont les mêmes qui traitent Camus de « philosophe pour classes terminales » et méprisent *L'Écume des jours* de Boris Vian pour excès de romantisme bébé. Norman Mailer (que plus personne ne lit) a dit de Salinger qu'il était « le plus grand esprit qui soit resté au niveau de l'école secondaire ». Il n'a pas complètement tort : l'argot du texte a vieilli aujourd'hui, par certains côtés « L'attrapeur dans le seigle » est un petit livre sentimental, sa critique des adultes (tous des salauds et des hypocrites) peut paraître puérile. Relisez-le comme je le fais tous les ans et vous verrez que ce texte gagne en densité, en complexité à chaque lecture. La fugue de Caulfield durant trois jours dans les bars de New York est une mini-Odyssée. Ce que veut Holden, ce n'est pas rester un enfant pur (comme sa petite sœur Phoebe), mais devenir un saint. « L'attrapeur dans le seigle » est un des plus beaux « Bildungsromane » du XXe siècle (aussi important à mes yeux que le *Voyage au bout de la nuit* et *Ulysse*) parce qu'il fait semblant d'être une promenade adolescente, alors que son enjeu est plus grave : il s'agit de sauver son âme. Il me semble que Salinger avec ce livre passe un pacte avec son lecteur : je vais te parler de ma vie mais tu n'en sauras rien puisque tu ne me connaîtras jamais, je vais te parler de Dieu mais un Dieu camouflé sous des blagues de jeunes et un vocabulaire familier, je jure de ne jamais t'ennuyer mais sache qu'au bout de ma tendre nuit alcoolisée il y aura la vie éternelle.

L'Attrape-Cœurs fait semblant d'être un roman mineur, alors qu'il concentre le monde, l'existence, l'espace et le temps, dans une simple errance. Il cache sa complexité derrière une apparente simplicité. Inutile de noircir des milliers de pages pour bâtir une épopée. Salinger c'est Homère qui a l'élégance de se faire passer pour un jeune lycéen.

J. D. Salinger, une vie

Que se passe-t-il quand un écrivain publie un premier roman qui se vend à 35 millions d'exemplaires ? Il s'enferme, mais n'en écrit pas d'autres. Ce miracle fut aussi sa malédiction. Né le 1er janvier 1919 à New York, il avait souvent fait ses adieux. Après la publication de *L'Attrape-Cœurs* (1951) et des *Nouvelles* (1953), il disparaît. Salinger publie ensuite *Franny et Zooey* en 1961 et *Dressez haut la poutre maîtresse charpentiers* en 1963. Il donne sa dernière nouvelle au *New Yorker* en juin 1965 : *Hapworth 16, 1924*. Salinger est le premier écrivain de l'ère audiovisuelle à avoir compris que le corps et la biographie d'un auteur constituent un obstacle irrémédiable à sa compréhension. En disparaissant et en raréfiant ses publications, il nous obligeait à le lire et le relire comme un missel. Est-ce de l'orgueil démesuré, du marketing à l'envers, une allergie incurable aux critiques, ou tout simplement le syndrome post-traumatique d'un soldat ayant libéré des camps de concentration en Allemagne ? Sans doute tout cela mêlé avec un goût certain pour la solitude et la sécurité matérielle assurée par les droits mondiaux de son premier roman (l'un des 25 livres les plus vendus de toute l'édition américaine). Salinger a quitté ce monde une dernière fois le 27 janvier 2010.

Numéro 6 : « Contrerimes » de Paul-Jean Toulet (1921)

Après cinq décennies d'argent roi et de consumérisme effréné (aujourd'hui nous savons pourquoi nous avons été aussi débiles : c'était pour oublier la Seconde Guerre), nous allons désormais tous être fauchés, virés de nos boulots, jetés à la rue, obligés de vivre au présent comme des australopithèques. Nous allons chasser le pigeon dans les rues de Paris, pêcher les poissons dans la Seine pour survivre. Nous allons recommencer à croire en Dieu, parce que nous aurons besoin de croire en autre chose que l'indice Nikkei. Et nous redécouvrirons le plaisir des poèmes, leur brièveté, leur éternité. Dans nos cabanes sans électricité, la seule distraction sera la récitation. Vous verrez que nous ne regretterons pas le XXe siècle. Au contraire, dans quelques décennies, nos enfants auront du mal à comprendre comment nous avons accepté de sacrifier nos jeunesses pour rembourser le crédit d'une Jeep à quatre roues motrices, quand il suffit de déclamer un quatrain de Toulet pour être heureux à pied.

Exemple :

« Toute allégresse a son défaut
Et se brise elle-même.
Si vous voulez que je vous aime,
Ne riez pas trop haut. »

Paul-Jean Toulet possédait cette chose, dont la rentabilité n'est pas immédiate, qui s'appelle la grâce. C'est un investissement hasardeux, qui ne rapporte qu'à titre posthume – les *Contrerimes* ne furent pas publiées de son vivant. Il mériterait d'être canonisé. Seuls les saints savent parler de la grâce : saint Augustin, Saint-John Perse, Saint-Pol-Roux, Saint-Exupéry. Certes, le poète béarnais n'était pas très catholique mais je suggère au pape de le béatifier sous le sobriquet de saint Paul-Jean.

Toulet eut une vie dissipée, qui est un hymne à l'amour et aux alcools forts, une chanson de geste tendre et triste : il est le plus grand fêtard mélancolique jamais enterré à Guéthary (avant moi, le plus tard possible). Vialatte disait (avec une pointe de jalousie) qu'il fut « le plus grand de nos poètes mineurs ».

Autre citation :

« A Londres je connus Bella,
Princesse moins lointaine
Que son mari le capitaine
Qui n'était jamais là. »

Rien n'est plus déchirant que cette existence détruite par la recherche du quatrain parfait, rigolo, triste et ferme. Concilier le lyrisme et l'ironie, l'amour et la désillusion, la fantaisie et l'amertume n'était pas une mince affaire ; ce genre d'efforts peut occuper une vie entière, même brève. On peut en crever avec le sourire. Allez, un dernier pour la route :

« Mourir non plus n'est ombre vaine.
La nuit, quand tu as peur,
N'écoute pas battre ton cœur :
C'est une étrange peine. »

Chaque année, à la Toussaint, je vais fleurir la tombe de Toulet à Guéthary, en même temps que celle de mes grands-parents. Enfin, tout de même, la gratitude se perd : son nom n'est presque plus lisible sur sa pierre tombale. Toulet a pourtant ouvert la voie à beaucoup de monde : Vian, Sagan, Blondin... jusqu'à Gainsbourg, qui lui emprunta son goût pour l'onomastique et les jeunes filles (les paroles de *Initials BB* lui doivent beaucoup : « Jusques en haut des cuisses / Elle est bottée / Et c'est comme un calice / A sa beauté » et : « Elle ne porte rien / D'autre qu'un peu / D'essence de Guerlain / Dans les cheveux »). Toulet s'inscrit dans une veine de poésie légère et volage très française : Pierre de Ronsard, Paul Verlaine et Alfred de Musset ont déjà troussé des vers de ce genre.

« Avez-vous vu, dans Barcelone,
Une Andalouse au sein bruni ?
Pâle comme un beau soir d'automne !
C'est ma maîtresse, ma lionne !
La marquesa d'Amaëgui ! » (Musset)

Toulet n'ayant pas connu Facebook, il sortait de chez lui cueillir les cerises et les filles de ferme. Il buvait avec des prostituées gracieuses. Il se droguait parce qu'il n'avait pas connu sa mère. Mais il eut les montagnes, les ciels, les arbres et « le parc mélancolique engourdi par l'automne » pour principale source d'inspiration. Je ne dis pas cela pour me vanter (mais un petit peu tout de même) : parfois le parc en question était le jardin de la maison de mon grand-père. « J'ai joui du beau paysage profond et défini que la Villa Navarre embrasse vers les Pyrénées » (*Lettre à soi-même*, 27 octobre 1901). A l'époque, on pouvait y rêver sans être interrompu par un congrès de dentistes, ni par une tempête provoquée par le réchauffement de la planète.

Ce qui est intéressant chez Paul-Jean Toulet (qui se prénommait simplement Paul mais ajouta le Jean comme Bernard Lévy rajouta Henri : pour devenir légendaire), c'est d'essayer de comprendre pourquoi un style pareil n'est plus possible aujourd'hui. Qu'avons-nous accompli pour annihiler cette beauté ? Des broutilles : deux guerres mondiales, la mort de l'homme, la destruction de la nature, l'interdiction de tout ce qui est agréable, par exemple la fermeture des bordels et la prohibition des stupéfiants (jusqu'à la cigarette en 2008). De la mort de Toulet dans le plus joli village du monde (Guéthary, 1920) est née une France nouvelle, qui ne l'aurait pas fait rêver. C'est un pays où l'art de la contrerime indiffère. Où les poètes sont tous des clochards. Où l'on ne prend au sérieux que les animateurs de télévision. Où l'on a créé des « ministres de la Culture » : oxymoron cocasse. Où les filles en robe de dentelle ne dévalent plus des collines verdoyantes mais posent sur les dos de kiosque pour une marque de lingerie. Où un président de la République peut brocarder *La Princesse de Clèves* sans être immédiatement destitué. Où la fête est finie, puisque l'Elysées-Palace et le café Vachette n'existent plus. Où le village de Caresse, en Béarn, n'est plus peuplé que de « paysans sous Prozac » (comme le déplore Charles Dantzig). Paul-Jean Toulet est l'un des plus exquis poètes français. Il faut lire tous les jours le chef de l'école fantaisiste pour apprendre à aimer, vivre et mourir.

Sa gaieté est une feinte et sa légèreté la moindre des courtoisies pour évoquer la fugacité des bonheurs enfuis, ou « les sourires des morts ». Il a trouvé des sonorités parfaites : Louis Ducla parle d'un « élégant seigneur jouant avec des rêves de cristal ». Beaucoup de roses, des oiseaux, et le temps qui fuit. C'est du Ronsard réécrit par Colette. Il a des fanatiques en nombre croissant (Jean d'Ormesson, Renaud Matignon, Frédéric Martinez, Michel Fabre) ; une cohorte de thuriféraires l'a maintenu en vie à titre posthume. Dans la *Revue régionaliste des Pyrénées*, j'ai trouvé le brouillon d'une lettre d'amour de Toulet inédite datant de 1903, qui me fournit une jolie conclusion, en même temps qu'une introduction idéale à son œuvre. « A cause de vous j'ai passé une saison d'anachorète, à boire, à jouer et à faire des vers (...). Vous êtes une bien rêveuse personne de croire à la fidélité des poètes, race si égoïste qu'ils ne bercent toujours, ou jamais, que leur propre songe. »

Paul-Jean Toulet, une vie

La vie de Toulet ressemble à son œuvre : elle est courte (53 ans), pleine de courtisanes merveilleuses et de plaisirs sévèrement réprimés (le poker, l'opium, l'alcool, la poésie). Orphelin de mère, il a cherché sa beauté toute sa vie, partout, l'a retrouvée parfois, et perdue souvent. Il s'écrivait des lettres à lui-même, était l'un des nègres de Willy, éreinta une de ses propres pièces de théâtre, faillit travailler avec Debussy. L'île Maurice est son seul point commun avec J. M. G. Le Clézio, qui est nettement plus sain. Né à Pau le 5 juin 1867, Paul-Jean Toulet est avant tout l'auteur de ceci :

« Dans Arles où sont les Aliscamps,
Quand l'ombre est rouge sous les roses,
Et clair le temps,
Prends garde à la douceur des choses. »

Ce Béarnais obsédé et fêtard littéraire (ami de Toulouse-Lautrec, Giraudoux et Léon Daudet) aimait faire la bringue sur les grands boulevards parisiens et dans les cabarets de Montmartre en 1900. Avec son béret basque et son regard tendre bien que sardonique, il est devenu un auteur culte, un « écrivain pour écrivains », un peu à la façon d'un Larbaud, dont il partage les rentes, le goût des voyages et de la poésie. Il publia *Mon amie Nane* en

1905 et *La Jeune Fille verte* en 1920 (entre autres). Il eut l'élégance de mourir à Guéthary afin d'être enterré dans un endroit agréable, avec vue sur l'océan Atlantique, peu de temps avant la publication de ses fameuses *Contrerimes* (1921).

Numéro 5 : « Bright lights, big city » de Jay McInerney (1984)

J'ai un peu honte de régler publiquement ma dette envers Jay McInerney. Au départ, j'ai été attiré par cet auteur américain pour de mauvaises raisons. Je l'admirais en photo dans les magazines new-yorkais, il m'agaçait de loin, avec ses costards-cravates et sa réputation de queutard mondain. J'avais 20 ans au moment du « literary brat pack » (Ellis, McInerney, *Slaves of New York* de Tama Janowitz), et je passais mes étés à essayer d'entrer dans les clubs dont il était le Roi (l'Area, le Limelight, le Palladium, le Nell's, Au Bar...). Je le détestais avant de le lire ; bien sûr, dès que je le lus, je changeai d'avis. Il est plus confortable de haïr ce qui nous échappe, mais dès qu'on comprend quelqu'un, on se sent obligé de l'aimer.

Vingt-sept années ont passé depuis la publication de *Bright lights, big city* chez Vintage le 12 août 1984. Ce quart de siècle écoulé nous permet d'y voir un peu plus clair sur l'entrée en littérature de Jay McInerney. L'immense succès du livre, son adaptation (ratée) au cinéma avec Michael J. Fox dans le rôle principal, la notoriété postérieure de son auteur et sa vie agitée ne doivent pas faire oublier la force initiale de ce texte corrosif, dont l'émotion repose sur une sorte de romantisme enfoui, de désespoir pudique, comme une fleur fanée à la boutonnière d'un smoking puant la cigarette et le vomi. Il porte le titre d'un blues de Jimmy Reed datant de 1961 dont le premier couplet pourrait être traduit ainsi : « Les lumières étincelantes de la grande ville sont montées à la tête de ma meuf » (« Bright lights, big city / gone to my baby's head »). La première traduction française du roman s'intitulait *Journal d'un oiseau de nuit*, ce qui sonne moins bien que « Lumières étincelantes, grande ville ». Il est difficile d'exprimer ce que j'ai ressenti la première fois que je l'ai lu (en Livre de Poche) : je commençais à peine à sortir des rallyes du 16e et c'était la première fois que quelqu'un décrivait avec autant d'acuité la folie glacée de certaines boîtes de nuit où l'on entendait les Talking Heads ; à Paris, les Bains-Douches venaient d'ouvrir. Le ton blasé et ironique du livre reflétait parfaitement le snobisme autodestructeur des bourgeois que je côtoyais. L'errance d'un écrivain sans nom était rédigée à la deuxième personne, au présent de l'indicatif, comme dans *La Modification* de Butor, mais en plus proche (l'anglais « you » s'employant autant au singulier qu'au pluriel, la traductrice Sylvie Durastanti a fort justement opté pour le tutoiement en français). La femme du héros, Amanda White, l'a quitté mais il n'en parle à personne, sauf à Tad, son ami drogué. On finit par comprendre qu'elle avait entamé une carrière de mannequin et l'a abandonné dès que les affaires se sont mises à marcher pour elle. C'est donc bien la ville et ses tentations « glamour » qui viennent à bout de l'amour (comme le titre le laissait supposer). La morale (s'il y en a une) tient dans l'image finale : l'antihéros défoncé échange ses Ray-Ban au petit matin contre un sac de petits pains chauds que lui jette un camionneur méprisant... « Quand tu approches, l'odeur du pain frais te tombe dessus comme une douce averse. Tu respires profondément, emplissant tes poumons. Des larmes te montent aux yeux, et tu éprouves un tel élan de tendresse et de pitié que tu dois t'arrêter et te cramponner à un réverbère, de peur de tomber (...). Il va falloir que tu prennes ton temps. Il te faut tout réapprendre, depuis le commencement. »

Tout réapprendre, depuis le commencement... La dernière phrase de ce court roman insolent est un aveu terrible, pour un petit con qui ne pense qu'à fuir son milieu. Ce livre raconte l'histoire d'un garçon qui a fait fausse route, qui s'est fourré le doigt dans l'œil et pour qui tout est à refaire. « Le jour te fait mal, comme le regard lourd de reproches d'une mère. » Les noctambules sont toujours des coupables qui cherchent à oublier quelqu'un. Parfois, c'est eux-mêmes qu'ils veulent effacer, mais pas toujours : si l'on questionne un fêtard en état d'ivresse, il risque de balancer rapidement le nom de la personne qui lui manque. Ce qui me plaît dans les romans de McInerney, c'est leur tendresse désabusée, leur fausse froideur, cette chose bizarre enfouie quelque part sous les kilos de coke et qui s'appelle l'humanité. J'ai fini par interviewer l'écrivain, à Paris, puis à New York. On sait comment ça se passe : à force de poser des questions et d'écouter les réponses, la conversation peut devenir une sale manie que l'on prend plaisir à prolonger tard dans les bars. Cela fait maintenant presque une décennie que nous nous fréquentons : la vie est incroyable. Pour moi, c'est exactement comme si j'étais copain avec Scott Fitzgerald. C'est pourquoi je conseille toujours aux jeunes de lire des auteurs vivants : on n'est pas à l'abri de les croiser, et – qui sait ? – quelquefois, de ne pas être déçu. Ceux qui critiquent le copinage entre écrivains méconnaissent ce qu'est l'amitié littéraire : une conséquence logique de l'admiration. Lire sans être capable d'admirer ses contemporains, quelle perte de temps !

Un an après *Bright lights, big city*, Bret Easton Ellis publia *Less than zero*, équivalent californien de cette sombre déambulation new-yorkaise. Les deux livres décrivent à peu près le même mode de vie d'enfants gâtés des eighties : soirées décadentes, rails de cocaïne (« J'ai de plus en plus l'impression de passer la moitié de ma vie aux chiottes, dit Theresa en se bouchant une narine », page 67 de *Bright lights, big city*), sexe sans sentiments, vacuité de la société de consommation. Comme il arrive souvent avec les satiristes, le public a pris pour un éloge de l'hédonisme ce qui en était la dénonciation acide. Et les deux auteurs, très jeunes, sont devenus en Amérique le symbole de ce qu'ils entendaient stigmatiser. Peu importe ce malentendu : autopsie trash d'un deuil amoureux, portrait d'un luxe qui court à sa perte, polaroid de la solitude américaine, *Bright lights, big city*, tout comme *Gatsby le Magnifique*, doit être considéré comme un roman engagé. Son influence sur la société, la culture et la jeunesse du monde entier ne fait que commencer. Personnellement, je lui dois tous mes romans et de nombreux réveils difficiles.

Jay McInerney, une vie

Jay McInerney est né à Hartford, dans le Connecticut, en 1955. Après des études de « creative writing » sous l'égide de Raymond Carver, il a débuté comme correcteur au *New Yorker* : on peut difficilement avoir de meilleures fréquentations quand on veut devenir écrivain en Amérique. Son premier roman *Bright lights, big city* raconte la vie qui a dû être la sienne à cette époque (1984), mais en amplifiant les choses jusqu'au scandale. Son image en souffre encore. Ses meilleurs romans creusent une veine tout aussi élégamment désenchantée : *Trente ans et des poussières* (1992), *Le Dernier des Savage* (1997), *La Belle Vie* (2007). Mais comme Scott Fitzgerald, qui reste son ultime référence, il est encore meilleur – fin, subtil, concis, agressif – dans ses nouvelles : *La Fin de tout* (2001) et *Moi tout craché* (2009). Par ailleurs, il aime le vin de Bourgogne, l'Ami Louis, les mannequins et sa femme Anne Hearst.

Numéro 4 : « L'Humeur vagabonde » d'Antoine Blondin (1955)

Comme Balzac, je crois en la morphopsychologie. On peut connaître quelqu'un en regardant attentivement son visage. Les méchants ont une tête méchante, les sympas ont une tête sympa. Terrible injustice : la vie est un perpétuel délit de faciès. La preuve ? Le visage de Blondin contient toute son œuvre. Un grand front angoissé. Deux yeux emplis de douce compassion. Un nez fin et droit que contredit une barbe sale. Une bouche délicate qui, pourtant, boit. C'est le visage d'un être désemparé. Le drame de Blondin, c'est que Rimbaud s'est gouré : Je n'est pas un Autre. Il se demande pourquoi il est obligé d'être lui-même. C'est pourquoi l'alcool et l'amitié furent ses drogues préférées. D'où, également, sa fascination pour le sport. Quand il y a un match ou une course de vélos quelque part, c'est généralement l'annonce que l'on pourra boire avec des amis, après. Si l'on gagne, on fêtera la victoire. Si l'on perd, on noiera la défaite. Le sport est un antidote à la solitude et une promesse de libation.

Comment décrire la joie que l'on ressent en découvrant *L'Humeur vagabonde* ? C'est comme si, tout d'un coup, on retrouvait dans un grenier d'Abbey Road un album oublié et jamais paru des Beatles en 1964 ; ou les rushes d'un film perdu de Fellini dans les années 70 avec Mastroianni en train d'improviser une danse avec Belmondo. Je ne crois pas en Dieu, je crois en Blondin.

Oui, je crois qu'il faut, au bilan du XXe siècle, inscrire ce magicien au même niveau que les abonnés Proust et Céline. Certes, son œuvre est aussi mince que son visage, mais tant mieux : le caviar doit s'apprécier en petite quantité. Blondin est notre Fitzgerald. Il marie la mélancolie et la fête, il cache de la profondeur dans les plaisanteries, il ne pleure pas, il n'éclate pas de rire, il fabrique juste de la beauté. Nous lui devons tout simplement quelques-unes des plus cristallines pages de la littérature française : la dernière page de *L'Humeur vagabonde*, la première page de *L'Europe buissonnière*, la page 63 de *Un singe en hiver* et la page 74 de *Monsieur Jadis* suffisent à le hisser au même niveau que Baudelaire et Verlaine.

L'Humeur vagabonde est un petit roman de 1955 où l'on prend beaucoup de trains. L'incipit (« Après la Seconde Guerre mondiale, les trains recommencèrent à rouler ») est bouclé à la fin par un des plus beaux paragraphes jamais écrits – je le cite *in extenso* à la fin de ce texte ; il faut savoir faire saliver son lecteur, ce sera un peu votre carotte. Un jeune provincial qui s'ennuie dans la vie, Benoît Laborie, 26 ans, quitte sa femme et ses deux enfants pour monter à la capitale avec du lyrisme en poche : « C'était l'aurore du monde. » La première partie du roman raconte son errance de déceptions en déconvenues, aux Tuileries, à la station de métro Pereire, au cimetière du Père-Lachaise, dans un commissariat et dans un bordel où il a élu domicile. Ce loser fantaisiste promène son absurdité narquoise dans le Paris de l'après-guerre, cette Ville lumière qui fait semblant d'être libérée alors qu'elle a tout perdu. Benoît est une sorte de Holden Caulfield qui n'aurait même pas l'excuse de l'adolescence pour justifier son immaturité. Il se rend chez des cousins qui organisent un cocktail : « Nous ne pouvons pas vous recevoir, lui disent-ils, vous comprenez : nous recevons. » Il promène sa distance paysanne dans une nation qui tient une gueule de bois pire que la sienne. Il couche avec une prostituée noire qui change sans arrêt de prénom. Au moment où il se rend compte que son épouse lui manque, elle meurt assassinée. Commence alors la deuxième partie : la plus surprenante, inventive, postmoderne, celle où la réalité s'éloigne de plus en plus de lui, où tout devient virtuel et absurde (Benoît est accusé d'un crime qu'il n'a pas commis, mais je ne veux pas tout dévoiler). J'aime infiniment ce qu'il dit à l'enterrement de sa femme : « Je me suis efforcé de ne pas sangloter, j'ai remis à plus tard d'avoir du chagrin, j'ai attendu comme d'une délivrance de tout mon être le moment de pouvoir pleurer. A force de me retenir, le besoin m'a passé ; il ne m'est plus resté que cette appréhension de la douleur qui m'étreint parfois. J'ai encore toute ma tristesse devant moi. » Ce n'est pas la piteuse aventure, mi-policière, minable, de ce Rastignac de sous-préfecture qui fait l'intérêt de ce livre, mais le ton, la délicatesse de son écriture miraculeuse, prose acide et fragile, qui coule de source, sans un mot de trop. Le roman parfait est un roman qu'on pourrait recopier de la première à la dernière ligne. J'ai souvent essayé, vainement et besogneusement, de plagier cette désinvolture taciturne, sur fond de chaleur humaine. Les plus grands écrivains sont ceux qui parviennent à se dévêtir en toute pudeur.

La langue d'Antoine Blondin exhale un parfum de pureté et d'enfance qu'il tenta toute sa vie de masquer, parfois de salir par élégance. C'est un romantique qui se déguise en fêtard, un prince travesti en clochard. Il alterne la joie et la peine comme dans une danse littéraire : chez lui, rien n'est vraiment sérieux ni complètement ridicule. Il est aussi désespéré que possible, mais ses larmes sourient. Comme tous les orgueilleux, il fait semblant de n'avoir aucune ambition. Son rire ne se fige que lorsqu'il est parfaitement troussé. Roman brumeux, *L'Humeur vagabonde* pourrait être l'ancêtre des quêtes comateuses, sombres, élégamment groggy de Modiano. Il parle de la vie comme d'une salle d'attente. Toute agitation est stérile, la solitude est invincible, même la nuit. Voici enfin comment le livre se termine (dans un faux compartiment de train à l'arrêt, Benoît étant devenu figurant de cinéma) : « Et pourtant, tels que nous voilà dans ce wagon immobile, nous sommes ceux qui ont eu l'humeur vagabonde.

« C'est la nuit maintenant, manteau des déracinés. Sous la veilleuse qui veille quoi, la religieuse se prend à égrener son chapelet, le monsieur décoré se déchausse en douce, le pêcheur remaille son filet, le vieux jockey se sent le derrière entre deux selles, les archiducs s'endorment au garde-à-vous, Dolorès achève des lainages pour ses enfants qu'elle n'achève pas... et moi, j'attends que les communications soient rétablies entre les êtres.

« Un jour, peut-être, nous abattrons les cloisons de notre prison ; nous parlerons à des gens qui nous répondront ; le malentendu se dissipera entre les vivants ; les morts n'auront plus de secrets pour nous.

« Un jour, nous prendrons des trains qui partent. »

Si ce dernier paragraphe vous a déplu, ne vous avisez plus jamais de m'adresser la parole.

Antoine Blondin, une vie

Récapitulons la vie du hussard bègue, amateur de sport, de poésie et de jus de raisin fermenté (sa devise était : « Remettez-nous ça »). Blondin a manqué de Résistance pendant la guerre et même après. Le suicide de son père l'a détruit autant que la mort de Nimier. Antoine Blondin est né à Paris, le 11 avril 1922. Après des études au lycée Louis-le-Grand, il a écrit dans des revues d'extrême droite, puis dans *Elle*, *L'Equipe*, *Arts* et *La Parisienne*. Il est l'auteur de six chefs-d'œuvre : *L'Europe buissonnière* en 1949 (prix des Deux Magots), *L'Humeur vagabonde* en 1955, *Un singe en hiver* en 1959 (prix Interallié), *Monsieur Jadis ou l'Ecole du soir* en 1970 (ancêtre de l'autofiction), *Quat'Saisons* en 1975, *Certificats d'études* en 1977. Je l'ai rencontré à la fin des années 80 : passé dix heures moins le quart, il avait l'alcool mauvais dans le quartier de Saint-Germain-des-Prés. Cependant son œil méfiant s'est adouci quand je me suis présenté comme « le seul auteur de la Table Ronde encore plus timide que lui ». J'ai embelli cette rencontre dans ma nouvelle *Le plus grand écrivain français vivant* parue dans la revue *Rive droite.* Il s'est éteint à Paris, au 72, rue Mazarine, juste au-dessus du cabaret le Don Carlos, le 7 juin 1991. « Il y avait en lui cette méchanceté des cœurs tendres qui espèrent tout et n'attendent plus rien » (Renaud Matignon).

Numéro 3 : « Paludes » d'André Gide (1895)

L'extrême brièveté d'un style tout d'ellipses, le laconisme paresseux de la moquerie, l'inanité élégante du projet : tout me séduit dans *Paludes*. Comme *Monsieur Teste* de Valéry, c'est une blague de potache qui se mue en chef-d'œuvre. La première phrase encourage l'analyse (tout en la ridiculisant) : « Avant d'expliquer aux autres mon livre, j'attends que d'autres me l'expliquent. » Pardonnez Gide, il ne sait pas ce qu'il fait. J'aime les livres pour écrivains : les lire vous donne l'illusion d'en être un. Chaque lecteur se sent investi d'une mission sacrée. A présent que la littérature sur papier va disparaître, comment ne pas verser une larme de crocodile sur ce petit livret capricieux publié en 1895 qui raconte l'histoire d'un auteur à court d'inspiration, lequel reçoit des visiteurs circonspects, pour leur lire des extraits d'un livre qui n'existe pas ? D'aucuns prétendent qu'il s'agit d'une satire du milieu littéraire mais je préfère croire (comme Nathalie Sarraute et Roland Barthes) que c'est le premier récit du XXe siècle. Et d'ailleurs que signifie ce titre : *Paludes* (« marais » en latin) et son héros Tityre (allusion aux *Bucoliques* de Virgile[1]) ? Page 18, Gide répond : « C'est l'histoire d'un célibataire dans une tour entourée de marais. » Un écrivain fait un métier absurde : un écrivain ça raconte des histoires pathétiques, ça pérore durant des heures sur une chose inutile, ça cherche sa voix – et sa voie – dans l'obscurité. *Paludes* est un écrit sur l'écriture, un roman sans roman, un making of, un travail sans résultat. Depuis ses origines, le roman rabâche *Don Quichotte* : la parodie du rêve d'un fou. L'important c'est de glousser : « Indécision des reflets ; algues ; des poissons passent. Eviter, en parlant d'eux, de les appeler des "stupeurs opaques". » Je ne sais pas pour vous, mais moi ces stupeurs opaques me font pouffer. C'est peut-être de l'humour de khâgneux mais comme je n'ai pas fait hypokhâgne, j'apprécie que le « contemporain capital » se foute de sa propre gueule : « J'ai peur que ce ne soit un peu ennuyeux, votre histoire », dit Angèle. Ensuite, Gide a perdu son sens de l'humour (à vie) quand il a écrit *Les Nourritures terrestres*. Et le XXe siècle débuta.

C'est depuis *Paludes* que la littérature a le droit de pratiquer le second degré. La sincérité est souhaitable mais plus obligatoire ; de temps à autre, si l'on n'abuse pas trop de la mise en abyme (quelle affreuse chose qu'un auteur qui se regarde écrire !),

1. Rappelons ce que Huysmans dit de Virgile dans *A rebours*, paru dix ans plus tôt : « l'un des plus terribles cuistres, l'un des plus sinistres raseurs que l'antiquité ait jamais produits ; ses bergers lavés et pomponnés, se déchargeant, à tour de rôle, sur la tête de pleins pots de vers sentencieux et glacés... » (*Note de l'auteur*)

il n'est pas interdit de faire confiance à l'intelligence de son lecteur pour sourire de la pitoyable condition de scribouillard prétentieux. On ne lit plus en 2011 comme en 1895, et cela, c'est aussi à *Paludes* qu'on le doit. Bertrand Poirot-Delpech avait même publié un texte intitulé *J'écris Paludes* où il démontrait allègrement que lire et écrire n'étaient qu'une seule et même chose. Certains livres nous enseignent que lire exige du talent. *Paludes* a détruit la lecture innocente, paresseuse, naïve : c'est le *Jacques le fataliste* de notre siècle. Des centaines de milliers de romans ont voulu l'imiter : vous en avez lu combien, dans votre vie, de romans dont le héros est en train d'écrire un bouquin ? Aucun n'a retrouvé le génie ironique de Gide : c'est un texte de jeunesse (écrit à 25 ans) et pourtant c'est un chant du cygne. Comme tous les chefs-d'œuvre, *Paludes* est à la fois un point de départ et un point d'arrivée. *Paludes* ne sert qu'à être *Paludes* : le livre composite, imparfait, vain, le plus cohérent, parfait et indispensable de ma bibliothèque. « Nous avons bâti sur le sable / Des cathédrales périssables. »

André Gide, une vie

« Je ne suis qu'un petit garçon qui s'amuse – doublé d'un pasteur protestant qui s'ennuie. » André Gide est surtout un romancier subversif qui est devenu le symbole de l'écrivain vieux et chauve à plaid sur les genoux : on appelle cela un malentendu. Né et mort à Paris (1869-1951), ce protestant est l'un des premiers auteurs à pratiquer l'« outing » :

il s'est affirmé homosexuel quand tant d'autres restèrent dans le placard toute leur vie (Proust, Mauriac, le général de Gaulle, non je déconne). Créateur de la *NRF*, il incarne la figure ultime du grand écrivain bourgeois qu'un punk bcbg devrait vomir, mais toute son œuvre crie l'inverse : liberté, capacité à changer d'avis (en 1937, *Retouches à mon retour de l'URSS* dénonce les excès du stalinisme vingt-cinq ans avant Soljenitsyne), pédophilie, langue de pute, bref toutes les médailles. Le prix Nobel de littérature qui l'a couronné en 1947 était une consécration à l'ancienneté. On est en droit de préférer son *Journal* à toute son œuvre pour sa finesse d'analyse et sa sincérité. Mais *Paludes* (1895) est un miracle, *Si le grain ne meurt* (1926) un des plus beaux autoportraits de langue française, et *Les Caves du Vatican* (1914) un roman fondateur de la notion d'acte gratuit (Lafcadio assassinant sans mobile Amédée Fleurissoire : « Que peu de chose la vie humaine ! »), et tout cela quarante ans avant *L'Etranger* de Camus.

Numéro 2 : « L'Année de l'amour » de Paul Nizon (1981)

Attention, ceci est le plus grand roman d'amour depuis *Belle du seigneur* mais ce n'est pas une histoire d'amour ; c'est un roman sur l'amour, sur sa survie possible. 1981 fut une année très romantique : c'est aussi l'année de publication d'*Ivre du vin perdu* de Matzneff. Dans la mesure où j'ai choisi un roman ultraviolent et nihiliste comme numéro un de ma hiérarchie séculaire, j'avais besoin que le deuxième fût un texte d'espoir. Tout en étant créatif, original, nouveau, et surtout non mièvre. Dieu merci, Paul Nizon existe, et je l'ai rencontré. C'est le Miller suisse, le Salinger parisien. Il a défini sa mission dans *Canto*, paru en 1963 : « Point d'opinion, point de programme, point d'engagement, point d'histoire, point d'affabulation, point de fil d'un récit. Rien, si ce n'est cette passion au bout des doigts : écrire, former des mots, des lignes, cette espèce de fanatisme de l'écriture qui est mon bâton de route et sans lequel, pris de vertige, je m'écroulerais purement et simplement. » Nous n'entrerons pas dans la dissertation ennuyeuse sur le point de savoir si Nizon est un auteur d'autofiction ou non (lui dit que oui). Il part de sa propre vie et conçoit une prose faite de ce qu'il nomme des « éruptions de réalité ». De toute façon, on peut raconter sa vie sans être nombriliste, mais cela, on le sait depuis Jean-Jacques Rousseau et Benjamin Constant. Nizon apporte sa pierre à l'édifice : « faire du réel avec des mots » signifie la même chose qu'« écrire pour survivre ». C'est une question d'implication, et la sienne est totale, irrémédiable. Nizon est l'Attila de la littérature : il plaquera tout, toujours, pour écrire et rien ne repoussera derrière lui. On pourrait dire qu'il fait de l'« action prose » comme Pollock faisait de l'« action painting ». Lire Nizon donne l'impression de n'avoir jamais lu. Lire Nizon, c'est écrire avec lui, c'est sentir sa présence et sa liberté, une nécessité impérieuse dans chacune de ses phrases. Lire Nizon me met en transe car il est lui-même en transe. Il incarne la figure du dernier écrivain sur la terre. Vivant au milieu des gens et de ses souvenirs. Demandant sans cesse : « Où est la vie ? » Le Diogène de chez Allard.

LA MÉTHODE NIZON en cinq étapes :

1) Quitter tout.
2) Ecrire sur soi.
3) Regarder les autres.
4) Couper, monter, improviser, laisser entrer la vie dans le livre.
5) Attendre toute sa vie, en vain, qu'un lecteur comprenne.

Venons-en à présent à ce roman insensé : *L'Année de l'amour*, « une intoxication amoureuse ». Nous sommes en 1979. Nizon hérite d'un minuscule appartement à Paris 18ᵉ, rue Simart, qu'il rebaptise

« chambre-alvéole ». Paris, ville mythique, où tant d'artistes se sont libérés. Il en rêvait, il s'y installe, seul, abandonnant toute sa vie suisse à près de 50 ans, après une déception amoureuse. Son livre devait au départ s'intituler « Solitude à Paris ». Par sa fenêtre, il voit dans la cour un vieux type qui nourrit les pigeons et engueule sa femme. Il entend un bébé qui pleure, un orchestre de rock, des voisins africains. Il s'est installé dans la mansarde bruyante d'une maison étrangère, et il attend qu'un chef-d'œuvre lui tombe dessus. Jour et nuit. Et soudain, le chef-d'œuvre, comme sous hypnose. Ce fils de Russe est un grand romantique qui écume tous les bars à putes de Pigalle. Il veut boire les filles, Ada, Brisa, Dorothée, Laurence, Virginie, les gober comme des huîtres… « une fois au lit, ces mille et une manières de se frotter l'un contre l'autre, de se caresser et de s'embrasser de plus en plus frénétiquement, et cette jeune fille, cette femme dans le corps d'une jeune fille nommée Dorothée (…) mais c'est de l'amour, me dis-je, puisque tout est là comme dans l'amour véritable, les baisers sans fin, les mille manières de s'enlacer, sans oublier l'acte proprement dit, accompagné de toutes sortes de grognements, soupirs et petits cris, des halètements conjoints, c'est vrai qu'on s'aime quand on se plaît ensemble… » Mon problème, c'est qu'il est impossible d'extraire un morceau de Nizon, c'est un flot composé de fragments, comme une mosaïque, mais une mosaïque liquide. Après cette rencontre avec Dorothée la jeune prostituée, le narrateur prend un café avec Beat, un pote, place Clichy (comme Ferdinand Bardamu au début du *Voyage au bout de la nuit*), puis il écoute un clarinettiste de jazz entouré de badauds dans la rue, « je ne sentais plus qu'amour pour tous les autres, ceux qui avaient fait cercle avec moi, là dehors, ce matin », puis il rend visite à sa vieille mère, « c'est bien que tu sois venu, tu es vraiment mon seul rayon de soleil, dit-elle, et ses yeux s'embuent de larmes ». Nizon est un vagabond solitaire paumé dans une société d'individus isolés, mais *il est capable d'aimer*. « Je voulais écrire sur le cruel ensorcellement de l'amour, sur l'effroyable puissance de l'amour. » Nizon n'écrit pas, il peint l'amour en mots. Nizon, c'est un homme qui essaie de rester seul et qui n'y arrive pas ; il se rend compte qu'il a besoin des autres. Il décrit des hommes et des femmes sans les tourner en ridicule, ni les détester. Il est possible d'écrire quelque chose de beau sans ironie. Nizon offre une piste de travail, cette colère émerveillée qui est la première condition de l'art, une lumière au bout du tunnel, aux écrivains du futur qui voudront échapper au cynisme et à l'indifférence. Et pourtant son livre pourrait tout aussi bien s'intituler : « Sauvé par les putes »...

Paul Nizon, une vie

Il se définit lui-même comme un « nomade urbain ». Il est un des plus grands écrivains mondiaux mais personne ne le dérange quand il marche dans les rues de Paris. Il est le flâneur le plus parisien que je connaisse mais il est suisse allemand : lui qui fut l'ami de Max Frisch et d'Elias Canetti se souvient avec nostalgie de la beauté des paysages bernois de son enfance, avec la montagne rude et, plus au sud, « la promesse de la mer ». Né en 1929 à Berne, Paul Nizon devrait avoir reçu le prix Nobel de littérature depuis longtemps. *Les Lieux mouvants* (1959), *Canto* (1964), *L'Année de l'amour* (1981), *Stolz* (1988) : chacun de ses livres est une démonstration d'intelligence, de douceur, de profondeur. Il vit à Paris depuis quarante ans, tout en continuant de rédiger ses carnets en allemand. « J'étais heureux, heureux à en pleurer, tout seul à Paris » (*L'Année de l'amour*, 1981).

Numéro 1 : « American Psycho »
de Bret Easton Ellis (1991)

Il faut se replacer dans le contexte : en 1991, personne ne s'attendait à une déflagration pareille. Même si la brutalité, la drogue, le snobisme étaient déjà présents dans *Moins que zéro*, on ne pouvait pas imaginer que Bret Easton Ellis était capable d'accoucher d'un monstre aussi radical que *American psycho*, le roman qui assassine le XXe siècle. Tout est là : la puissance du capital, la maladie mentale de Wall Street (vingt ans avant la faillite de Lehman Brothers), la violence sadienne, l'érotisme tordu des enfants gâtés de l'Amérique, la solitude urbaine, l'humour noir glaçant, le cynisme confinant au nazisme. *American psycho* est le chef-d'œuvre du nihilisme définitif, celui qui a tout conclu, c'est le roman ultime de la déshumanisation. Personne ne voulait le publier. Aux Etats-Unis, Simon & Schuster le refusa (en renonçant à la grosse avance versée à l'auteur). En France, il fut décliné par Christian Bourgois, éditeur de *Less than zero*, qui avait pourtant courageusement publié *Les Versets sataniques* de Salman Rushdie en 1989 ; des années plus tard, Bourgois (camarade de Sciences-Po de mon oncle Gérald) me confia qu'il regrettait l'avoir refusé mais qu'il en avait vraiment marre des fatwas – au moment de sa publication, Ellis était menacé de mort par certaines militantes ultraféministes, du genre de celle qui tira trois balles sur Andy Warhol. *American psycho* est donc sorti en France chez Gérard-Julien Salvy.

Le roman raconte, à la première personne, la vie quotidienne d'un trader âgé de 26 ans nommé Patrick Bateman. Ivre de réussite, il se sent tout-puissant. « Salut. Je suis Pat Bateman, dis-je, tendant la main, remarquant au passage mon reflet dans le miroir accroché au mur, avec un sourire de satisfaction. » Il hait les femmes, les pauvres, les étrangers, les homos et n'aime que Phil Collins et ses propres abdominaux. « En arrivant chez Pastels, je suis au bord des larmes ; il est évident que nous ne pourrons pas avoir de table. » Progressivement, on voit cette tête à claques basculer dans une folie meurtrière entrelardée d'hallucinations : « J'ai un couteau à scie dans la poche de ma veste Valentino, et je suis un instant tenté d'éventrer McDermott, là, dans l'entrée de la boîte, ou de lui trancher le visage, peut-être, ou de lui disloquer la colonne vertébrale ; mais Price nous fait signe d'entrer, et la tentation de tuer McDermott est remplacée par cette singulière avidité à prendre du bon temps, boire du champagne, flirter avec une mignonne, peut-être trouver un peu de dope, ou même danser sur des vieux tubes, ou sur cette dernière chanson de Janet Jackson, celle que j'aime tant. » Son monologue intérieur nous fait pénétrer dans le crâne d'un fou dépressif qui se croit successful. Dans son univers aseptisé, Bateman brasse des millions de dollars et en dépense des dizaines de milliers chaque soir dans des établissements interchangeables, avec des escorts dont il oublie les noms mais pas la marque des sacs à main. Il incarne physiquement la violence cachée de la Bourse, qui crée des richesses absurdes au prix de ruines aux conséquences abominables (faillites, chômage, pauvreté, suicides). Ellis n'introduit le sang et le sperme dans ce cauchemar que pour nous obliger à visualiser le mensonge en col blanc. Et l'absence de lien entre les humains. Et, une fois de plus (comme Perec), la victoire des choses sur les gens. La religion des produits qui a remplacé la foi en Dieu.

American psycho est le meilleur roman du XXe siècle car il a digéré tous les autres. Bateman, c'est Bardamu à New York en costard Armani, mais aussi Proust qui bande en voyant des épingles à chapeau s'enfoncer dans des rats en cage ; c'est Leopold Bloom l'antihéros désespéré par excellence, c'est l'imagination de Boulgakov et le ton blasé du Roquentin de Sartre, c'est le meurtre gratuit de *L'Etranger* de Camus ou des *Caves du Vatican* de Gide additionné à la frénésie sexuelle de Miller, au sadisme de Robbe-Grillet et à la foire aux atrocités de Ballard. Ce livre est un concentré de littérature et pourtant un coup de massue sur la tête de ses millions de lecteurs à travers le monde. Car le lecteur se trouve impliqué dans le massacre : en continuant de lire, il est complice du tueur, comme le spectateur de *Funny games* de Haneke. C'est ce roman qui a donné de la force et de l'ambition au roman du XXIe siècle : Houellebecq a souvent admis son influence, Littell a forcément songé au *Psycho* en rédigeant la confession macabre du nazi Max Aue, personne ne peut plus faire comme si *American Psycho* n'avait pas tout changé. Le Nouveau Roman est implicitement présent dans le *Psycho* : les descriptions interminables d'outils ménagers ou de systèmes hi-fi, la réification de l'être humain, l'aspect glaciaire des non-lieux fréquentés par Bateman, tout nous ramène à un roman post-romanesque, une installation d'art contemporain, l'ennui en moins. A la fois collage punk et « great american novel », roman global et satire du nihilisme ultralibéral, œuvre morale contestant la ploutocratie décadente et délire ludique novateur et malsain, *American psycho* contient, absorbe, intègre et désintègre la société d'hyperconsommation. Les marques des vêtements, les adresses des clubs privés, les dialogues vides, l'insolence de Fitzgerald et le béhaviorisme de Hemingway, Ellis a tout lu, tout dit, tout compris dans ces 513 pages écrites frénétiquement sous l'influence speedée de fortes doses de cocaïne entre 1988 et 1991. Lors d'un entretien réalisé chez lui à Hollywood pour le magazine *GQ* en juillet 2010, à la sortie de *Suites impériales*, il m'a confié ce scoop : « Vous savez, pendant longtemps j'ai refusé de reconnaître qu'*American psycho* parlait de moi. Mais j'étais Patrick Bateman. (...) J'ai écrit sur ma propre solitude, ma propre aliénation. J'ai écrit sur mon combat quotidien contre cette culture yuppie que je condamnais mais qui, en même temps, m'attirait très fortement, parfois jusqu'à faire de moi un vrai yuppie. J'écrivais sur mon éternelle insatisfaction. » Bret Easton Ellis est le premier romancier de « la tyrannie de l'individu » telle que définie, vingt ans plus tard, par l'historien Tzvetan Todorov.

« Greed is good », disait Gordon Gekko (Michael Douglas) dans *Wall Street* d'Oliver Stone quatre ans avant la publication d'*American psycho*. Ellis/Bateman va plus loin : il commence par une citation de *L'Enfer* de Dante (mais sans le citer) : « Abandonne tout espoir, toi qui pénètres ici... » et conclut son roman sur deux mots en lettres capitales : « SANS ISSUE ». Les passages les plus insoutenables (arrachage de molaires, agrafage de lèvres vaginales, éviscérations diverses) ne sont pas censés nous étonner puisqu'Ellis considère la torture et le meurtre comme l'aboutissement logique de l'idéologie individualiste (bouffer ou être bouffé). Rarement a-t-on connu lecture plus implacable, impardonnable, insupportable, indépassable. Ensuite, le petit ami de Bret Easton Ellis est mort, l'écrivain a arrêté la coke et la vodka ; il faut bien comprendre que ce roman a failli lui coûter la vie. La dernière fois que je l'ai vu, il pensait que le livre de papier n'en avait plus que pour cinq ans à vivre. Ce qui m'a donné l'envie d'écrire ce *Bilan*. Ellis est-il désespéré ? C'est possible. Mais son grand œuvre pourrait aussi être un tournant. Montrer le malheur est une manière de le combattre. Rire du « bling bling » sert à défendre la civilisation. *American psycho* est une fresque qui raconte comment l'Homme a délibérément choisi, à partir de la fin des années 80 (date de la mort des utopies), de s'enterrer sous une montagne de marchandises. Vingt ans après sa publication, *American psycho* continue de congeler toute la littérature du siècle suivant. *American psycho* n'a pas seulement prédit l'apocalypse : ce texte est l'*Apocalypse* de notre temps. Or « Apocalypse » signifie « Révélation ». Après *Psycho*, que se passerat-il ? Tout est fini, il ne reste plus qu'à reconstruire une littérature pour le siècle qui commence, ou bien il est trop tard, et nous sommes comme l'orchestre à bord du *Titanic*, jouant de la musique de chambre aux premières loges, en regardant la littérature disparaître sous les flots.

Bret Easton Ellis, une vie

Né en 1964, Bret Easton Ellis est la réincarnation de Hemingway mais il ne le sait pas. Alors il se prend pour le marquis de Sade en béhaviorama : un sale gosse pourri gâté qui casse ses jouets. En fait, c'est un écrivain faussement amoral, et un vrai satiriste : depuis *Moins que zéro* (1985) et ses étudiants blasés, drogués et snobs de Los Angeles, jusqu'à son *Vingt ans après* (*Imperial bedrooms*, 2010), en passant par le serial killer en costume Dolce & Gabbana d'*American psycho* (1991) et la fresque en *Glamorama* de la mode et de la célébrité (1998), Ellis dépeint les turpitudes les plus extrêmes de notre société avec une froide délectation. Sa tentative d'autofiction à tendance parano-fantasy (*Lunar Park*, 2005) n'était qu'une parenthèse dans une œuvre aussi radicale que morale. C'est pourquoi il fait scandale, alors qu'au fond de lui se cache seulement un moine refoulé qui appelle au secours. Il ne faut pas redouter le nihilisme romanesque. La littérature est bel et bien le seul endroit où le nihilisme est conciliable avec l'espoir, la beauté, la résurrection.

MON TOP 100

1- « American Psycho »
de Bret Easton Ellis (1991)............................418
2- « L'Année de l'amour »
de Paul Nizon (1981)....................................413
3- « Paludes » d'André Gide (1895)....................409
4- « L'humeur vagabonde »
d'Antoine Blondin (1955)..............................403
5- « Bright lights, big city »
de Jay McInerney (1984)...............................398
6- « Les Contrerimes »
de Paul-Jean Toulet (1921)............................391
7- « L'Attrape-Cœurs » de J. D. Salinger (1951).. 385
8- « Plateforme »
de Michel Houellebecq (2001)........................380
9- « Les Choses » de Georges Perec (1965)...........377
10- « La Fêlure »
de Francis Scott Fitzgerald (1936)..................373
11- « La Peau » de Curzio Malaparte (1949)........365
12- « Chéri » et « Le Blé en herbe »
de Colette (1920 et 1923)..............................360
13- « Nicolas Pages »
de Guillaume Dustan (1999)...........................355

14- « La Chambre bleue »
de Georges Simenon (1964) 351
15- « Autoportrait » d'Edouard Levé (2005) 348
16- « Ivre du vin perdu »
de Gabriel Matzneff (1981) 342
17- « Petit déjeuner chez Tiffany »
de Truman Capote (1958) 337
18- « Maudit manège »
de Philippe Djian (1986) 333
19- « Des bleus à l'âme »
de Françoise Sagan (1972) 329
20- « Rose poussière »
de Jean-Jacques Schuhl (1972) 325
21- « Women » de Charles Bukowski (1978) 320
22- « Virgin Suicides »
de Jeffrey Eugenides (1993) 317
23- « Chroniques de La Montagne »
d'Alexandre Vialatte (1952-1971) 313
24- « Brèves de comptoir »
de Jean-Marie Gourio (depuis 1987) 310
25- « L'Ecume des jours » de Boris Vian (1947) .. 305
26- « Les Jeunes Filles »
d'Henry de Montherlant (1936) 301
27- « Nouvelles » de J. D. Salinger (1953) 295
28- « Solde » de Bernard Frank (1980) 291
29- « Quand j'écris je t'aime »
de W. H. Auden (traduit en 2003) 288
30- « La Femme riche »
de Patrick Besson (1993) 283
31- « Hygiène de l'assassin »
d'Amélie Nothomb (1992) 279
32- « La vie de Patachon »
de Pierre de Régnier (1930) 275

33- « Le Lièvre de Vatanen »
d'Arto Paasilinna (1975) 272
34- « Les Locataires de l'été »
de Charles Simmons (1998) 269
35- « Sur la route » de Jack Kerouac (1957) 265
36- « Les Jolies Choses »
de Virginie Despentes (1998) 260
37- « Un homme » de Philip Roth (2006) 256
38- « Je m'en vais » de Jean Echenoz (1999) 253
39- « Les Bienveillantes »
de Jonathan Littell (2006) 249
40- « Bonjour minuit » de Jean Rhys (1939) 246
41- « Las Vegas Parano »
de Hunter S. Thompson (1971) 241
42- « Journal » de Valery Larbaud (1901-1935) ... 237
43- Le premier album de Téléphone (1977) 230
44- « Cosmopolis » de Don DeLillo (2003) 227
45- « Ange Vincent »
de Jean-Claude Pirotte (2001) 224
46- « Un bien fou » d'Eric Neuhoff (2001) 220
47- « Le Diable et la Licorne »
de Jean-Pierre George (2004) 216
48- « La Route du retour »
de Jim Harrison (1998) 211
49- « NovöVision » d'Yves Adrien (1980) 208
50- « Un pedigree » de Patrick Modiano (2005) ... 204
51- « Carton jaune » de Nick Hornby (1992) 201
52- « Si c'est un homme »
de Primo Levi (1947) 198
53- « Nabe's dream » - « Tohu-Bohu »
- « Inch'Allah » - « Kamikaze »
de Marc-Edouard Nabe (1983-1990) 194
54- « Œuvres poétiques complètes »
de Jean Cocteau (1918-1962) 190

55- « Histoire d'amour » et « Promenade »
de Régis Jauffret (1998 et 2001) 186
56- « Le Maître et Marguerite »
de Mikhaïl Boulgakov (écrit
entre 1928 et 1940, publié en 1967) 183
57- « Tropique du Cancer »
et « Tropique du Capricorne »
d'Henry Miller (1934 et 1938) 178
58- « Un petit bourgeois »
et « Le Musée de l'Homme »
de François Nourissier (1963 et 1978) 173
59- « Mauvaise journée, demain »
de Dorothy Parker (nouvelles écrites
entre 1922 et 1955) 170
60- « Passion fixe » de Philippe Sollers (2000) 165
61- « Mon amie Nane »
de Paul-Jean Toulet (1905) 161
62- « Crash ! » de J. G. Ballard (1973) 157
63- « Journal d'un cœur sec »
de Mathieu Terence (1999) 154
64- « Romans et récits »
de Georges Bataille (1928-1962) 150
65- « Œuvres »
de Raymond Radiguet (1920-1924) 147
66- « Journal » de Kurt Cobain
(écrit entre 1987 et 1994, publié en 2002) 143
67- « Une œuvre déchirante d'un génie
renversant » de Dave Eggers (2000) 139
68- « Les Couleurs de l'infamie »
d'Albert Cossery (1999) 136
69- « En avant la moujik ! »
de San-Antonio (1969) 132

70- « Les Bonbons chinois »
de Mian Mian (2000).. 128
71- « Journal parisien »
de Ned Rorem (1951-1955)................................ 125
72- « Une vie à brûler »
de James Salter (1997)...................................... 122
73- « Nada exist »
de Simon Liberati (2007).................................. 119
74- « Tourne, roue magique »
de Dawn Powell (1936)...................................... 116
75- « Tranches de vie »
de Gérard Lauzier (1975-1986)......................... 112
76- « La Face cachée de la lune »
de Martin Suter (2000)...................................... 109
77- « Glamorama »
de Bret Easton Ellis (1998)............................... 105
78- « Mémoire de mes putains tristes »
de Gabriel García Márquez (2004) 102
79- « Podium » de Yann Moix (2002)...................... 99
80- « La Foire aux atrocités »
de J. G. Ballard (1970) 96
81- « L'Usage du monde »
de Nicolas Bouvier (1963).................................. 93
82- « L'Ombre blanche »
de Saneh Sangsuk (1986) 90
83- « La Ferme africaine »
de Karen Blixen (1937)...................................... 87
84- « Une fille pour l'été »
de Roland Jaccard (2000) 84
85- « Tout est illuminé »
de Jonathan Safran Foer (2002) 81
86- « Disgrâce » de J. M. Coetzee (1999) 78

87- « Le secret de Joe Gould »
de Joseph Mitchell (1965) 75
88- « L'Adversaire »
d'Emmanuel Carrère (2000) 72
89- « Rapport sur moi »
de Grégoire Bouillier (2002) 69
90- « Petites Nuits »
d'André Blanchard (2004) 65
91- « Nouvelles complètes »
d'Ernest Hemingway (1923-1960) 61
92- « Hell » de Lolita Pille (2002) 57
93- « Le loup des steppes »
de Hermann Hesse (1927) 52
94- « La lune en plein jour »
de Hanif Kureishi (1999) 49
95- « Clémence Picot » de Régis Jauffret (1999) 46
96- « Pourquoi les poètes inconnus
restent inconnus » de Richard Brautigan
(posthume, 1999) 43
97- « Lignes » de Ryu Murakami (1998) 40
98- « Un monde de cristal »
et « Homo zapiens » de Viktor Pelevine
(2001 et 1999) 35
99- « Un jeune homme chic »
d'Alain Pacadis (1978) 30
100- « Fin de party »
de Christian Kracht (2001) 27

Cet ouvrage a été imprimé
par CPI BRODARD ET TAUPIN
72200 La Flèche
pour le compte des Éditions Grasset
en août 2011

Composé par Nord Compo Multimédia
7, rue de Fives, 59650 Villeneuve-d'Ascq

Dépôt légal : septembre 2011
N° d'édition : 16805 – N° d'impression : 64536
Imprimé en France